無支配の哲学

権力の脱構成

栗原 康

角川新書

新書版はじめに

　ところで、二〇一八年に刊行いたしました『何ものにも縛られないための政治学』。ながらく在庫切れとなっておりましたが、このたび新書リニューアル版として、ふたたびまいもどってまいりました。あらためて、ご挨拶《あいさつ》もうしあげます。

　本書でこころみたのは、アナキズムの哲学。アナキズムとは「アナーキー」と「イズム」をくっつけたことばだ。アナーキーは「無支配」。イズムは「主義」という意味だから、「無支配主義」である。

　ちなみに、いまでも「無政府主義」と訳されることがおおいし、じっさい政府も支配機構のひとつだから、それもまちがってはいないのだが、ひとがひとを支配するのは政府にかぎらない。ひろく無支配といったほうがいいだろう。この世から、あらゆる支配をなくしていきたい。そうおもうのがアナキストだ。

　なかでも、おおくのアナキストが支配の根底にあると考えてきたのが、奴隷制だ。古代の支配者は戦争捕虜に死の恐怖をうえつけて、その人生をわがものにしてきた。人間を奴隷として所有する。生かすも殺すもご主人さましだいだ。

人類学者のデヴィッド・グレーバーによれば、資本主義の土台ともいえる私的所有権もまたこの奴隷制にもとづいている。起源は古代ローマ法。そのひとだけが排他的に独占し、おもうがままにしてよいとされる権利だ。

いちど所有したら、なににつかってもいい。つかえなければ、捨ててもいい。壊してもいい。わざわざそんな権利をつくったのは、本来、そんなことをしちゃいけないはずの人間に、他人の所有物であることを強いるためだ。

近代にはいると社会契約論の名のもとに、この私的所有権が重視される。どれだけたくさん自分のものにできるのか。カネさえあれば、奴隷制さながらに人間も意のままにできる。そうやって、カネもちや権力者が好き放題やれることを自由といいがちだけど、そんなの他人を奴隷にする力でしかない。支配だよ。

これから紹介していくアナキストの思想家たちは、ほとんどみんなこの自由を問題にしている。というか、もし奴隷制を自由というならば、そんな自由はいらないのだ。自由をぶっとばせ。

じゃあ、アナキストのいう自由とはなにか。自由（freedom）の語源は、友だち（friend）である。いつでも友だちをつくりだすことができる。その力をもっていることが自由なのだ。

友だちは上司でも部下でもない、主君でも臣下でもない、主人でも奴隷でもない。上下関係があったら、それはもう友だちじゃない。

むしろ他人に支配関係を強いられたとき、いつでもそこから抜けだすことができる。文字どおり逃げだしてもいい。あるいは、いまこの場にいながらにして、フラットなひととひとのつながりをつくりだしていく。支配なき共同の生をいきていきたい。われわれの友へ。それが自由だ。

そして、この自由がアナキストの革命観にもつながってくる。一言でいえば、権力をとらずに世界を変える、だ。権力者の横暴がきわみにたっしている。この腐りきった資本主義を終わらせたい。だけど、国家権力の奪取を目的にしていたら、いつのまにかこちらが権力者になってしまう。

権力と正面から対決しているうちに、相手とおなじようなことをやりはじめる。企業にも警察にも勝てる組織づくりをしなくてはならない。そういってトップダウンの組織をつくり、上下関係を強制する。従わない者たちを反革命分子として排除する。正義をふりかざしているから歯止めがきかない。

だから、本書に登場するマックス・シュティルナーは、権力奪取を目的とする「革命」にたいして、「反逆」がだいじなのだといっていた。ひとによっては、おなじ意味で「蜂起《ほうき》」

とよぶだろう。将来の革命のために、いまはがまんだ？　他人に支配されてもしかたがない？　そういって、あなたのいまが犠牲にされる。現にふるわれている権力が正当化されてしまう。

だけど、いまないものはその先もない。いまここで、この腐った世界に怒りの火の玉を投げつける。権力そのものにくたばれと宣告していく。それに将来じゃない、いまここにいる自分たちが支配のないひととひとのつながりを生きていくのだ。

匿名のアナキスト集団、不可視委員会は、そうした蜂起する力のことを「権力の脱構成」とよんでいる。

脱構成を不可逆なものとするためには、われわれは手始めにわれわれ自身の正統性を手放さなければならない。何かの名にかけて革命をなしとげるのだ、革命勢力が代表すべき本来的に正しく潔白な本質があるのだといった考えを手放すべきである。みずからが神々の高みに立ちながら権力を地上に引きずりおろすことなどできない。[1]

もしかしたら、そもそも権力奪取はいらないという感覚はひろまってきたのかもしれない。

たとえば、イスラエルのガザ侵攻。すさまじい大虐殺だ。やめさせたいけど、アメリカがイスラエルを支援してとまらない。

だが、それで政権をとらなければいけないとおもうひとはいないだろう。大統領がバイデンからトランプに変わっても、状況は悪化していくだけだし、なによりイスラエルを支持するユダヤ人票がなければ、選挙には勝てないのだ。票をとればとるほど、戦争にも虐殺にも反対できなくなっていく。

どうしたらいいか。選挙じゃねえよ、占拠だよ。オキュパイだ。ここにきて、全米の学生たちがパレスチナ解放をかかげて大学占拠。弾圧され、排除され、逮捕されても、つぎからつぎへと学生たちがたちあがる。

それに感銘をうけた人たちが公園を占拠しはじめる。その他、各地を占拠する。気づけば、日本の学生たちも大学にテントをはった。権力のあまりの非道を目のあたりにしたら、ひとはわれしらず決起してしまうのだ。

そんなことをしたら、反ユダヤ主義のレッテルを貼られるかもしれない。ひとによっては、ユダヤ人コミュニティから村八分にされるかもしれない。大学を退学になるかもしれない。

1　不可視委員会『われわれの友へ』HAPAX訳、夜光社、二〇一六年、七六頁。

就職もできなくなるかもしれない。

それでもカネも人種も宗教も、あらゆる利害関係をとびこえてたちあがってしまう。権力そのものにくたばれと叫んでしまう。いまここで、共同の生をつくりだす。友だちが友だちをよび、まだみぬ友だちをよびおこしていく。

さて、シュティルナーは「革命」と「反逆」を対比させていたけれど、おおくのアナキストたちは、反逆につぐ反逆がまきおこり、その勢いがだれにもあらがいえないような、時代をつきうごかす力になることを革命とよんでいた。その力に飲みこまれたら、みんなおのずと無支配の生をいきはじめてしまう。幸福かよ。

どこまでいけるのか。まずは過去のアナキストたちに、その思想をまなぶところからはじめてみよう。無支配の哲学とはなにか。しあわせになろうよ。権力の脱構成だ。自由の火の粉をまき散らせ。

二〇二四年五月　埼玉の自宅にて

栗原《くりはら》　康《やすし》

目次

とおなじことだ　義をもってやれ!!!／負けて、負けて、また負けて――マックス・シュティルナーの人生／政治的自由主義――ギャア!!!／社会的自由主義――マジ、陰険／人道的自由主義――なにがクリエイティブだ、このやろう／この世界のすべてがクソなんだ　どうでもいいね、どうでもいいね、どうでもいいね／小さくまえへならえ――新自由主義の精神／クソしてねやがれ、それが不法占拠の精神だ／地域アートの役割とはなにか？　なにもするな！／月夜の釜合戦　カマをほろうぜ、好兄弟！

動物なめんな、さあ生くぞ！／おまえが舵をとれ――バクーニンのパリ・コミューン論／ルイズの青春――ケケケッ！／ヤカラ上等、友だち、だいじ／ああ、ああ、ああああああああああ!!!――ルイ・オーギュスト・ブランキの生涯／やるならいましかねえ、いつだっていましかねえ　宇宙の命はノーフューチャー／よっ、肝っ玉姉ちゃん！／チクショウ、なんて日だ！／ファック、ファック、人口反対！／あっ、革命がおこってら／パ

凡例　引用文は読みやすさを考慮して現代表記とし、必要におうじて、漢字をひらがなにあらためている。

第一章　社会契約っていつしたの？

ぼくは毎日、過去の天気予報をみています

白石嘉治《しらいしよしはる》さんというひとがいる。フランス文学の研究者で、わたしにとっては友人であり、あうたびにいろんなことをおしえてくれる先生でもある。[1]ある日、その白石さんがこんなことをいいはじめた。「天気予報をみてはいけない」。えっ⁉　わたしはしばらくキョトンとしてしまったが、白石さんはこうつづけた。天気予報をみると、その日の、その週の行動が予報にしばられてしまう。そうおもっていなくても、みんなしらずしらずのうちに、そうしてしまうのだと。きょうは晴れだからこうしようとか、明日は雨だからこうしようとか、週末は雪になるからそのまえにこうしておこうとか。しょうじき、わたしは週の大半、部屋にひきこもっているので、あまり天気とか関係ないのだが、それでもはなしをきいているうちに、そんな気がしてきた。

およそ大人というものは、五年後、一〇年後、二〇年後と、人生の目標をたてて、それにむけて生きていこうとしてしまうものだ。まっとうな仕事について、まっとうな家庭をきずけ。ほんとうは、いままっとうな仕事なんてどこにもないわけで、せっかくいちどきりの人生なのだから、食っていけようがいけまいが関係ない、好きな小説をかくんでも、楽器をやるんでもかまわないから、いまむちゃくちゃやりたいことをやってしまえばいいのだが、将

来の自分を意識してしまうと、それじゃダメなんだ、生計をたてられるようにしなきゃいけないんだとおもわされてしまう。将来につながらないことはやめにしよう、それでもやめないやつはお子さまなんだ、ムダなんだと。大人はありもしない未来のために、いまを犠牲にして生きている。未来のためにいまはたえよう、未来のためにいまは捨てよう。未来のために、未来のために、未来のために。ああ、いきぐるしい。まともな大人になるということは、時間の奴隷になるのとおなじことだ。

そんなわけで、白石さんは天気予報をみてはいけないといっていたのだ。天気予報をみていると、ただでさえ時間の奴隷なのに、それが加速させられてしまう。雨がふるときはふるのだし、晴れるときは晴れるのだ。気にするな、時間とたたかえ、未来とたたかえと。わたしはそれをきいて、なるほどとおもい、ウンウンうなずいていたのだが、あれ、ちょっとまてよとおもった。そうはいっても、時間とたたかうというのは、いったいなにをすればよいのだろうかと。そうおもって、わたしが首をかしげていると、白石さんはこうおしえてくれた。「ぼくは毎日、過去の天気予報をみています。さいきんだと去年の天気予報にくわしい

1　白石嘉治さんには、以下の著作がある。『増補　ネオリベ現代生活批判序説』（大野英士との共編著、新評論、二〇〇八年）、『不純なる教養』（青土社、二〇一〇年）。いずれも名著だ。おすすめである。

ですよ。おしえましょうか？」。ガーン!!! マジで狂っている。過去の天気どころじゃない、過去の天気予報である。あっているかどうかもわからない。ほんとうに、なんの役にもたたないのだ。

でも、これをきいて、わたしは時間に反対するというのはどういうことなのか、ちょっとわかったような気がした。ちかい将来、なんの役にもたたなくたっていい。いちど未来志向のあたまをかちわって、子どもになって生きなおそう。文章をかくんでも、音楽をやるんでも、恋愛をするんでも、セックスをするんでも、子どもをつくるんでも、なんだっていい。なにひとつあきらめなきゃいけないことなんてない。いまやりたいことはぜんぶやる。するとかけがえのない、いまという時間がみえてくる。いつだって、逆むきの時間を生きたいとおもう。思春期は永遠だ。いま、いま、いま。やるならいましかねえ、いつでもいましかねえ。白石さんのおしえだ。いつかの少年をとりもどせ。齢をかさねればかさねるほど、子どもになっていく。時間とたたかえ、それが真に成長するということだ。

一票、一票って、うるせえんだよ

これ、政治的なことについてもおなじことがいえるのってわかるだろうか。たとえば二〇一六年、わたしはちょっと怒っていた。参院選のことだ。自民党が圧勝したからとか、そういうことじゃない。もちろん、それはそれでムカつくのだが、それよりもなによりも、選挙にいこう、選挙にいこう、の大合唱。ちょうど選挙権が一八歳からみとめられるようになったというのもあるのだろうが、どこもかしこも選挙動員のキャンペーンだった。きよき一票を、きよき一票を。選挙にいくことが民主主義ですよ、それが国民の義務なんですよ、わかい子もみんな政治に関心をもたなきゃいけないんですよ、そうしなきゃ、このさき日本がダメになってしまいますよと、そんなことばかりいわれていた。ほんとうのところ、自民党が勝とうが、民進党が勝とうが、どっちにしてもたいしてかわりないし、そんなことみんなわかっているはずなのに、それでも選挙にいくということについては、そうだ、そうしなきゃいけないというひとがやたらとおおかった。まるで選挙がなければ、生きていけないとでもいわんばかりだ。インフラである。しかも、ほんとうにめんどうくさかったのは、いちおうわたしは政治学者という肩書きがあったりするので、飲んでいるときなんかに「栗原さんはどこの政党に投票するんですか」ときかれたりするのだが、ふつうに「選挙、いきませんよ」とこたえると、それをきいていたおっさんとかにからまれるのだ。やれ、おまえは非国民だとか、やれ、非国民はこの国土をふんじゃいけないんだとか、やれ、おまえみたいな非国民がいるから日本がダメになるんだとか、やれ、このままじゃ日本が中国にほろぼされるんだとか、マジで意味がわからない。ああ、もううんざり。こころからおもう。選挙はいらない、日本死ね。一票、一票って、うるせえんだよ。

　というか、ちょっとまえまでは、さんざん安保法制がやばいとさわがれていて、官邸前で一〇万人の抗議デモとかがやられていた。で、主催者のひとたちは、こういっていたわけだ。とにかく毎週、たくさん人数をあつめて、メディアにアピールして、政府に圧力をくわえましょうと。メディアに好印象をあたえるためには、わかい子を前面にだして、キャッチーなフレーズをつかって、おしゃれなプラカードをつくって、歩道でコールをとなえて、わたしたちはだれにもめいわくをかけていません、この国の将来を考えていますといって、世間の同情をあつめようとしていたのだ。

　とまあ、それだけだったらいいのだが、ひどいのはいざ抗議の場で、こころから怒りをぶちまけて官邸にのりこもうとしたり、路上にでて警官とおしあいへしあいをしてケンカになったひとがいたら、主催者が警官といっしょになって、その人たちをとりしまっていたことだ。おまえら暴徒のせいでだいなしだ、メディアに悪印象をあたえてしまう、政府への圧力がよわまってしまう。おまえらのせいだ、おまえらのせいだ。まわりのめいわく考えろ、こからでていけと。若者の未来のためだか、日本の未来のためだかしらないが、そんなもののために、わたしたちはいまやれること、いまやりたいとおもったことを犠牲にさせられてしまう。時間の奴隷になるのである。これが政治だ、動員だ。デモにいけばいくほど、ひとがたんなる数になってしまう。イヤだね。

　それで法案がとおってしまったとおもったら、こんどは選挙だ。政治についてうんぬんするなら、政権をとらなくちゃいけないみたいになって、それまで官邸前にあつまれといっていたひとたちが、票をあつめろ、数をあつめろ、きよき一票を、きよき一票をと、いっせいに選挙動員キャンペーンだ。水をさすようなことはいっちゃいけない。いったらそれで非国民あつかいだ。あきらかに動員のレベルがましている。もともと、安保法制に反対していたのは、戦争の論理に反対していたからだ。戦争というのはおそろしいもので、お国のため、みんなの命をまもるためとかいわれると、だれもなにもあらがえずにしたがわされてしまう。おまえが命令にしたがわなければ、みんなが殺されてしまうかもしれない。殺せよ、死ねよ、躊躇《ちゅうちょ》せずと。ひとをひととしてみちゃいけない。たんなる物量として、数量としてみなくちゃいけないのだ。それが戦争である、究極の動員である。ほんとうはそういうのがイヤで安保法制に反対していたはずなのに、官邸前デモや選挙にいっていたら、しらずしらずのうちに、おなじ動員の論理にまきこまれてしまう。若者の未来のために？　日本の未来のために？　ふざけんじゃねえ。殺すな、死ぬな、躊躇しろ。政治はいらない、あらゆる動員を拒否しよう。ぼくは毎日、過去の天気予報をみています。一票、一票って、うるせえんだよ。

いいよ、選挙無条件ボイコット！

そんなふうにおもっていたころのことだ。これはまえにもエッセイでかいたことがあるのだが、すごくいいはなしなのであらためてふれておこう。二〇一六年の七月、参院選のころのはなしだ。富山の運動団体が遊びにこないかと声をかけてくれた。参院選の前日にデモをやって、当日にトークイベントをやりましょうと。テーマはアンダークラス。下層と訳してもいいんだろうが、とにかく貧乏人なめんなということをうったえかけたいということだった。しかも選挙の日にあわせたのは、どこの政党が勝とうが関係ない、わたしたちの生活はわるくなるばかりだ。だからやるべきことはただひとつ、直接行動だ、人民が決起することなんだと、そういうことをうったえたいからなんだという。うおおお、そんなことをきいたら、もういかないわけにはいかない。なにより、たのしそうだ。ワクワクしながら、新幹線にのって富山にむかった。

富山駅につくと、活動家のおじさんが車でむかえにきてくれて事務所にむかった。いってみると、年配のかたからわかい子まで、三〇人くらいあつまっている。もしかしたら、ひとによっては三〇人でデモってすくないんじゃないのとおもうかもしれないが、すこしまえまでは東京でだってそんなもんだった。むしろ、あまりデモがおこなわれていない富山で、これだけあつめられるほうがすごいのだ。ほんとうにすごいなとおもって、そういってみると、きょうは特別なんだという。熊本、京都、埼玉、茨城と、全国からひとがあつまってきているのだ。とくに京都からはわかい子が五、六人きていて、なんでも「(通称)反日デモ」というのをやったりしていた子たちらしい。かっこいい、つわものだ。はなしかけてみると、むちゃくちゃ物腰のやわらかい子たちだ。しかも、そのなかにしりあいとかもいて、うわあ、と再会をよろこんだ。いいかんじだ。

午後六時ころ、みんなでゾロゾロとあるいて駅前にいく。まずは三〇分くらい、駅前広場でいいたいことをいいまくろうと。主催者のおじさんがトラメガをもって、デモの趣旨をはなし、「じゃあ、つぎはゲストの栗原さんね」といってわたしの番になった。やばい、なにも考えていなかった。とりあえず、選挙はいらない、選挙はいらない、いま投票は国民の義務だとかいわれているけどおかしいでしょう、動員はやめろ、人間は数じゃないぞ、物じゃないぞ、自分たちの生活をかえるためには、自分たちの力をしめすしかない、直接行動だ、直接行動だと、そんなことをわめいてみた。みんな「そうだー、そうだー！」と声をあげてくれる。わあ、きもちいい。調子にのったわたしは、いまこの場から怒りの声をあげましょうといって、「チクショウ、チクショウ、チクショウ、チクショウ、チクショウ、チクショウ」と、一分くらい絶叫する。それにあわせて、熊本からきていた子が「アァァァァァァッ、アァァァァァァァッ」と雄叫《おたけ》びをあげてくれた。快感だ。つづいて、京都の子たちが「いま選挙にいかなければ、非国民みたいなことがいわれてますけど、それがどういうことかわかりますか？　そもそも選挙権がない人たちだっているんですよ。身のまわりにいる在日外国人のことを考えてみてください。おかしいでしょう」と、そんな発言をしていた。わたしよりちゃんとしている。いいよ、選挙無条件ボイコット！

そんなかんじで、さながら反選挙集会みたいになっていたのだが、さらにおもしろくなっていくのはここからだ。いざ、デモに出発。駅前から一時間半くらい、グルッとあるいてまわった。先頭にスピーカーのついた車を一台だしていて、そこから爆音で歌がながれはじめる。すごいことに、きょうのデモにむけて、自分たちでラップをつくってきたのだという。「ゼロ、ゼロ、ゼロ、ゼロ、ゼロ！ゼロ！ゼロ！ゼロ！　ゼロ！ゼロ！ゼロ！ゼロ！」。ウルトラセブンの替え歌だ。この腐った社会をぶっこわせ、ゼロにしろ、それに染まった自分たちごとゼロにしろという歌だ。わたしにはなにがラップで、なにがそうじゃないかよくわからないのだが、でも京都の子たちが「うおお、これが真のラップだ!!!」といってはしゃいでいたので、そうなんじゃないかとおもう。

これでテンションのあがった京都の子が、自分もラップをやりますといって、トラメガをもった。すると、そのときのことだ。いきなり、街頭から怒号がとんだ。「てめえらぁぁ、うるせえんだよ、やめろ、やめろ」。みると、丸坊主のおっさんだ。こええ。緊張感がはしる。きくと、地元の不動産屋のおっさんで、デモのたびにのりこんでくるんだという。そのおっさんが「このヘタクソ、ヘタクソ」とさけんでいたので、とっさに京都の子がラップをはじめた。うまい、マジでプロみたいだ。おっさんは一瞬、ウッとなってひるんでいたが、またこう野次をとばす。「てめえは、そんなスピーカーがなけりゃ、しゃべれねえのか」といってきたので、京都の子がトラメガなしで、ラップをとばす。うまい、うますぎる。デモのみんなはノリノリだ。ふたたび、おっさんがウッとなってしゃべれなくなったので、わたしたちはそのままあるきさることにした。京都のラッパー、圧勝だ。

未来のない運動をやろう　友情とは、コミュニケーションを爆破するということだ

そのあと、またわたしにトラメガがわたってきて、なにかやってくれという。どうもさっきのチクショウがもとめられているようだった。でも、なんだかそれじゃ芸がないし、それにラップつづきだったから、ちがう歌とかがいいんじゃないかとおもい、それでとっさに大好きな長渕剛《ながぶちつよし》をうたうことにした。「さいきん、かの女といっしょに住むことになりました。でも、カネがない。これじゃしあわせになれないぞ、しあわせになりたい、しあわせになり

たい。というおもいをこめて、うたいます。かたい絆に、おもいをよせて……」といって、『乾杯』をうたった。熱唱だ。いちど駅前で絶叫したこともあってか、ノドがひらいてすげえ声がでた。われながら最高のできだ。うたいおえるとデモ隊がシーンとしていて、わたしをよんでくれた富山のおじさんがブルブルとふるえている。おっ、わたしの美声で感動させてしまったのか。そうおもってみていたら、おじさんがこうさけんだ。「ナンセンス、ナンセンス！　栗原康はいますぐ帰れ！　これはカラオケデモじゃないぞ！　帰れ、帰れ！」。ええっ、な、なんでだ⁉　さいしょは冗談でいっているとおもったのだが、ほんとうに怒っていたみたいで、このあと、わたしに発言の機会があたえられることはなかった。やっちまったなあ〜！

さて、デモも終盤。そろそろ到着かというころ、京都からきていた女性が「ちょっといいですか」といって、富山のおじさんがもっていたトラメガをパッととった。そして、こういったのだ。「きょうこれだけあるいていて、男性しかしゃべっていません。おかしくないですか。女は男を補助していればいいということなんでしょうか。日常的な女性差別が、このデモでもそっくりそのままくりかえされていませんか」と。おお、そりゃそうだ。それをきいたおじさんは「おっしゃるとおりだ、自己批判します、自己批判します」とさけんで、富山の女性にトラメガをわたそうとした。すると、その女性はこういった。「わたしはしゃべるのが苦手なんです。ほんとうに、しゃべりたくないんです！」。ガーン!!!　こうして、富山のデモはおわりをむかえた。

ながながと、デモのことをはなしてしまったが、なんでこのはなしをしたのかというと、むやみやたらと解放感があったからだ。けっしてうまくいったデモじゃない。どちらかというとボロボロだ。ラップで街頭によびかけてみようとおもえば、しょっぱなからおっかないおっさんにのりこまれたわけだし、わたしが全力で長渕をうたえば、デモ参加者にマジギレされる。女性にもしゃべらせろという声があがったとおもえば、ほんとうにしゃべりたくないんだという声もあがる。デモ隊の内とも外とも、円滑なコミュニケーションなんてとれていない。むしろ不和、不和、不和。どこもかしこも不和しかない。デモをやればやるほど、ドカンドカンとコミュニケーションが爆破されていく。こわせ、こわれろ、こわされろ。こいよ、ディスコミュニケーション。

だけど、それがよかったんだろう。やっぱり、だれだってせっかくデモにきたからには、街頭にうまくよびかけたいとおもうわけだが、とりたてて怒鳴られるところじゃないのに、不意におじさんに怒鳴られて、それを京都の子がラップで撃退したことで、みんなでイェイみたいにもりあがった。それでなにかがフッとふりきれたわけだ。なにをいおうと、なにをさけぼうと、なにをうたおうと、ぜんぶ自由だ、ヤッチマエと。それでわたしは長渕をうたって怒られたわけだが、でもおかげでわたしもふっきれた。なんだかんだいって、わたしもどっかしらで、ゲストとして新幹線代をだしてもらっているのだし、ちゃんとしたことをしゃべらなきゃいけないとおもっていたのだが、おまえ帰っていい、までいってもらえたのである。ようするに、これだけカネをだしたから、これだけ役にたてとか、そんなの関係ねえぞといってもらったのだ。こんなにありがたいことはない。その後、ものすごくリラックスしてすごすことができた。そしてさいごに、女性にもしゃべらせろだ。これはそのとおりだし、すげえだいじなことなのだが、それでも、しゃべらなきゃいけないわけじゃない。みんながみんな有益なアピールなんてしなくてもいいのである。ただあるきたい、ただそこにいたい。わたしはけっしてしゃべりません。ディスコミュニケーション上等だ。

いま、ひととコミュニケーションをとるというと、まわりにうけいれられることをいって、まわりとうまくやって、まわりにみとめられるようになりたいというのがあるとおもうのだが、それをくりかえしているうちに、どんどんどん、いきぐるしくなってくる。まわりに評価されるために、そういう未来のために、いまの自分がしばられてしまうのだ。いつだって、まわりを気にして生きてしまう。これ、デモだっておなじことで、どんなに選挙ボイコットだ、アンダークラスだといったところで、それを街頭でうったえかけるという目標をたてて、その未来のために、よりよい結果をだすためにうごきだすと、そのためにいまの自分をしばってしまうということは多々あるのだ。これがいきすぎて、不必要なうごきをみとめなくなると、官邸前デモや選挙動員みたいになってしまう。でも、街頭にでるおもしろさというのは、ふとしたきっかけで、そういう目標さえどうでもよくなってしまう瞬間があるということだ。もうなんにもなくなった、なんでもありだ、なんでもできる。ゼロからはじまるいまこのとき。その自由の解放感によいしれる。そして同時におもうのだ。なんの役にもたたなくたっていい、必要とされなくたっていい。それでもいっしょにいてくれるのが、ほんとうの友だちなんだと。富山でまなんだ、だいじなこと。友情とは、コミュニケーションを爆破するということだ。未来のない運動をやろう。友だちはけっして役にたたない。

議会制民主主義とはなにか？
——奴隷のくせして、主人のまねごと

やばい、脱線しすぎたので、そろそろはなしをもどそう。もうすこし考えてみたいのは、選挙のたびに、やれ、選挙にいくのが国民の義務だとか、やれ、いかないやつは非国民だとかいわれるわけだが、これはなんなんだろうということだ。たぶん、選挙にいくことが民主的なことだといわれているからだとおもうのだが、それってどうなんだろうか。だいたい選挙がどうこうというひとは、議会政治が民主主義だとかいってくる。でも、まず確認してお

きたいのは、この時点でウソっぱちだということだ。プラトンの『国家』でも、アリストテレスの『政治学』でも、ルソーの『社会契約論』でもなんでもいいが、およそ政治学の古典といわれている著作をひもとけば、政治形態といわれるものは、おおきくいって三つにわけられる。一者による統治、少数による統治、多数による統治だ。で、これにあてはまるのが、君主政、貴族政、民主政である。アリストテレスの場合、もうちょっとこまかくて、これら三つには堕落した形態もあるとかいっているのだが、めんどうくさいので、ここではおいておこう。

(一) 一者による統治……君主政
(二) 少数による統治……貴族政
(三) 多数による統治……民主政

じゃあ、これに議会政治をあてはめてみたら、どうなるだろうか。日本では、国会議員の数は、衆議院と参議院あわせても、七〇七人くらいで、この人数で一億二〇〇〇万人を統治している。どう考えても、少数による統治でしかない。ほかの国でも、日本より国会議員の数がおおいところはたくさんあるが、それでも三〇〇〇人くらいである。人口比でみてみると、少数で国をうごかしていることにかわりはない。ようするに、議会政治とは少数による統治なのだ、貴族政である。もし民主政うんぬんというのであれば、直接民主主義か、それにかぎりなくちかいものじゃなきゃおかしいだろう。すごくだいじなことなので、くりかえしておこう。議会政治が民主政だというのはまっかなウソだ。議会政治とは、貴族政にほかならない。[2]

もちろん、こういわれることだろう。いやいや普通選挙がしかれていて、みんなで議員をえらんでいるのだから、多数による統治ですよ、民主政ですよと。それで議会制民主主義ということばがつかわれるわけだが、そうはいっても、少数のおえらいさんがその他すべてを支配していることにかわりはない。もし投票にいっただけで、オレは政治に参加しているんだとか、オレは支配する側の人間なんだとかおもっているとしたら、それはとんだまちがいだ。どうかしている。だって、はじめからカネと権力をもっているやつらが政治家になって、そいつらのいうことをきかされているだけなのだから。奴隷のくせして、主人のまねごと。こっぱずかしい。

2　この点については、ＨＡＰＡＸ「無条件革命論――われわれには守るべき約束などない」（『HAPAX VOL.4』夜光社、二〇一五年）を参考にした。

でも、おそろしいことに、選挙にはひとにそうふるまわせる力みたいなものがそなわっている。じゃあどうなるのかというと、まず選挙になると、ひとの政治的な意思が一票に還元される。日本でいえば、有権者は一億一〇〇万人くらいだから、そのうちの一になるわけだ。で、これからの政治はどうあるべきか、いくつかの選択があたえられて、そのうちのどれかをえらばされる。どっちの数がおおいのか、多数決で社会全体の意思をきめるのだ。このしくみ、おかしいのは、多数派の意見が社会全体の意思とおなじだとみなされているということだ。これじゃあ、ぜったいに勝てない人たちがでてきてしまう。

たとえば沖縄の基地問題とか、どう考えてもおかしいのに、いかんせん人数では、本土の国会議員のほうが圧倒的におおい。全員じゃないかもしれないが、たいていの議員がこうおもっているのだろう。アハハ、わるいね、沖縄さん。アメリカのためならしかたがないね、国の安全のためならしかたがないね、国民の利益のためならしかたがないね、ドンマイ、ドンマイと。クソったれ。でもざんねんながら、国民の利益のためならしかたがないね、そんな連中に勝てないのだ、多数決では。不平等だ。しかしそんな不平等がしいられていても、それがルールなんだからしかたないよねとか、みんなできめたことなんだからちゃんとしたがいましょうとか、おまえんとこだけわがままいうなよとかいって、問答無用でおしきられてしまう。それが議会制民主主義だ。ふざけんじゃねえ。ここまできたら、こっちだって問答無用だ。沖縄の人たちはもうやっていることかもしれないが、国家だの、外交だの、そんなものにしばられる必要はない、あらゆるしがらみふっとばし、あの手この手でとりかかる。そういえば、しりあったおじいさんが、こんなことをいっていた。「これから辺野古《へのこ》にいってくるよ。カネなし、さきなし、こわいものなし。あたまでもかちわられて、沖縄の海でプカプカ浮いてるってのもいいもんだよな」。かっこいい。きっと、そんな老人たちが世界をかえるんだとおもう。この宇宙に基地なんて必要ない。ジジイが最高。沖縄にいきたい。

もうひとつ、おかしいのは政策だの、選挙公約だのといって、ひとにぎりの政治家たちが、わたしたちの未来をきめようとしているということだ。はじめからカネと地盤をもっているエリートたち。いけすかない。でもうまいのは、だれしも記憶にあたらしいんじゃないかとおもうのだが、いざ選挙になると、ほかの候補者に勝つために、みんながみんな社会全体の代弁者であるかのようにふるまうということだ。とつぜん政治家たちがマスコミやSNSをつうじて万人うけすることをいいはじめる。ヘコヘコと有権者にこびへつらい、それでもものたりなければ、つごうのいい人間を敵にしたてあげ、すげえブラックなイメージをうえつけてぶったたくのだ。いいね、いいねの人気とり。きもちわるい。

しかも、もっときもちわるいのは、これでいっしょになって「わるいやつ」をぶったたいていると、いつのまにか、自分もその政治家と一体感をかんじるようになっているということだ。いちどそうなったら、もうおしまい。その政治家がたくさん票をあつめれば、自分もえらくなったような気になってしまう。好きな政治家のために、好きな政党のために、SNSで情報発信だ。いいね、いいねがうれしくかんじる。それは票だ、みんなの意思だ。もっとあつめなきゃ、もっとあつめなきゃ。うけのわるいことはいっちゃいけない。みんなの意思に反するからだ、国民の利益に反するからだ。ほんとうは、ちょっといいなとおもっている政治家や政党のために、情報発信していただけなのに、気づけば、国民の利益をせおっている。奴隷のくせして、主人のまねごと。そりゃ、わたしみたいに選挙にいかないとかいうやつがいたら、非国民よばわりされるだろう。

もともと選挙がもっていた動員力みたいなものが、SNSをつうじて過剰にたかまっている。みんながいいとおもうことだけをいいましょう。それ以外はいっちゃいけない。コミュニケーションだ。やればやるほど、自主規制がすすんでいく。いきぐるしい。もしも、こんなものが民主主義だというのであれば、はっきりといっておかなくちゃいけないんだとおもう。民主主義なんていらないんだ。わたしたちは政治家じゃない。支配者に未来をせおわされるのも、みずから未来をせおうのも、どっちにしてもまっぴらごめんだ。主人も奴隷もクソくらえ。いいねも票もどうでもいいね。こいよ、ディスコミュニケーション。チクショウ、チクショウ、チクショウ、チクショウ、チクショウ、チクショウ。アァァァァァァァッ、アアァァァァァッ。わたしたちに未来はない。おぎゃあ、おぎゃあ。フオオオ、フオオオオオ!!!　子どもにかえったっていい、獣にかえったっていい。過去だけひろって生きていきたい。

社会契約なんてむすんだことはない、むすんだことにさせられているだけなんだ

しかし、そういうことをいっていると、かならずでてくるのがこのことばだ。社会契約。議会にしても、政府にしても、選挙にしても、自分たちでそういう社会でやっていこうときめたんだから、契約をむすんだんだから、ちゃんとしたがえよというのである。でも、よく考えてほしいのは、そんな契約をむすんだことがあるというひとはいるんだろうかということだ。はっきりといえる。ひとりもいない、ざまあみやがれ。じゃあじゃあ、なにがおこっているのかというと、こういうことだ。社会契約なんてむすんだことはない、むすんだことにさせられているだけなんだと。もちろん、そうさせられているだけだといっても、現に国家も社会もたちあがってしまっているわけで、ただ無視しているわけにもいかないのだが、でもその事実を確認しておくのはだいじなことだ。だって、この「させられている」というところに、権力の肝みたいなものがあるのだから。じゃあ、あらためて。社会契約とはなに

か。高校の『政治・経済』の授業みたいになってしまうが、ホッブズの『リヴァイアサン』でもひもといて、かんたんにおさらいをしておこう。[3]

社会契約のはなしをするとき、まずホッブズは自然状態からはなしをはじめている。自然状態というのは、まだ国家も統治も存在しない、人間の原始状態のことだ。野蛮人の生活といってもいいだろうか。で、ホッブズはこういうわけだ。自然状態では、ひとはみんな平等である、だれもが自分をまもる権利をもっている、自己保存の権利をもっている、その点、みんな平等なんだと。じゃあ、その自分をまもるってのはなんなのかというと、身体や生命もふくめて、自分がもっているモノのことなんだという。財産、所有物のことだ。獲物を狩ったり、女をものにしたり、子どもをつくったり、名声や威厳をえたり、土地をもったり、屋敷をかまえたり、畑をたがやしたりと、そういうことをする権利をみんながもっているということだ。なにかを自分のものにして、それをまもる、たくわえると。女、子どもを所有するとかいっている時点で、ホッブズの人間というのは男だけじゃんとおもってしまうが、とりあえずいわれていることをざっとおってしまおう。

ホッブズによれば、この人間というのはやっかいなもので、ほかの動物たちとちがってヘンにあたまがいい。理性をはたらかせて、自分の利益をふやそうとしてしまうのだ。財産つくれ、まもれ、たくわえろ、もっともっとと。とうぜん、他人の利益とバッティングすることもあるから、きそいあい、うばいあいになる。いやあ、あいつんとこの土地、作物がいっぱいとれていいよねえ、ほしい、ほしい、オレもほしい、よしうばっちまえ、抵抗されたらぶっ殺しちまえと。しかも、いったんそういうのがあたまにうかんでしまったら、もうおしまいだ。オレんとこもけっこういい作物がとれるし、もしかしたら、あいつもオレの土地をうばいとろうとしてんじゃねえかと、猜疑心《さいぎしん》にとらわれてしまう。くそ、だったらさきにやっちまえ、先手必勝だ。でも、これをやりはじめると、とまらなくなってしまう。みんながみんな殺しあいをはじめて、収拾がつかなくなってしまうのだ。「万人の万人にたいする戦争」である。

これじゃ年がら年中、ひとがひととあらそっていて、いつ命をうばわれるかもわからない。たいへんだ。やれ自己保存のためだ、やれ自分の利益のためだとかいっておいて、死んでしまったら意味がないのだから。ということで、これじゃあまずいので、ひとはもうちょっと理性をはたらかせるようになる。そうだ、一人ひとりが自分をまもる権利をもっているから、殺しあいまでいってしまうんだ。だったら、そんなもん手ばなしちまえ。もちろん、ひとり

3　ホッブズ『リヴァイアサン（全二巻）』（永井道雄、上田邦義訳、中央公論新社、二〇〇九年）を参考にした。

でやっただけじゃ意味がない。まわりに血祭りにあげられるだけだ。だから、おまえもな、おまえもなといって、いったん、みんなではなしあって権利を手ばなすことにする。むろん、それでもまもらないやつがいるかもしれないから、そのみんなの権利をだれかひとりに、あるいは、どこかひとつの集団にゆだねて、それを管理してもらう。そのだれかに、みんなの利益がぶつからないように、あいあらそって命をおとさないように、ルールをつくってもらおう、強制力をはたらかせてもらおう。とまあ、そういう契約をみんなでむすぼうよというのが、社会契約だ。

これ、みんなの権利を管理するというと、ちょっとはんわかしてきこえるかもしれないが、そうじゃない。いうことをきかない連中がいたら、圧倒的な力でぶっつぶしてもいい、投獄してもいい、ぶっ殺してもいいんだということである。そりゃ、一人ひとりが身をまもるためにもっていた力をぜんぶたばねているわけだから、すさまじく巨大な力になる。怪物的な力を行使して、バカな民衆どもをおさえつけろ。統治、統治、統治。だまれ、したがえ、さからうな。さもなければ、死あるのみ。だれもあらがえない、絶対不可侵の権力だ。ホッブズは、これを旧約聖書の怪物の名前からとって「リヴァイアサン」とよんだ。主権といってもいい。で、この主権をにぎっているひとが、主権者とよばれるわけだ。君主かもしれないし、代議員かもしれないし、民衆かもしれない。さっきもいったように、それにおうじて、君主政、貴族政、民主政のいずれかになる。そして、そういった政治形態のことを「コモンウェルス」とよんだわけだ。国家とも訳されるが、まあ直球で、共通の利益のことだといってもいいだろう。ひとは利己的な存在であるが、ほんとうに自分の利益をまもるためには、ただ自分のことだけを考えるんじゃなくて、みんなのことを、共通の利益を考えなくちゃいけないんだと、そういうことだ。

人間の本性はなにか？——ああ、あああっ!!! うおおおっ!!!

ざっとまとめてみたが、これがホッブズの社会契約論だ。でも、どうだろう。これおかしいのってわかるだろうか。ホッブズは、人間の原始状態からはなしをはじめて、その本能みたいなものを自己保存といっているわけだが、ひとって自分の利益のためだけにうごくものなのだろうか。たとえば、わたしが研究しているアナキズムの思想では、生きとし生けるものには、「相互扶助」の本能がそなわっているといわれている。それこそ大正時代に日本でもよくよまれていたアナキストに、ピョートル・クロポトキンというひとがいるのだが、かれなんかはそういうことをいっていたひとだ。ちょっとだけ、どんなひとだったのかを紹介しておこう。[4]

クロポトキンは、一八四二年うまれ。ロシアの貴族出身で、軍人になるためにそだてられたのだが、赴任先でまずしい農村の現状をまのあたりにして、なんじゃこりゃとおもい、いろいろ勉強していたら、革命思想にいきついてしまう。それで、帝政ロシアのことも、それをまもる軍隊のこともいやになり、一八六七年、おもいきって退役。その後、大学にはいって地理学者としてもちゃんとやっていくのだが、それだけじゃなく革命運動にもくわわった。なかでも、いちばん影響をうけたのが、おなじロシア出身で、ちょっと年上のアナキスト、ミハイル・バクーニンだ。この世のなかに、いかなる支配もいらないんだ、支配をしているのが国家ならそんなもんクソくらえだし、資本家ならやっつけなくちゃいけないし、たとえそれを実行するための革命組織であったとしても、そこに支配がうまれたらぶっこわさなくちゃいけないいんだと。いいよ。

で、国内外でいろいろうごいていたら、一八七四年、革命謀議で逮捕される。でもここからが本番だ。クロポトキンは、サンクトペテルブルクにあったペトロパヴロフスク要塞《ようさい》の監獄にいれられていたのだが、体調をくずして病院にはこばれたところを脱獄。それからは、指名手配をうけながら、ヨーロッパ各地を転々とした。ひたすらビラみたいな文章をかいて、青年たちよ、たちあがれとか、貧乏人たちよ、政治家にたよることなかれ、かれらは自分のことしか考えちゃいない、パンがなければ自分でうばいとれ、直接行動だとか、あおりまくった。そしてそんなこともいいながら、じっくりとかいたのが主著の『相互扶助論』（一九〇二年）だ。クロポトキンというのはすごいひとで、もともと地理学者で、哲学・思想もやるのかとおもっていたら、政治・経済も論じていてこりゃまたすごいとおもっていたら、こんどは生物学にかちこみだ。

いまじゃピンとこないかもしれないが、当時、ダーウィンの進化論がはやっていて、それが科学の最先端だといわれていた。で、いろんな学者が声をそろえていっていたわけだ。きほん生物界というのは、弱肉強食の生存競争である。よりつよいものが、よりよわいものを食らって生きている。だから、つよいものだけが生きのこり、よわいものは滅びるんだと。そして、その生物界の頂点にたっているのが人間さまで、その人間さまのなかにもつよい、よわいがあるんだと。あらそえ、たたかえ、かちのこれ。これだけきいていると、ホッブズの「万人の万人にたいする戦争」があてはまりそうな気がする。でも、いやいやとクロポトキンはいうわけだ。もっとよく生物をみてください、そんなに年がら年中、競争しているやつらなんていないですよね、むしろ目のまえでよわいやつがやられていたら、なんの得にも

4　クロポトキンの半生については、「一革命家の思い出」（大杉栄訳『大杉栄全集　第一一巻』ぱる出版、二〇一五年）を参考にした。

ならなくても、命をはってたすけていますよね、しかもそういうやつらのほうが集団としてはつよかったりしますよねと。クロポトキンは、そういう生物の本能みたいなのを相互扶助とよんでいる。本をひらいてもらえばすぐにわかるのだが、アリやハチのはなしからはじまって、トリやサル、ライオン、そして野蛮人から古代人、現代人にいたるまで、もういいよ、たくさんだというくらい、相互扶助の例があげられている。

近所に火事のあるとき、われわれが手桶に水を汲んでその家に駆けつけるのは、隣人しかも往々まったくみもしらない人にたいする愛からではない。愛よりは漠然としているがしかしはるかに広い、共同心または社会心の感情もしくは本能が、われわれを動かすのである。動物においてもまた同様である。反芻類の一群あるいは野馬の一群が輪を作って狼の襲撃にあたるのは、愛からでもなく、また固有の意味でいう同情からでもない。狼が狩猟のために団体を作るのも愛からではない。子猫や子羊が相戯れるのも、十数種の若い鳥が秋の野に遊び暮らすのも、愛からではない。フランスの全土にもあたる広い地域に散在している無数の萌黄鹿が、数十組の別々の隊伍を組んで、それがみんな大河を渡るためにある一点に集まるのも、愛や個人的同情からではない。これ実に愛や個人的同情よりもはるかに広い感情からである。きわめて長い進化の行程の間に動物と人類との社会に徐々として発達しきたった一本能からである。[5]

生きとし生けるものがたすけあっているのは、愛のためでも同情のためでもない。もっともっと、はるかにひろい感情にもとづいているんだ、本能なんだといっているのである。うん？　どういうことですかというひともいるかもしれないので、もうちょっとだけ引用しておこう。

> 愛や、同情や、犠牲は、われわれの道徳感情の進歩的発達に、たしかに莫大な役目をなすものである。しかし社会が人類のあいだによってもってたつ基礎は、愛でもなく、また同情でもない。それは人類共同の意識、よしそれがわずかに本能の域にとどまっているとしても、とにかくこの意識のうえにもとづくものである。相互扶助の実行によって得られる勢力の無意識的承認である。（中略）また各個人を

5　クロポトキン「相互扶助論」大杉栄訳『大杉栄全集　第一〇巻』ぱる出版、二〇一五年、一八四～一八五頁。

して他の個人の権利と自己の権利とを等しく尊重せしめる、正義もしくは平衡の精神の無意識的承認である。[6]

愛や同情というのは、ひとが意識してやっているものだ。このひとのことがこれだけ好きだから、これだけのことをしてあげて、これだけの見返りをもらいましょう、愛したい、愛されたいと。あるいは、そういうのがうまくいっていないひとをみて、かわいそうだとおもうときもある。でも、そういう利害関係を意識してということじゃなくて、もっとふつうに、あたりまえのように無意識のレベルでやっているのが相互扶助だ。ほんとうはせっかくなので、クロポトキンの本から例をあげてもいいのだが、おなじようなはなしで、わたしが大好きなエピソードがあるので、そっちを紹介しておこう。

こんなはなしだ。自分の目のまえをヨチヨチあるきの幼児があるいていたとする。かわいいもんだ。で、ふとその子をみたら、いまにも井戸におっこちそうになっている。ああ、ああっ!!!　このとき、人間というのはたいていなにも考えずに、うおお、うおおおっ!!!　とさけびながら、井戸にむかって体をなげだし、手をさしのべて子どもをたすけようとしてしまうものだ。たとえそれで自分が体勢をくずし、井戸におっこちてしまったとしてもである。たすけることで、その子の親からお礼をもらうとか、そんなことは考えない。そういうんじゃなくて、体が勝手にうごいてしまうのだ。人間というのは損得勘定だけでうごいているんじゃない。いざとなったら自分の身をほろぼしてでも、わが身かえりみずに、ひとに手をさしのべてしまうものだ。相互扶助である。

なんか「わが身かえりみず」とか、そんなことばだけきいてしまうと、ちょっとこわそうというか、そんなのできないよというひとのほうがおおいかもしれないが、でも、いまいったみたいに、そんなにたいそうなもんじゃなくて、だれもがふとしたときにやっているものなのだ。生死をわけるようなことじゃなくても、目のまえでだれかが物をおっことしたら、とっさにひろってやるもんだろうし、ちかくでタバコの火がつかなくてこまっているひとがいたら、サッとライターをだしてやるだろうし、友だちとしゃべりはじめたら、気づけば、さいきんみききしたおもしろいはなしをめいっぱいしていることだろう。それでカネくれとか、損得を考えているひとはあまりいない。ありふれた生の無償性だ。ちなみに、さっきの幼児の例、近代のアナキストからじゃなくて、儒教の古典、『孟子』からひいたものだ。仁ということばを説明するくだりにでてくるのだが、ドンピシャで相互扶助のはなしをしているので紹介してみた。儒教といえば、自分が支配者になったつもりで、エラそうなことばか

6　前掲書、一八五頁。

りいっているというか、きほん国をおさめる方法みたいのがかかれているのだが、それでも人間の本性については、いまみたいなことがかかれているのである。二〇〇〇年以上まえからいわれてきた、あたりまえの基礎事実。相互扶助、だいじ。

クロポトキンの人生については、またべつの章でもでてくるので、ここではいったんおいておこう。もうひとついっておきたいのは、オレ、オレ、オレと、自分のために、自分のよろこびのためにうごいているときだって、ぜんぶがぜんぶ自己利益のためにうごいているわけじゃないということだ。むしろ逆で、ほんとうにこりゃおもしれえとおもってうごいているときというのは、たいてい損得とか、そういうのをとっぱらってしまって、われをわすれてうごいているものだ。わたしだったら文章をかくのが好きで、いまでは仕事みたいにもなっているのだが、自分の利益だけを考えるんだったら、カネになるものだけかいていればいい。もちろんおもったより原稿料がおおくて、わーい、ひさびさに発泡酒じゃなくて、ほんもののビールでも飲んじゃおうかとか、友だちでもさそって焼肉を食いにいこうかとか、よろこんでいるときだってある。でも、それがうれしくて文章をかくというのは、ごくまれなことだ。どちらかというと、そういうのとは関係なく、ただかくのが好きなんだと実感させられることのほうが圧倒的におおい。

たとえば、とある年末のことだ。ある友だちがすげえいい本をかいたので、みんなでなにかしら表彰してあげようということになった。わたしも「栗原大賞」というのをつくって、賞状を贈ることにした。よし、やってやるぜ。むやみやたらと気合いがはいる。夜中、一時間くらいかけて、みじかい文面をつくってみた。びっくりするくらい、いいかんじのできだ。こりゃせっかくだしとおもい、よく自分の本のデザインをやってもらう友だちに電話をかけて、ちょっと工夫して、かっこいいかんじの賞状にできないかとおねがいしてみた。即答でオッケーだ。でも、人間というのはおろかなもので、ここからいろいろとわるのりをしはじめる。電話をきって一〇分くらいすると、友だちがメールをくれて、賞状の画像データをおくってくれた。あけてみると、なんと文字が犯行声明みたいになっていた。ならびもおおきさもムチャクチャ、バラバラのあれである。ああ、あああっ!!!　わたしはゲラゲラとわらい、みょうにテンションがあがってしまって、ふたたび文面をねりはじめた。負けられねえ。あたまをフルに回転させる。すると、表彰する本のテーマが不倫だったということもあって、フッとこんなことばがうかんできた。「倫理じゃねえよ、不倫だよ」。意味がわからない。でも、なんか圧勝した気がする。

ふたたび、デザインの友だちに電話をかけて、このフレーズも文末にいれたいんだという と、友だちが、ああ、あああっ!!!　といってまたデザインにこりはじめた。こんどはけっこう時間がかかる。まっていると、犯行声明のさいごの一文だけ、デーンッとやたらでっかい文字になったやつがおくられてきた。うおお、うおおおっ!!! もはや賞状なのかどうかもわからない。やばい、すごい、バカすぎる。おまえ最高、オレ最高。とまあ、そんなやりとりをしていたら、なんか外があかるくなっていたので時計をみると、なんと朝の八時になっていた。気づけば、七、八時間くらい賞状づくりをしていたのだ。マジで時間をわすれていた。われをわすれて夢のなか。無我夢中だ。

ほんとうのところ、「栗原大賞」とか、そんなクソみたいなもんつくったって、だれもよろこびやしないし、もらう相手だってうれしくはない。だれにもなんにも役にはたたないのだ。でも、そういうときにわるのりをしはじめると、その作業自体がたのしくて、たのしくてしかたがなくなってくる。時間がほんの一瞬にかんじられる。その一瞬に永遠すらかんじてしまう。かきてえ、かきてえ、もっとかきてえ。やめられない、とまらない、体が勝手にうごいてしまう。わるのりにつぐわるのり、そしてさらなるわるのりだ。ああ、あああっ!!! うおお、うおおおっ!!!! 体中に異様な力がわきたってくる。きっと、ひとがなにかによろこびをかんじるというのは、そういうことなんだとおもう。

まわりがどうおもうかじゃない。ただ自分の力をぶちまけてやればいい。そうすれば、その力がおもってもみなかった方向にひろがっていく。ああ、自分にはこんなことを考えることもできたのか、こんな表現をすることもできたのかと。ピョンピョン、ピョンピョン。グングン、グングン。自分の生きる力が跳躍し、ひろがっていく。ひとはそういうところに充足感をおぼえるのだ。大正時代のアナキスト、大杉栄《おおすぎさかえ》はそういうのを「生の拡充」とよんでいた。で、なのだが、この生の拡充というのは、さっきの相互扶助とセットだというのってわかるだろうか。だってわたしの例ひとつとっても、しらずしらずのうちに友だちに触発されて、それまで考えてもみなかったことをやっているのだから。もしかしたら、友だちのほうも、わたしがなんの役にもたたないたのみごとをして、ヘンなことをかいたことで、ふだんとはぜんぜんちがう力を発揮することになっていたのかもしれない。まあ、はじめからのぞんでいたことではなかっただろうし、はためいわくなはなしだったのかもしれないが、それはそれでしかたがない。われしらずだ。

とはいえ、たいていい友だちとなにかしているときというのは、無意識のレベルでたすけあっているものだ。もちろん、この社会では、カネ、カネ、カネと損得勘定をして生きるのがいいことだといわれているわけだし、カネじゃなくても、どれだけ見返りがあるのかを考えて行動することがいいことだといわれているわけだが、これにしばられてばかりいると、いきぐるしくてやっていけなくなる。できなかったらダメのレッテルをはられるわけだし、なによりそれ以外の生きかたが視野にはいってこなくなるのだから。そんなの相互扶助や生の拡充という視点からしてみれば、いきものとしての本能をみうしなっているとしかいいようがない。生きていないのとおなじことなのだ。あれしろとか、これしろとか、めんどうくさいのは、もういやだ。あらゆる目的とっぱらい、われをわすれてやっちまえ。スッカラカンだ、空っぽだ。なんにもない、なんでもない、なんでもできる、なんでもありだ。ああ、ああああっ!!! うおお、うおおお!!! 異様な力がわきたってくる。カネも感謝もありゃしねえ。いやがられても、あげちまえ。なんにもしないで、カネだけほしい。倫理じゃねえよ、不倫だよ。絶対自由だ。

原始人なめんな

でも、こういうことをいっても、いやいや、社会契約論で想定されている自然状態っていうのは、もっと国家も文明もない状態のことなんだ、もっと原始的な状態のことなんだというひともいるかもしれない。さっきとりあげた『孟子』にしたって、たかだか二〇〇〇年ちょっとまえのはなしじゃないか、それって文明化された社会を生きていたひとのはなしじゃないかと。じゃあ、もっともっとまえのひとだったら、ホッブズのいう「万人の万人にたいする戦争」をやっていたのだろうか。ちょっとたちどまって考えてみよう。ほんとうの原始状態っていうのは、どんなものだったのか。文明社会というのが、古代国家ができて、灌漑《かんがい》施設がつくられて、奴隷農民たちが定住農耕をやらされるようになった時代だとすれば、そのまえの時代のことだろう。少人数の部族で、移住生活をしていた狩猟採集の時代がそれである。

もちろん、タイムスリップしてみにいくことはできないが、人類学の本でもひもとけば、だいたいどんな生活をしていたのかをしることはできる。この点で、すげえおもしろいことをいっているのが、アメリカの人類学者、マーシャル・サーリンズだ。せっかくなのですこしていねいに、かれの議論をとりあげてみよう。サーリンズには『石器時代の経済学』という本があって、そのさいしょの章に「始原のあふれる社会」というのがある。[7] これは一九世紀、二〇世紀にはいっても、狩猟採集をやっている人たちをとりあげて、人間の原始状態というのは、どんなものだったのかをあきらかにしようとしている章だ。じゃあ、どういうことがいわれているのかというと、こうである。みなさん、原始人を、野蛮人をみくびっちゃいませんか、なめんなよと。

一般的に、狩猟採集民というのは、定住農耕民とくらべて、物質的にも、精神的にもまずしい人たちだとみなされがちだ。なんでかというと、狩りというのはむずかしいもので、どんなにベテランになっても、うまくいかないときがある。天候にもよるだろうし、自分の体

7　マーシャル・サーリンズ『石器時代の経済学〈新装版〉』山内昶訳、法政大学出版局、二〇一二年。

調にもよるだろうし、なによりどんな獣がいるのかによってとれないことがあるのだ。採集だっておなじこと。ちかくに食べられるものがなければ、どんなにがんばったってとれないものはとれないのである。でも、まったくとれなかったら、その日の食い物がないわけで、飢えてしまう。だから、かれらはたえず飢餓の恐怖にさらされていて、それをさけるために、一日中、食料をもとめてさまよわざるをえない。そして、そのために時間をとられすぎて、やすむヒマもない。そのため音楽、芸術、遊び、なんでもいいが、文化的ないとなみをすることがぜんぜんできなかったんだと、そんなふうにいわれてきたのである。メシなし、ヒマなし、遊びなし。こういうのをただ生きのびるための経済ということで、生存経済といったりするのだが、とにかく悲惨なイメージだ。さすがに、そんなことばかりいわれていたら、だれだって野蛮人最低、文明最高とおもってしまうだろう。

でも、サーリンズはこういうのである。それはまっかなウソなんだ、現代人がいまの生活のほうが過去よりもすぐれているとおもいたいから、そういっているだけなんだ、だからこそ、狩猟採集民に「未開」とか「野蛮」とか、あからさまな負のレッテルをはってきたのだと。じゃあ、じっさいの生活はどうだったのかというと、ぜんぜんひどいもんなんかじゃない。むしろ、けっこういいくらしをしている。まず、狩猟採集民は、たえず飢餓状態にさらされているといわれてきたが、オーストラリアのアーネムランドにすんでいる狩猟採集民の生活をしらべてみたら、一日の栄養摂取量は、現代の基準に照らしてみても適切だった。それなら、すげえいっぱいはたらいていたのかというと、そうでもない。一日の労働時間は、だいたい四、五時間ていどだ。それ以外はとにかくねている。朝起きてメシを食っておしゃべりをして、腹がへったら昼飯を食って、一、二時間くらい昼寝をする。で、狩りにいって、夕方もどってきて、また夕寝する。それで夜ご飯をたべて、ねるのである。なんだよ、こいつらねてばっかりじゃんとおもうひともいるかもしれないが、満腹になったらひとはねむくなるものだし、獣とたたかってかえってきたら、そりゃへとへとだ。ねむくなる。しかたがない。

さらにおもしろいのは、だいたい部族にひとり、ふたりは、そういった狩りさえもやらないやつがいるということだ。そいつはふだんなにをやっているのかというと、マジでなんにもしていない。一日中、ただブラブラしているのである。おしゃべりをして、メシを食らってねてしまう、それだけだ。もちろん、ちょっとはうごくこともあって、友だちの槍《やり》がぶっこわれてしまったら、なおしてくれる。ヒマだし、いいかとおもってやっていたら、みんなにそうすることになってやたらと槍づくりがうまくなった。職人だ。しかも、つくりはじめたらいろいろできるもんで、楽器とかもつくれるようになってしまった。うたっておどって、さわいでたのしめ。それに、みんなが狩りにいってしまって、ひとりヒマだから森をブラブラしていたら、ミツバチの巣とかをみつけてしまった。よっしゃとおもってハチをおいだし、それをみんなのところにもってかえった。野生のハチミツ、ゲットである。こりゃうめえ。極上スイーツ、ごちそうさん。そんなかんじで、ヒマなひとはヒマなひとなりにうごいていて、気づいたら楽器をつくったり、スイーツをもちかえっていたりする。これだけでも狩猟採集民には余暇がなかったとか、文化がなかったとか、そんなのウソだということがわかるだろう。原始人は文化人だ。

それから、もっとすごいのは、南部アフリカ、カラハリ砂漠にすんでいる狩猟採集民だ。かれらは、一日に六時間くらいはたらいている。これだけきくと、さっきよりはたらいているじゃんとおもわれるかもしれないが、そうじゃない。かれらはいちどはたらいたら、一日、二日、やすむのだ。そりゃそうで、食料があるかぎりは、はたらく必要がないのだから。じゃあじゃあということで、一週間あたりの労働時間をみてみたら、だいたい一五時間だということがわかった。これを七日間でわってみると、二時間ちょいだ。もうちょっとはたらいている週もあるのだが、それでも一日平均、二、三時間しかはたらいていないのである。たいしたもんだ。じゃあ、ヒマな日はなにをしているのかというと、おしゃべりである。みんなテントぐらしをしているわけだが、ほかのテントをたずねておしゃべりしてかえってくる。ご近所づきあいだ。そのほかにも、長期休暇みたいのもあって、たとえば、その部族に不幸がつづいたりしたら、こりゃなんか縁起がわるいぞとかいって、ひと月くらい狩りをしなくなったりする。男たちはなんにもできない、なんにもしない、したくない。しまいにはひらきなおってしまって、ダンスとかをやりはじめる。毎日、遊びにつぐ遊び、そしてさらなる遊びだ。こりゃたのしい。

そんな人たちだから、その食べっぷり、飲みっぷりもすごいもんだ。モットーは、「明日のことを思いわずらうことなかれ、今日のことは今日一日でたれり」。ある日、狩りがうまくいって、ビーバーが四、五匹とれたとする。ご馳走《ちそう》だ。でも、自分の家族だけじゃ食いきれないから、ちかくのひとをみんなさそって昼夜をとわず宴会をひらく。飲めや、うたえや、食え、食え、食え。そうして、一日のうちにすべて食らいつくしてしまうのだ。明日のことは明日やれ。やるならいましかねえ、いつだっていましかねえ。しゃぶって、しゃぶって、しゃぶりつくせ。でもつぎの日、狩りにいったらぜんぜんダメで、なにも食い物がないということもある。しかし心配ご無用。だって、たいていは近所のだれかが宴会をひらいているのだから。メシがなければ、宴会にいけ。むろん、またつぎの日もうまくいかないことだってあるのだが、そんならまたべつの宴会にいけばいい。宴会につぐ宴会、そしてさらなる宴会だ。のこさず食べろ。いざとなったら、なんとでもなる。

いやいや、そんなことをやっていたら、みんな不発でダメだったということだってあるでしょう、その日ぐらしはあぶない、キケンだ、もうちょっと食料をためこんでおけよというひともいるかもしれない。でも、それはちがうと、サーリンズはいう。ためこんじゃダメなんだ、むしろすべて宴会で食いつくすくらいじゃなきゃダメなんだと。これは食料以外の所有物についてもいえることで、狩猟採集民はあまり物をもたない。そういうところがまずしいといわれたりするわけだが、サーリンズはそうじゃないというのである。狩猟採集民は移動をする。ずっとおなじ場所でくらしていたら、時期によって獲物がいないときだってあるし、植物がとれないときだってある。だったら、こっちから移動して、テントをはり、そこからうってでるしかない。狩猟採集民は、いつだってひっこしできるように準備しておかなくちゃいけないのだ。

でも、そういうことをちょくちょくやりたいのに、たくさんたくわえがあったら、荷物がおもくてたいへんだろう。狩猟採集民にとって、富の蓄積は不合理だ。土地はいらない、家もいらない、財宝もいらない。必要なぶんだけ、衣食住があればいい。しかも、かれらはたんに質素なんじゃなくて、身のまわりには石も骨も皮も木もある。そのつどほしいものがあれば、だいたい自分でつくることができるのだ。石や骨をつかって装飾品だってつくれるし、獲物の皮を剝《は》ぎさえすれば、わたしたちが高級だとおもっている革製品だってつくることができる。ぜんぶタダだ。ジャマになったら捨てればいい。これがほんとうのぜいたくだ。あとは宴会、ダンス、宴会、ダンス、宴会、ダンス、宴会、ダンス。ダンダンダンダン、ディダンダン、ディダンディダン、ダディダンダン。うたえおどれのドンちゃんさわぎ。なんにもなくなる、スッカラカンだ。ぜんぶなくして、狩りにでろ。サーリンズは、こういっている。「狩猟＝採集民は、何ももたないから、貧乏だと、われわれは考えがちである。むしろそのゆえに彼らは自由なのだと、考えた方がよいだろう。『きわめて限られた物的所有物のおかげで、彼らは、日々の必需品にかんする心配からまったくまぬがれており、生活を享受しているのである』[8]」。所有はジャマだ、捨てちまえ。わたしはなんにもしばられない。原始人なめんな。

肉は天下のまわりもの
シカ人間は空をとぶ、おら、つよくなりてぇ

そんなかんじの生活をしているので、はたらきかたといっていいだろうか、狩りについての考えかたが、いまの労働観とはまったくちがう。これだけ腕をみがいて、これだけいい武器をつくって、これだけ大物がとれたら、これだけ評価されるとか、そういった発想はない

8　前掲書、二四頁。

のである。なんにもとれなかったらとれなかったで、友だちに食わしてもらえばいいだけなのだ。だから、せっかくいい槍や弓矢を準備して、大物にでくわしたときのために訓練をつんでいたとしても、そのまえにバクチをやって負けてしまって、あたらしい武器をぜんぶもっていかれてしまったりすることもある。で、森林にわけいったら、まんまと大物にでくわし、手も足もでなくてのがしてしまう。ヘラヘラ、ヘラヘラ。わらうしかない。しかたがないね。これいまの感覚でいったら、とんだダメ人間なのだが、そうじゃない。だって、みんながみんなそうなのだから。ヘッチャラなのだ。狩りというのは、成果をもとめてあくせくやるもんじゃない。それは運しだいなのであり、だからこそ、たくさん獲物がとれたら、宴会をひらいてみんなにふるまうのだ。肉は天下のまわりもの。

とまあ、サーリンズがいっているのはここまでなのだが、でもなんなんだろうとおもうのは、それでも狩猟採集民が熱心にあたらしい武器をつくったり、腕をみがいたりしているということだ。成果のためじゃないのだとしたら、なんでそんなことをやっているのか。考えられるのは、これだけだ。おら、つよくなりてえ。なにいってんですかといわれるかもしれないが、ただつよくなりたいのである。ケモノとたたかい、ケモノになる。狩りにでて、シカでもトリでもなんでもいいが、ふつう人間じゃできないようなうごきをする連中とたたかい、それに勝てる身体をつくりあげていくのだ。ただ筋トレしていりゃいいっていうわけじゃない。いちど槍をさしたとしても、ウヒェェッとあばれて逃げさっていくシカとやりあわなくちゃいけないわけだし、よし、木にとまっているとおもったら、すさまじいいきおいでビュンビュンと空をとんでいってしまうトリをおとさなくちゃいけないわけだ。どんな武器をつくって、どんなつかいかたをしたらいいのか。だいじなのは、結果的に獲物がとれたかどうかじゃない。賭《か》けられているおもいは、ただひとつ。シカのようにすばやくうごき、トリのようにたかくとぶことだ。

きっと、それができたときのうれしさというのは、ハンパないものだったのだろう。じつはこの間、わたしは大学で世界史の授業をうけもっていて、とにかく基礎の基礎からおしえてくれということなので、ひさびさに高校の教科書なんかもひっぱりだしてきてながめてみたら、これがまたおもしろい。教科書をひらくと、しょっぱなからラスコーの洞窟《どうくつ》壁画とかがでてくるのだ。これは現在のフランス南西部にあるのだが、どうも一万五〇〇〇年まえにクロマニョン人がかいたものらしい。みてみると、やたらとシカの絵がおおくて、それがむちゃくちゃにうごいているのだ。あきらかにとびはねたり、なにかに突進したりしている。しかもさらにみていくと、なんかシカの顔をかぶった人間が、ウヒェエッ、ウヒェエッ!!!といっておどりはしゃいでいる絵があった。すげえ、すげえ、なんじゃこりゃあ。はじめなにをやっているのかわからなかったが、ジッとみていたら、ああ、そういうことかとわかった。文字どおり、人間がシカになっているのだ。シカと格闘しているうちに、そのスピードもどう猛さも手にしている。

とまあ、そんなはなしを授業でしたのだが、おもしろかったのは学生の反応だ。わたしがおしえている大学には、歴史遺産学科というのがあって、ドンピシャで石器時代の研究をしている子たちがたくさんいる。で、そのうちのひとりが、授業後に教壇までやってきて、「先生、いっていることわかるよ、わかるよ」といいながら、その場で石器時代につかわれていた石や骨をたくさんみせてくれたのだ。打製石器から細石器まで、石だけでも二〇種類くらいあって、ぜんぶ自分たちでつくったんだという。ひとつひとつ、説明してくれたのだが、細石器のすごいやつとかは、もうキレッキレでガラスにちかいといっていいだろうか、かるく手にとっただけで指をきりそうになってしまったくらいだ。しかも、かれらはすごいもんで、自分たちで弓矢や槍も当時のものを再現したりしていて、わたしもいちど外で弓をひかせてもらったのだが、びっくりするくらいビュンビュンとんだので、なんかもうたのしくて、たのしくてしかたなくなってしまっておおはしゃぎしてしまった。ウヒエエッ、ウヒエエッ、快感だ。

それで、その学生が「人間が武器をつかうことで、ケモノになる感覚ってわかりますよ」といってみせてくれたのが、アトラトル（投槍器《とうそうき》）だ。木でできたやつもあるみたいだが、わたしがみせてもらったのはシカの角でできていて、三〇センチくらいの棒状のものだった。さきっちょに穴があいていて、その穴に槍がさしこめるようになっている。で、これをビュンッとふると、ふつうに投げ槍をやった場合の、二倍、三倍の威力でふっとんでいくのだ。飛距離も一六〇メートルくらいでて、しかも手でなげるよりも、ぜんぜん正確にとんでいく。ゾウとかマンモスとか、大型のケモノとたたかうときは、これでぶったおしていた。槍にトリの羽をつけていたひともいたというから、トリのようにとんでいって獲物をしとめるというイメージがあったんだろう。

こういうのをシカ人間といってもいいだろうか。人間がシカとたたかい、その力を武器にする。でもその瞬間に、人間はそれまでの人間でもシカでもなくて、トリのバケモノみたいになっているわけだ。ゾウもマンモスもこわくねえ。すげえ、すげえ。オレはこんなこともできたのか。ウヒエェッ、ウヒエェッ!!!　予想外の力に酔いしれる。きっと、その武器を友だちとでも共有すれば、また、こんなつかいかたもある、こんななげかたもあると、それがもっともっとすごいもんにかわっていくことだろう。ほら、もっとなげろ、もっとなげろ。ウヒエェッ、ウヒエェッ!!!　ウヒエェッ、ウヒエェッ!!!　自分の生きる力が得体のしれないものにかわっていく。こんなにうれしいことはない。原始人の世界観。肉は天下のまわりもの。シカ人間は空をとぶ。おら、つよくなりてえ。

財産とは奴隷である

どうだろう。ここまでみてきて、現代よりよさそうじゃないだろうか。大地に根ざして生きていて、労働時間も一日三時間。食料がないときはないときでたすけあっているし、しかも一人ひとりが生きるための武器をもっていて、そのよろこびも肌でしっている。さきほど、相互扶助と生の拡充のはなしをしたが、文字どおりそれで生活しているといってもいいんじゃないだろうか。よく、人間はよりよい生活をもとめて、狩猟採集をやめて定住農耕にうつったといわれがちだが、まちがいなくウソだ。だって、あきらかに狩猟採集のほうが労働時間もみじかいし、生きがいがあるのだから。はじめから、支配者に税をしぼりとられることがわかっていて、そのためにうんとたくさんはたらきたいとおもっているやつなんていないだろう。だから、いまでも狩猟採集で生活している人たちにたいして、かれらは農業をしらないからやっているんだといわれることもあるが、そうじゃない。イヤだからやっていないのだ。文明をよいとおもうな、クソッたれ。はたらかないで、たらふく食べたい。あたりまえだ。

でも、そうはいっても、現在では農村で生きていくにしても、都市で生きていくにしても、定住して財産をたくさんわえるのがいいことだといわれるようになっている。それこそ、社会契約論でいわれているように、人間というのは財産をまもるものなんだ、たくわえようとするものなんだ、財産権だいじ、所有権だいじと。自己利益だ、自己保存だ。じゃあ、その発想はどこからきたのか。この点、サーリンズの弟子、デヴィッド・グレーバーの『負債論』という本がわかりやすい[9]。結論からいっておくと、かれはこういっている。わるいのは奴隷制だ、奴隷制をぶちこわさなきゃダメなんだと。

まず、奴隷制というときに、ひとが奴隷になるというのはどういうことか。グレーバーは、ひとが親類や友人、その他一切合財の人間関係を断たれてしまうということなんだといっている。自分がどこのだれだかわからなくさせられてしまう。そのひとの社会性、人間性みたいのを剝奪《はくだつ》してしまって、ただ主人のためにはたらかせる。おまえが生きているのは、ここでオレさまの富をふやすためなんだ、はたらけ、はたらけと。そういって、ひたすら農作業とか、土木作業とか、身のまわりの世話とか、苦役をやらされるのだ。でもちょっとヘンないいかたになるかもしれないが、こうなったとき、ひとははじめて有用になる。ご主人さま

9　デヴィッド・グレーバー『負債論――貨幣と暴力の5000年』酒井隆史監訳、高祖岩三郎、佐々木夏子訳、以文社、二〇一六年。とくに、第七章「名誉と不名誉　あるいは、現代文明の基盤について」を参考にした。

にとってであるが。どれだけつかえるやつか、値札がはられて、いくらでも交換可能になるのだ。奴隷である。

もちろん、これは自然なことでもなんでもない。だってふつう、ひとはだれかにとってのかけがえのないひとであり、そんなの交換することはできないのだから。というか、もともと自由というのは、そういう状態のことを意味していて、英語の free は古高ドイツ語の friunt（英語の friend）に由来する。かけがえのない友だちといっしょにいられること、いくらでもあたらしい友だちをつくれること、遊ぶんでもいいし、はたらくんでもいい、なにもしないんでもいい、友だちとなんでも好きにやれることだ。そうこうしているうちに、ひとはふとしたときに友だちに触発されたり、たすけられたりして、自分ひとりじゃできないことができるようになっている。で、オレすげえといって、生きていることに充足感をおぼえるのだ。なんでもできる、なんにでもなれる、自由だ、自由だ。狩猟採集民を考えてみても、これがあたりまえだったのに、その自由をうばいとるということは、あきらかに自然じゃない力がはたらいている。征服の事実だ。

つよいものがよわいものを支配して、自分のためにはたらかせる。富だ、名誉だ、権力だ。古代国家というのはそういうものなんだろうが、戦争をやって捕虜にして、家畜のようにかこいこむ。そうして、それまでの人間関係をたちきって、かんぜんに人格をうばいとるのだ。

で、こういうわけだ。オレさまがなさけをかけて殺さないでやったんだ、この恩きっちりとかえしてくれるよな、というのである。かえせるまでは、そいつになにをやってもいい、なにをさせてもいい。したがわなければ、殺すまでだ。借りたものはかえせ。これ、ことばだけでも察しがつくかもしれないが、貧乏人を借金漬けにして、かえせるまではオレのためにとおなじことをいったりする。奴隷からしたら殺されたくないし、負い目を、負債をかかえているわけだから、せっせとはたらくわけだ。何年もがんばってはたらいていたら解放されるかもしれないし、おまえは役にたつやつだとかいわれて、ちょっとチヤホヤされたりでもすれば、ご主人さまの利益が自分の利益だとおもってしまって、なんかみょうにがんばってしまう。汝《なんじ》、ほこりたかき奴隷であれ。ご主人さまのために、ご主人さまのために、役たたずどもはオレがぶっ殺す、奴隷根性だ。

ともあれ、おまえオレに借りがあるだろうといって、自分の利益のために他人の未来を収奪するのが奴隷制というものだ。権力というか、ひとがひとを支配するというのは、そういうことなんだといってもいいだろう。そして、グレーバーがおもしろいのはここからで、貴族や平民が奴隷をつかいまくっていた古代ローマにふれて、こういっていることだ。奴隷制っていうのはすごいもんで、自由とはなにかというその考えかたまでかえてしまったんだと。どうもローマ法とかをひもといてみると、自由とは、そのひとがなにをやってもいい権利のことなんだという。貸しだしたっていい、捨てたって、ぶっこわしたっていい、なにをしたっていいんだと。これが私的所有権とか、財産権といわれるわけだが、どうだろう。それ、ふつうなんじゃないのというひともいるかもしれないが、そうじゃない。だって、ほんらいモノにたいして、そんなことといったって意味がないからだ。グレーバーがあげている例をつかえば、チェーンソーをもっているからといって、それをどこでどうつかってもいいわけじゃない。いくら庭がジャングルみたいになっていてジャマだからといって、近所のひとんちにはいりこんで、こりゃたまんねえとかいって、勝手にビーンッと木を伐《き》りまくっていたら、ぶんなぐられておわるだろう。モノをどこまでつかっていいのかというのは、自分とモノのはなしじゃない、ひととはなしあってきめるものだ[10]。

でも、そうじゃなくてモノに絶対的な力を行使してもいい、それが自由だ、なにかを所有することなんだといっているのである。じゃあ、なんでそんなことをいっているのかというと、奴隷制だ。もともと、自分の意思をもっていた人間を飼いならして、なにをしてもいい、なにをさせてもいい、そういう奴隷にするんだということが柱になっている。じっさい、それが将来にわたって富をうみだしてくれるわけで、主人の財産そのものなのだ。財産とは、奴隷である。で、主人とよばれる連中には、これがよっぽどつかい勝手がよかったのだろう。家庭やモノにもあてはめるようになった。妻や子どもは財産である、屋敷も家畜も飾り物も財産である。好きにつかっていい。逃げたり、うばわれたりしたら、奴隷がしたがわないのとおなじことだ。ぶっ殺しましょう、罰しましょう。そんなかんじだ。だから、わたしもよくひとが奴隷あつかいされていると、ひとがモノみたいにあつかわれているといってしまうが、ほんとうのところそうじゃない。モノがヒトみたいにあつかわれているのだ。くりかえしておこう。財産とは奴隷である。

さらに、さらにだ。この影響で、主人の奴隷化みたいなこともおこっていて、それはローマの貴族や平民が戦争で負けて捕虜になったり、借金漬けになったりして奴隷になりうるということでもあるし、それだけじゃなくて、主人の自由がどれだけ奴隷をもっているのか、どれだけ財産をもっているのかに規定されるようになったということだ。主人もまた、奴隷とおなじように、カネではかりにかけられるようになっている。まどろっこしいいいかたになってしまうが、奴隷が財産だとしたら、主人は所有権という財産を所有している。自分の身体だって、財産のひとつなのであり、だれもがそれを売ったり、買ったり、貸しだしたり、ゆずったりすることができるのだ。ひとりの人間が主人でもあり、奴隷でもある。というか、

10　この点については、白石嘉治「革命は始まっている」（『図書新聞』二〇一七年三月一一日、三二九四号）を参考にした。

自分が自分の奴隷？　だったら借りたものは、かえさなくちゃいけないのだろうか。まもれ、ふやせ、たくわえろ。自己利益（self-interest）とは、よくいったもんだ。利子をつけて、カネをかえす。自分で自分に借りをかえすかのように、ゼニだ、ゼニだと駆りたてられる。オレは主人だ、奴隷になりてえ。もっともっと奴隷になりてえ、きりがない。やってられねえ。でもざんねんながら、これが文明社会の自由なのだ。

原始人は自由にさきだつ

で、グレーバーは、このことがより一般化したのが近代なんだという。だんだんと目にみえた奴隷制は廃止されていって、おおくのひとが市民を名のるようになった。でも、けっきょくのところ、財産権という名の奴隷制はのこってしまった。むしろ、ひろまったといったほうがいいだろう。だれもが財産を所有する権利をもっている。ということは、その財産である自分の身体をひとに貸したり、ゆずったりすることもできるということだ。これ元貴族とかで、はじめから莫大《ばくだい》な資産でももっていればべつだが、元奴隷でなにももっていなかったら、いくら解放されてもつかえるのは自分の身体しかない。じゃあじゃあということで、農村だったら小作人みたいになってはたらくわけだし、都市だったら金持ちのもとではたらいてカネをもらって生きるわけだ。そのおかげで生きていられるんだから、そのぶんきっちりはたらかなくちゃいけない。借りはかえすのがあたりまえ。ご主人さまのために、たとえ死んでもはたらきますよと。どんなにブラックなことをされても、なんかこなしてしまう。こういうのが、いまの賃労働のシステムになってくるわけだが、奴隷制とたいしてかわりないだろう。いまもむかしもおなじこと。奴隷はつらいよ。

ここまでくると、社会契約論が財産権を土台にしていた理由がみえてくるんじゃないかとおもう。だれもが自由だ、自分のモノにはどんなことをしてもいいんだ、そういう権利をもっているんだといわれている。その点では、みんな平等だから、おなじ土俵で勝負して、自分の財産をたくわえていきましょうというわけだ。そういう市場の自由競争みたいのがイメージされているんだとおもうが、いまいったみたいに、はじめから圧倒的に不平等だ。自己利益という観点からしても、そりゃダメだろう。そんなの金持ちどものたわごとだといって、だませ、殺せ、うばいとれと、むちゃくちゃな混乱がおこってもしかたがない。だからホッブズは、いったんみんなで財産権を放棄して、それを絶対的な権力にゆずりわたしましょうといったのだ。一定のルールをつくってもらって、そこで安心して競争しましょう、それを国家にきびしく監視してもらいましょうと。貧乏人どもがさからわないように、その根っこにある奴隷制から逃げだしてしまわないように。こういってもいいだろう。わたしたちは社会契約なんてむすんじゃいない、むすんだことにさせられているだけなんだ。そう、金持ちどもの財産をまもるために。

　さて、字数もいいかんじになってきたので、本章はそろそろとじようとおもうが、さいごにもういちど確認しておきたいのは、社会契約論がまもろうとしているのはなにかということだ。こたえはかんたん。奴隷制である、所有権である。なんか、みんな所有権をもっていますよとか、一人ひとりがご主人さまなんだとかいわれて、ごまかされてしまっているが、たいていは自分の身体をひとに貸しだして、奴隷のようにコキつかわれているだけのことだ。それでいて意識だけは主人だから、他人に支配されているだなんておもわない。奴隷のくせして、主人のまねごと。たちがわるい。しかもこれまで自分でカネをかけたり、他人にカネをかけてもらったりして、自分の身体をたもってきたわけだから、その借りをかえすかのように、ゼニだ、ゼニだと駆りたてられてしまう。自由だ、自由だ、自己利益だ。自由という名の牢獄だ。ああ、もううんざり。人間は自由の刑に処せられている。

　じゃあじゃあということで、結論だ。選挙にいこうとか、社会契約をまもりましょうとか、そんな茶番はもうやめにしよう。奴隷制というのが、他人のために自分の未来を収奪されるしくみなんだとしたら、いまはそれをすすんでやらされているだけのことだ。主人も奴隷もクソくらえ。スマートな動員も、コミュニケーションもいらないんだ。いまこそ、声をだいにしていわなくちゃいけないんだとおもう。なにが自由だ、不自由ばかりだ。欲深さゆえのがんじがらめのとおせんぼ。ほんとうの自由をとりもどせ。自分のなかの野蛮をとりもどせ。チクショウ、チクショウ、チクショウ、チクショウ、チクショウ、チクショウ。ああ、ああ、あっ!!!　うおお、うおおおお!!!　ウヒェエッ、ウヒェエッ!!!　原始人なめんな、シカ人間なめんな。おら、つよくなりてえ。おもうぞんぶん、友だちと遊びてえ。わたしたちに未来なんてない。やるならいましかねえ、いつだっていましかねえ。社会契約っていつしたの？　しるかそんなの、クソしてねやがれ。コミュニケーションを爆破せよ。財産とは奴隷である。逃がせ、逃げろ、逃げさせろ。きたよ出番だ、アトラトル。この文明社会に一〇〇の、一〇〇〇の槍をぶちこんでやれ。原始人は自由にさきだつ。

第二章　自由をぶっとばせ

われわれは都会の原始人だ

友だちと『ギャングース』のはなしでもりあがった。[1] 二〇一三年から『週刊モーニング』で連載していたマンガである。なんでもりあがったのかというと、このマンガ、いまの日本の窃盗団のはなしがかかれていて、しかもそれがやたらとリアルなのだ。犯罪の手口がこまかに紹介されている。最高だ。現代の狩猟採集民とでもいえばいいだろうか。都市で狩りでもするかのように、ジャンジャカジャンジャカ、ものをうばいとって逃げていく。われわれは都会の原始人だ。きっと、みんなそうなんじゃないかとおもうが、こういうはなしをきくと、問答無用でこころがおどってしまう。とったら逃げろ、迅速に。むちゃくちゃいいはなしなので、ちょっとかんたんにあらすじを紹介してみたいとおもう。

主人公、カズキは一八歳。みためはブタで、ゲームとアイドルをこよなく愛するオタクである。シングルマザーの家庭でそだち、ひどいもんで日々、虐待をうける。しかもある日、母親のおとこが妹をレイプしようとして、それをいやがった妹がそいつを包丁でぶっ殺してしまう。カズキはその罪をぜんぶしょって、少年院にいくことにした。やさしい、まずしい、すくいなし。それで少年院にいったら、これまた地獄で、不良たちにこいつブタだぜとかいわれて、いじめにつぐいじめ、そしてさらなるいじめだ。毎日、血ヘドをはくまでぶんなぐられ、サッカーボールのようにけりとばされた。でも、カズキがすごいのは、どんなにやられても、やられても、けっして屈しないということだ。血まみれになってはいあがり、ツバをペッとはいて、このチンカスどもがといきりたつ。それでまたやられるのだが、すごいもんだ。肝がすわっている。

しかもカズキは、この少年院でハンパない力を身につけている。工具全般をつかいこなせるようになったのだ。カズキは不良たちから、おまえめんどうくさいからこれやっとけよとかいわれて、かわりに技能教育の授業にださせられたのだが、やっていたらたのしくて、たのしくてしかたなくなってくる。こんなのタダでうけられるなら、うけられるだけうけたほうがぜったいにいい。それで積極的にうけまくっていたら、もうさいごは工具ばかりじゃない、クレーン車までうごかせるようになっていた。最強だ。

しかし、である。そうはいっても少年院をでてから、まともな仕事があるわけじゃない。社会からはもう、見捨てられている。どうせこのまま生きていても、ずっと虫けらみたいなあつかいをうけつづけるだけのことだ。よいしょ。ということで、カズキはかずすくない友だち、タケオ、サイケに声をかけて、三人で窃盗団をつくることにした。ふたりともおない

1　肥谷圭介漫画、鈴木大介ストーリー共同制作『ギャングース（全一六巻）』講談社。

年。やっぱり虐待やネグレクトをうけて、それこそトイレの芳香剤とかを食って生きのびてきた最底辺の少年たちだ。どうせここが底辺だ。オレたちにうしなうものなんてない。やっちまえ、やっちまえ、やっちまえ。工具の力を武器にして、金庫をやぶれ、ブタバンザイ。ドロボウだ。

おもしろいもんで、このかん警察の規制がたかまったことで、ヤクザの若者への求心力がよわまっている。それで若者たちが自分たちで犯罪集団をつくりあげ、窃盗、強盗、詐欺をやるようになったのだ。マンガでは、そういうのを犯罪集団が群雄割拠する戦国時代だといっているが、いまじっさいにそうなっているんじゃないかとおもう。それで、カズキたちがどんなことをしたのかというと、タタキだ、タタキをタタくということだ。タタキというのは、強盗や窃盗のことなのだが、ようするに一般人からじゃなくて、犯罪者が盗んだものを盗むということだ。これだったら被害届がだされないから、警察につかまる心配もない。もちろん、そのぶんみつかったら私闘になるというか、ぶっ殺されかねないわけで、ふつうはやらないわけだ。なにより、カズキたちは死ぬほどケンカがよわい。でも、それでもやってしまうのは、カズキなりの義があるからだ。

自分たちは、この社会で虫けらみたいなあつかいをうけてきた。マジで財産のない、ただ他人にコキつかわれるだけの奴隷である。もちろん、そうやってカネもうけしている主人たちもファックなのだが、でももっとゆるせないのは、いくらふだんコキつかわれているからといって、そのうっぷんをよりよわいものたちにぶつけてくる連中だ。よわい子どもをぶったたき、おまえらはオレの所有物なんだ、奴隷なんだと、そんなふうにおもいこみたい大人たち。あるいは、ちょっとトロそうだとか、みためがダサいとか、なんでもなんくせをつけて、ひとりをよってたかってリンチして、オレのほうが上だ、オレは主人なんだとおもいたい不良たち。奴隷のくせして主人のまねごと。

で、そういうやつらが窃盗団をつくったりすると、金持ちからだけじゃなくて、老人や貧乏人からもカネをまきあげたり、ちょっと力をつけたら、ヤクザみたいにいばって、よわいものを虐げたりする。だからカズキはいうのだ。オレはこの狂った社会を、金持ちを、不良のてっぺんを、ぜんぶまるごとブッタタいてやるんだ、よわいものを虐げてもなんともおもわないようなチンカスどもを死ぬ気でブッタタいてやるんだと。こういうのをまた、ブタがしたり顔でブヒブヒとしゃべるからたまらない。かっこよすぎだ、ファンキーだ。タタキをタタけ、ブッタタけ。ブタ、ブタ、ブタ。主人も奴隷もいやなんだ。少年院、まなんだことを武器にして、狂った社会をタタけよ、兄弟。義をもって賊におちろ。われわれは都会の原始人だ。ブヒィ、ブヒィ。

窃盗をするということは、奴隷を解放するのとおなじことだ 義をもってやれ!!!

しかも、なるほどとおもったのは、このカズキたちのうごきかたが、ほんとうに狩猟採集民みたいだということだ。とうぜんながら、住所はない。身分証は、偽造パスポートだけもっている。カラオケやネットカフェに泊まれることもあるが、それはカネがあってリッチな気分をあじわいたいときだけだ。

ふだんは、盗んだ車でブラブラして、そこでねたりとか、外国人ヤードに泊めてもらったりする。ちなみに、このヤードというのは自動車解体場のことで、よくテレビドラマなんかで、廃車がガンガンつまれていて、ぺッちゃんこにつぶされる施設がでてきたりするのだが、わかるだろうか。だいたい、地元のひとでも足をふみいれることのない、郊外の山林のなかにあったりする。田舎の農地や空き家をヤードにすることもあるそうだ。で、そういうところが犯罪の拠点にもなっていて、中国でもベトナムでも、ブラジルでも、ロシアでもスリランカでも、どこのひとでもいいが、そこに盗んだ高級車をもちこんで解体し、それを輸出してカネにする。

とうぜんバレちゃいけないから、施設全体をたかい鉄板でかこい、そのなかで作業する。

しかも資材をおくだけじゃない、ひともおいておけるようにと、ちょっとした居住施設にもなっていて、不法就労者なんかもかくまえるようになっているようだ。また場所によっては、井戸をほったりして、水がつかえるようになっている。そこまでいけば、ふつうに家、というかアパートとして住むこともできるだろう。夢みたいだ。このヤード、マンガ連載当時、警察が把握しているだけでも、全国に二一〇〇ヵ所くらいあって、その大多数は外国人が経営しているんだという。

もちろん、その大半は合法的に許可をとってやっているやつなのだが、そのなかにも犯罪集団としてうごいているところがあるということだ。ちょっとはなしがながくなってしまったが、カズキたちは街を転々としながら、そういうところに泊めてもらっていたのである。そして、そんな生活をしているからこそ、かれらはモノをためこまない。もちろん、必要なものはもつ。服だってきるし、クツだってはくわけだ。でも、よぶんにもつということはしない。移動のジャマになるからだ。ずっとおなじ服をきて、おなじクツをはいて、あんまりクサくなったり、ボロボロになったら捨てて、あたらしいのにかえる。それでターゲットがきまったら、すぐにうごいてそのちかくにうつり住み、ことをおえたらまたべつのところにうつっていく。ほんとうに、狩猟採集民みたいだ。群れからはなれっぱなし、ずっとはなれっぱなし、とおまわりのクソッタレの人生。こういうのを真の意味で、エイリアン、外人とか、よそものというのだろう。いつだって、どこにいたってよそものだ。外人になりてえ、外人になりてえ。

　しかも、そういう生きかたというのは、ひととのつきあいかたにもつながっていて、ふだんは、オレたちはカネでつながっているだけなんだ、カネ、カネ、カネといっているのだが、いざとなったら、そんなもんポイとなげ捨てて、というか命さえなげ捨ててうごいてしまう。たとえば、オレオレ詐欺の進化形みたいのをタタいたときのことだ。情報収集役のサイケが、どうも高齢者のおおいニュータウンがねらわれている、しかもひとり身であったり、いちどだまされたジジイ、ババアはまただまされやすいから、そういうやつらのリストがでまわっているんだときききつけて、とりあえず、ひとりでそういう街にいってみた。すると、いきなりオレオレ詐欺を目撃するわけだ。しかも手口が高度になっていて、ひとり身のバアさんの家を数人でたずね、おまえの息子が犯罪をおかした、表ざたにされたくなかったらカネだせやと大声でがなりたてる。とにかくまくしたてて息子に電話をしたり、考えたりするヒマをあたえない。

　で、バアさんはおもうわけだ。一〇〇万円くらいで、この人たちの怒りがしずまるなら、まあいいかと。数人につきそわれて、銀行までカネをおろしにいく。もちろん、いちどカネをはらってしまったら、なんどもなんどもカモにされるわけだ。それがわかっているから、みていたサイケはもうたまらない。ほんとうは、この詐欺グループをつけていって、その金庫をタタかなくちゃいけないわけだし、しょうじき、ふだんは金持ちのジジイ、ババアがどうなろうがしったこっちゃないとおもっているのだが、それでもいざよわいものがだまくらかされているすがたをみたら、ムカついてしまう。ちええっ、ちええっ。おっかない詐欺グループのアンちゃんたちに見つかり、捕まりそうになりながらも、そいつらに目つぶしスプレーをぶっかけて、そのスキをついてダッシュで逃げる。しかも、ちゃんとバアさんにアドバイスしていくわけだ。いそいで警察にかけこむんだ、ぜったいにしかえしはされないからと。ありがとう。

ちょっと余談になるが、わたしは数年まえ、埼玉県の実家にすんでいたのだが、ニュータウンではないけれど、いってみれば東京の郊外みたいなところだった。親は団塊の世代で、七〇代。電車に二時間くらいのって、東京にはたらきにでていたのだが、近所にはおなじようなサラリーマン家庭がおおかった。で、わたしが三〇代にもなると、その子どもたちはみんな東京にでて、退職した高齢者ばかりの街になる。わたしなんかはいい歳こいて、仕事もなく、ずっとひきこもり生活をしていたので、おまえなにやってんのとか、おまえは貧乏神なんじゃないのかとかいわれていたのだが、いまおもえば、ご近所さんにはのきなみドロボウがはいっていた。それこそ、二度も三度もなんどもだ。

オレオレ詐欺でやられたところもあったし、電話だけだったらうちにもきたことがある。わたしが家にいるのに、母親にむかって「オレ、オレ!!!」とかいってくるわけだ。もちろん、ひっかからないわけだが、すごい迫力だったみたいで動揺したといっていた。これまちがいなく、『ギャングース』にでてきたように、この街の、どこの家がやりやすいとか、リストができていたのだとおもう。それから強調しておきたいのは、なぜうちにだけドロボウがはいらなかったのかというと、わたしのおかげだ。なにせ一日中、部屋にいて、夜中も煌々《こうこう》とあかりをつけて、長渕剛《ながぶちつよし》を爆音でかけていたのだから。たいせつなことなので、もういちどいおう。わたしのおかげだ。貧乏神、だいじ。ひきこもり上等だ。

はなしをもどすと、このあと、カズキたちはある詐欺グループの盗品の隠し場所をみつけて、そこにのりこんでいき、それをクレーン車でまるごともちさっていくのだが、それを売りにだすとき、またサイケがトラブってしまう。やすく買いたたこうとした中国人マフィアに直談判《じかだんぱん》にいって、ぶっ殺されそうになったのだ。ナイフで頸動脈《けいどうみゃく》をきられて、うぎゃあ!!!ともがき苦しんだ。はやく病院にいかなきゃ死んでしまう。

これをききつけて、カズキとタケオがたすけにくるのだが、これほんとうは意味がないわけだ。ふたりともむちゃくちゃよわいのだから。カズキが土下座とみせかけて、ゴロゴロゴロッところがっていって、相手のナイフをうばいとり、たたかおうとするが、なにせうごきがトロいから、ぜんぜん不意うちになりやしない。いっしゅんでバレて、ボコボコにされる。ブヒィ、ブヒィ。瞬殺だ。それで、もうダメかとおもったら、ちょっとまえにカズキが中国人孤児の女の子をたすけて、そだてていることがわかって殺されずにすんだ。オマエ、ソノコ、捨テルナ。ジャナキャ殺ス。いいよ。オマエ、ソノコ、ドリームランドニ、ツレテケヨ。ドリームランドガ楽シクナカッタラ殺ス。いいよ。

いいかげんながくなりすぎたので、『ギャングース』のはなしはこのくらいにしておくが、最後にいっておきたいのは、カズキたちにいわゆる市民規範がないということだ。「サザエさん」すらしりやしない。なんだそれ、うめえのかと。だから、将来をみすえて自分の財産をたくわえていこうとか、それができなきゃクズなんだとか、そんな発想はどこにもない。むしろカネの亡者というか、なにかを所有することにとりつかれてしまっているやつらがゆるせないのだ。他人をけおとし、主人になる。そしたら、こんどはひとを所有物のようにあつかって、なにをやってもいい、虐待してもいい、だまくらかしてもいい、ぶっ殺してもいいとおもってしまうのだから。

だから、カズキたちはおもうのだ。ひとはひとを所有できない、しちゃいけない。むしろ、そういうことを平気でやっているチンカスどもには、ありったけの手段をつかって攻撃をしかけなくちゃいけないのだ。タタキをタタけ、ブッタタけ。所有の論理をブッタタけ。奴隷解放だ。そして、そんな連中にやられているひとをみかけたら、友だちでも、みしらぬひとでもおんなじことだ。自分の身なんて、ポンッとなげ捨てて、たすけようとしてしまう。ブヒィ、ブヒィ。狂った社会に未来はないね、だったら損得なんてありゃしない。ムダにいのちを散らしてしまえ。いつだって、どこにいたってよそものだ。外人になりてえ、外人になりてえ。窃盗をするということは、奴隷を解放するのとおなじことだ。義をもってやれ。ノーフューチャー。

負けて、負けて、また負けて
――マックス・シュティルナーの人生

さて、なんでこんなに窃盗団のはなしばかりしたのかというと、そこに自由とはなにかということがあらわれているとおもったからだ。さいきんリベラル、リベラルと、右傾化にたいしてなんでもリベラルであることがいいことのようにいわれているが、ほんとうのところ、リベラリズムの自由というのは、財産をたくわえるのっていいよね、もっともっとふやしていきましょう、どっちがすごいか競争しましょうということでしかない。さっきの章で、財産権の起源は奴隷制だというはなしをしたが、ようするに、自分が自由にあつかうことのできるヒトやモノをふやしていきましょうということだ。奴隷がほしい、もっともっと。オレは偉大なご主人さまだと。それがそのひとの人格をあらわしているかのように。もっとよくなれ、もっとよくなれ。ああ、自由だ、自由だ、きもちいい。

だから、かっぱらいとかやって、財産権を侵害すると、すげえいきおいで弾圧されるのだが、それは奴隷が逃げだすようなものだからだ。窃盗にはそういう意味がある。手をさしのべて、奴隷を逃がすのだ。でももしその窃盗団が、ただ財産をふやすことしか考えていないならば、おなじことをくりかえしてしまう。あたらしい主人ができるだけ。しかもそういう連中にかぎって、所有意識が過剰なのだ。財産のないやつはクズなんだ、だからどんな手をつかってもはいあがらなきゃダメなんだ、それができないクズどもにはなにをしたっていいんだと。もちろん、それではいあがれるやつらはごくわずかだし、できたとしても、もっと上にいかなきゃ、もっと上にいかなきゃ、はやく、はやくと駆りたてられる。たえず緊張状態だ。めまいがする、いきぐるしい。

だから自由というのは、つねに上にかちあがっていくというか、いまの自分よりもよくなっていくというイメージがあるんだとおもうが、それじゃダメなんだとおもう。むしろ、だいじなのは、こっちのほうだ。このクソみたいな社会で、みずからのぞんで敗北しつづけることができるかどうか、奴隷を解放しつづけていくことができるかどうか、真の窃盗をやりつづけることができるかどうか、ギャングースだ。宣言しよう。オレは負けているぞ。なにとたたかっているのって？　自由だ。自由とドロボウとの勝負なんだ。この勝負にかち目はない。だって、はじめから社会の敗北者になることをのぞんでいるのだから。どこにいってもクズあつかい。だったら、なんどでも、なんどでも宣言してやればいい。うおお、オレは負けているぞ。ブヒィ、ブヒィ。

やばい、結論めいたことをいってしまったが、もうすこしほりさげておきたいのは、リベラリズムのいうリベラル、自由についてだ。というのも、さっきいったように、いまじゃ自民党政権があまりにわるすぎるからだろうか。安保法制でも共謀罪でも、政府がひどすぎるから、左派も右派も、みんなこぞって反対するわけだが、そういう人たちがまとめてリベラルといわれているのだ。良心的な人たちイコール、リベラルのように。わたしなんかはリベラルとかいわれると、どうせカネ、カネいってんじゃねえのと、うさんくささをかんじてしまうのだが、世間一般ではそんなふうにおもわれちゃいない。

だから、せっかくなので、そういったこともひっくるめて、アナキスト目線で、リベラリズム、ようするに自由主義ってなんなのかということを考えてみたいとおもう。この点をむちゃくちゃわかりやすくまとめてくれているのが、一九世紀、ドイツのアナキスト、マックス・シュティルナーだ。たぶん、ほとんどのひとがしらないとおもうので、まずはかんたんに、どんなひとだったのかを紹介しておこう。[2]

さいしょにいっておくと、だいたいアナキストというのは、警察や軍隊とのチャンバラがあったりして、それだけでもおもしろいのだが、シュティルナーはちがう。そういうのはいっさいなくて、ただ暗いというか、すげえ不運なひとだ。まあ、それはそれでおもしろいので、とにかくはじめてみよう。シュティルナーは、一八〇六年、ドイツのバイロイトうまれ。お父さんは吹奏楽器をつくる職人さんだったそうだが、ずっと肺をわずらっていて、翌年、一八〇七年には亡くなってしまう。

一八〇九年には、お母さんが再婚して、いっしょに西プロイセンのクルム、現在のポーランド、ヘウムというところにひっこした。相手は薬局ではたらいていたひとで、生活は安定していたようだ。バイロイトとくらべたら田舎なのだが、それでもなに不自由なく、そだててもらったんじゃないかとおもう。そして一八一八年、一二歳になったシュティルナーは、故郷のバイロイトにもどってきて、おば夫婦のお世話になりながら、高等学校にかようことになった。

こういうときダントツであたまがよかったり、わるかったりしたら、まだ華があるのだが、

2　シュティルナーの人生については、大沢正道『個人主義——シュティルナーの思想と生涯』（青土社、一九八八年）を参照のこと。

そんなこともなくて、だいたい上から五番目くらい、ふつうにあたまがよかった。友だちもふつうにいて、とくにグレていたわけでもなく、先生ともふつうに仲がよかった。とまあ、よくいえばたのしい、わるくいえばなんの変哲もない高校生活だ。でも、おおきなこともあって、ここまでシュティルナーのことを、シュティルナー、シュティルナーとよんできたが、これはペンネームで、本名はヨハン・カスパー・シュミット。それが高校時代、どうもかれのおでこがでかかったことから、友だちにStirn《シュティルン》（おでこ）というあだ名をつけられたんだそうだ。それがよっぽど気にいったのか、のちに文章をかきはじめてから、シュティルナーを名のるようになった。そういう意味では、やっぱり本人にとっては、おもいでの青春時代だったんじゃないかとおもう。

一八二六年、二〇歳、シュティルナーは高等学校を卒業して、ベルリン大学に入学した。哲学科だ。ここで当時、教壇にたっていたヘーゲルの授業なんかにでている。向学心旺盛《おうせい》な学生にとっては、もうたまらなかったのだろう。シュティルナーはとにかく勤勉で、週二二時間、いろんな授業をとりまくっていた。たのしそうだ。でもざんねんながら、よかったのはここまで。二年後、一八二八年には、ベルリン大学を退学している。なんでかというと、結核だ。勉強しすぎて体をこわし、結核になって、大学をやめざるをえなくなったのだ。かわいそう。それでバイロイトちかくにすむ親戚《しんせき》の家にやっかいになり、療養をして、ちょっとよくなったので、近所の大学に講義をききにいったりした。勉強がしたい、体がつらい、勉強がしたい、体がつらい。でも、とにかく勉強がしたいのだ。

それで翌年になって、体力がもどってきたこともあって、こんどは親のいるクルムのちかく、ケーニッヒスベルク大学に入学した。でも、すぐにクルムによびもどされてしまう。このころ、母親が精神を病んでしまったらしい。がんばってめんどうをみて、ようやくおちついたので、大学にもどる。一年ほどまなんだが、どうもものたりない。一八三二年、二六歳のとき、シュティルナーはベルリン大学に再入学することをきめた。また、たくさん授業をとるのだが、ざんねん。ふたたび病状が悪化して、授業にでることができなくなった。それでよくなったら授業にでてというのをくりかえしていたのだが、さいごはカネが尽きてしまい、一八三四年、卒業証書を手にすることなく、ベルリン大学をさることになった。ちくしょう、ドンマイ、苦学生。

でも、大学を退学したあとも、シュティルナーはベルリンからたちさらない。せめて教員免許状くらいはとっておきたいというおもいもあったし、精神を病んだ母親のところにもどりたくないというおもいもあった。勉強、勉強、勉強だ。しかし、である。そんなシュティルナーのもとに、義理の父親とケンカした母親がおしかけどうぜんでやってきてしまう。そりゃもう試験勉強どころじゃない。母親のめんどうをみて、メチャクチャになりながらも、必死に勉強し、それでもにっちもさっちもいかなくて、さいごは母親を精神科病院にいれてしまった。その後、シュティルナーが母親のところに面会にいった形跡はない。アッチョンブリケ。そうして一八三五年、ようやく教員免許状をゲットした。やったね。二九歳、まずは見習いながらも、語学の先生としてやとわれることになった。一八三七年には、ベルリンにすんでいた九歳下の娘さんと結婚をし、ようやくしあわせがみえてきた。と、おもいきやだ。翌年、奥さんは早産で亡くなってしまう。なにもいえねえ。

でも、それでもがんばって、一八三九年、ようやく定職につくことができた。私立の高等女子教育学院だ。もともと、マジメなひとだったので、学校の創設者からも信頼されていて、女子学生からも人気があったという。そしてこのころ、シュティルナーに転機がおとずれる。夜な夜な、バーにかよいはじめたのだ。ベルリンのヒッペル酒場。そこには急進的なインテリたちがたむろしていて、酒、酒、酒と、むちゃくちゃに酒をくらい、タバコをふかしながら、あつく議論をかわしていた。それこそ、ブルーノ・バウアーからエドガー・バウアー、ルードヴィッヒ・ブールにいたるまで、ヘーゲル左派の面々から、社会主義者、芸術家、学生にいたるまで、議論好きのおっさんやあんちゃんたちが、こぞってあつまっていたのだ。ここには、エンゲルスも足をはこんでいて、その風刺画をかいたりもしている。ちなみに、シュティルナーの写真はのこっていないので、このエンゲルスの絵だけが、おもかげをしる唯一の手がかりになっている。

とにかく、このヒッペル酒場には、すげえいっぱいインテリがあつまっていて、しかも無頼漢がおおかった。カネがなくて、酒代がはらえなくなったら、みんなで外にくりだして、道ゆくひとたちにカネくれ、カネくれよと、せがんでみたり、カネがありそうなやつをみつけたら、みんなでそいつんちにおしかけて、ひたすら酒をのみまくったりと、そんなことをくりかえしていたそうだ。そんなすがたをみて、ひとはかれらのことを自由人《フライエン》とよんだ。でも、シュティルナーはシュティルナーだ。マジメな性格なので、バーにきても礼儀正しく、しずかにビールを飲んで、笑顔でみんなのはなしをきいていた。それでも光るものがあったのだろう。バーのメンバーにさそわれて、『ライン新聞』や『テレグラフ・フア・ドイッチュランド』などの左派系のメディアに文章をかくようになった。

さらに、シュティルナーにとってはうれしいことがあって、このバーで、マリー・デーンハルトという女性とであったのだ。一〇歳下の女性で、自由奔放。金髪のながい髪をあたまにグルッとまいて、葉巻を口にくわえ、あびるほどビールを飲み、ときどき男装をして夜の街にくりだしていたそうだ。シュティルナーはこの女性と恋におちて、一八四三年に結婚している。自由人のメンバーが祝ってくれて、もうしあわせの絶頂だ。翌年には、高等女子教育学院をやめてしまって、本の執筆に専念する。で、かいたのが『唯一者とその所有』だ。

内容については、このあとかんたんに紹介するが、これが当時のインテリたちに衝撃をあたえた。すごかったのだ。

この本のなかで批判されていたフォイエルバッハやヘスといった有名な思想家たちは、すぐに反論をかいてきたし、自分たちが言論でうってでるためには、これをたたかなくちゃいけないとおもったのか、翌年、マルクスとエンゲルスは『ドイツイデオロギー』をかいて、シュティルナーをディスりまくった。いまだと、シュティルナーはあんまりよまれていないので、名前をしっていてもマルクス、エンゲルスにこきおろされたひとだくらいにしかおもわれていないかもしれないが、かれらが批判するのは、だいたい当時、こいつが最強だとおもっていたやつらである。プルードンしかり、フォイエルバッハしかり、シュティルナーしかりだ。もちろん、その批判のしかたがどうなのというのはあるが、まあ、そのくらいすごかったのだ。

じゃあ、その後、シュティルナーはどうなったのかというと、どうにもならない。定職を離れてしまったから、カネがなくて食えなくなる。いろいろと翻訳をやったりもしたが、どうにもそれじゃ食えないのだ。一八四五年、シュティルナーは妻といっしょに牛乳屋をはじめたが、これがまったく売れなくて借金まみれになってしまう。泥沼だ。ああ、こいつはおわった、もうダメだ、妻はシュティルナーを見捨てて、イギリスに逃げてしまう。シュティルナーは自暴自棄だ。安アパートを転々として、部屋のなかにひきこもった。カネもなく、女もなけりゃ、仕事もなし。

一八四八年には、フランス二月革命の影響をうけて、ベルリンでも市街戦がくりひろげられているが、そんなときだってシュティルナーはなにもしない。部屋にこもってゴロゴロだ。そんなところもシュティルナーっぽいといえば、シュティルナーっぽいだろうか。ちなみに、一八五三年、一八五四年には、監獄にいれられているのだが、これは暴動にくわわったからとか、そういうんじゃなくて、借金がかえせなかったからである。いいね、これもまたシュティルナーっぽい。借りたものは返せないのだ。そんなこんなで一八五六年六月、シュティルナーはアパートの一室で、五〇歳の人生をとじた。毒虫にさされたためだとも、餓死したんじゃないかともいわれている。にっちもさっちもいきやしねえ。でも、それでも泥にまみれ、ゼニをうらやみながら生きていく。負けて、負けて、また負けて。それがマックス・シュティルナーの人生だ。あばよ！

政治的自由主義——ギャア!!!

さて、じゃあシュティルナーは自由主義について、どんなことをいっていたのか。せっかくなので、かれの主著、『唯一者とその所有』をみてみよう。かれは自由主義には、三つのタイプがあるといっている。

(一) 政治的自由主義……カネによる支配
(二) 社会的自由主義……社会による支配
(三) 人道的自由主義……人間的なものによる支配

まず政治的自由主義というのは、いわゆる自由主義のことだ。いやあ、市民社会っていいよね、ブルジョアさんの自由をまもりましょうよと。一八世紀にもなると、だいたい君主でも貴族でも僧侶《そうりょ》でも、ふだんなんにもやっていないような連中がいばりくさって、オレが支配者だとか、税をはらえとかいってくるのがおかしいといわれるようになった。ぶっ殺しちまえ、革命だ、騒乱だと、みんなでさわぎまくった。

で、文字どおりの「人による支配」といえばいいだろうか、主人と奴隷の関係をしているのはよくないといわれるようになった。ひとはひとを支配しちゃいけない、そこから自由になろうよと。で、どうなったのかというと、目にみえて功績をあげた連中がいばればいいんだといわれるようになった。カネ、カネ、カネ。自分の力で事業をおこして、市場でとりひきをしてカネもうけ。ライバルたちと競争して、ガンガンけおとして、さらに財産をたくわえていく。えらい、えらい、ブルジョアえらい。

だから、ブルジョアというのは、いきなりひとをぶんなぐっておどしたりして、ムリやり自分のいうことをきかせるのはよくないとおもっているのだが、そこに合理的な理由があればいいとおもっているのだ。カネである。ほんのちょびっとカネをだして貧乏人をやといいれ、自分のためにコキつかう。カネをはらえば、そいつはもう自分のものだ、財産だ。利子をうみだす所有物。どんなあつかいをしてもかまいやしない。ケガをしたり、病気になればポイ捨てするし、さからえばヤクザ者をやといいれてぶちのめし、警察をつかってたたきのめす。だって、そいつは財産権を侵害しているのだから。ドロボウだ。どうみても、けっきょく奴隷制とおなじことをやっている。

かりに、直接やとっていなかったとしても、街ではたらかずにプラプラしている浮浪者がいたら、やっぱり警察にとりしまってもらわなくちゃいけない。だって、はたらかないで生きていけてしまったら、いくらブルジョアがカネなしじゃいきていけないでしょう、オレはカネをもっているんだ、えらいんだとかいっても、だれもしたがわなくなってしまうのだから。浮浪者はその存在だけで、財産権をおびやかしている。善良な市民たちの、合理的で、理性的な生活をおびやかしているのだ。だったらムショにぶちこんで、いちからきたえなおしてやるしかない。規律訓練だ。

浮浪者どもを閉じこめ、不穏きわまりない輩は地下牢に放りこめ！　この者は国家のなかに、「不満を煽動し、現存秩序に反抗をけしかけ」ようとしている！　——石もて打て、この者を、石もて打つのだ[3]！

ギャア!!!　ひどいぜ、ちくしょう、このやろう。もちろん、ムチをふるっているだけじゃ反発をうけてしまうから、たまにアメをだしてやる。国家に公共事業でもやってもらって、ふだん仕事がない連中にカネがばらまかれるようにしてやるのだ。そうすると微々たるものでも、だんだんみんなカネをつかって生きていくのがあたりまえになってくる。さらにそこに警官の仕事でもあてがってやったら、もう完ぺきだ。浮浪者はいねえか、浮浪者はいねえかと、よりよわいものをとりしまる。奴隷のくせして主人のまねごと。市民も労働者も、もてるものももたざるものも、みんなカネこそが真理だとおもってしまうのだ。カネ、カネ、カネ。カネ。カネによる支配だ。カネがほしい。

「金が世界を統治する」　これが市民時代の基調音だ。無産の貴族、無産の労働者は、「飢えたる者」として、政治的勢力には何らの意味ももたない。生れも労働も問題ではなく、力をあたえるのは金だ。有産者が支配する一方、国家は無産者からその「下僕」を教育し、彼らが国家の名において支配（統治）をうけるその度合いに応じて金《かね》（給料）をあたえるのだ。

　私は、すべてを国家から享けている。国家の同意なくして、私は何をもちうるか。国家ぬきで私が何かをもった場合、国家は、それに「法的根拠」のないことを発見すれば、そのものを私の手からとりあげてしまう。だから私はすべてを、国家をとおして、その同意をえて手にすることとなるのではないか。[4]

　いまとおなじだ。カネが世界を支配する。私有財産を、所有権を侵しちゃいけない。不逞《ふてい》の輩《やから》とよばれちゃいけない。日常の身ぶり手ぶりにも気をつけよう。規律ただしく生きていかなくちゃいけない。奴隷どもに市民規範をうえつけろ。そのためだったら、国家はなんだってしかけてくる。石もてうて、石もてうて。この者を石もてうつのだ。なんか自由主義とかいうと、小さな政府のイメージがあって、ちょっとゆるそうだぞとおもってしまいそうだ

3　シュティルナー『唯一者とその所有（上）』片岡啓治訳、現代思潮社、一九六七年、一五〇頁。

4　前掲書、一五一～一五二頁。

が、そんなことはぜんぜんない。古代とちっともかわっちゃいないのだ。自由主義。ひとがカネで所有される。ご主人さまには、絶対服従。やぶれば窃盗、非合法。石もてうて、石もてうて。この者を石もてうつのだ。まもれ、まもれ、所有権。自由主義とは、あたらしい奴隷制のことである。ギャア!!!

社会的自由主義——マジ、陰険

で、これじゃまずいぞということで、でてきたのが社会的自由主義だ。自由だ、自由だっていっているけど、それってほんのひとにぎりの金持ちにとってだけじゃないか、あとのみんなはとっても不自由だぞと。もたざるものはもてるものに所有されて、奴隷のようにコキつかわれる。不平等だ。じゃあ、どうしたらいいのかというと、自由だ、もっと自由になるしかない。

> 他の個人からのわれわれの自由にはまだ、他の個人が自由にしうるものからの、他者がその個人的権力のうちに所有しているものからの自由が、つまり「個人的所有」からの自由が欠けている。ゆえに、われわれは個人的所有を廃絶するのだ。(中略)すべての者は——ルンペン〔訳註・ボロ、賤民の意〕であれ。所有は非個人的となり、

——社会に属するものであれ、と。[5]

いまおおくの人たちが不自由なのは、一方的にブルジョアだけが所有できるようになっているからだ。所有されている労働者には自由なんてない。だったら、ということでこういうのだ。みんな所有できないようにしちゃえばいいじゃんかと。そうすれば、もたざるものがもてるものに自由をうばわれることがなくなるのだから。あらゆるものは、みんなのものだ。みんながみんなのためにはたらいて、みんなでみんなのものを平等にもらう。みんなのために、みんなのために。

こういうのを万人の福祉といえばいいだろうか、ちゃんと平等な社会を設計し、ちゃんと配分するのが社会である。すこしでも不平等があったなら、みんなの名のもとに、社会の名のもとに改善していく。で、シュティルナーは、それを徹底していったのが、共産主義なんだといっている。ちなみに、共産主義という用語については、ひとによって定義がぜんぜんちがうだろうし、いいかげんなことをいっていると、このやろうと怒っちゃうひとがいるかもしれないが、ひとまず、シュティルナーがそういっているということで、はなしをさきに

5　前掲書、一五六頁。

すすめていこう。

シュティルナーは、共産主義についてダメだといっている。なんでかというと、みんなが不自由になるからだ。そりゃそうで、みんなのために、みんなのためにとかいっていたら、みんなのためにならないことはできなくなってしまう。なにより、みんなはたらかなくちゃいけないわけだが、そんなのイヤだといって、毎日毎日、クソみたいな文章でもかいていたら、おまえらそんな役にたたないことはやめろといわれてしまうだろう。それでもやめないでいると、おまえらみんなの足なみをみだしやがって、めいわくだといって排除される。村八分だ、陰険だ。

で、どうなるのかというと、みんなにとって有用な労働を強制される。当時だったら、工業化がだいじとかいわれていたから、みんな工場労働をあてがわれて、毎日、一〇時間とか一二時間とか、死にそうになりながらはたらかされるのだ。なんのおもしろみもない単調な作業をくりかえし、つかれはてて、ねておきて、また翌日、おなじことをくりかえす。もう自分が機械をうごかしているというよりも、機械が自分をうごかしているようだ。やがて、自分の身体が機械の一部になっていることに気づかされる。そんなことをくりかえしていくうちに、みんな人間性をみうしなっていくのだ。しかも、それを社会のためにとかいわれて強制されるわけだから、またたまらない。

> 社会、われわれが一切をそこからうけているこのものは、一の新たな主人であり、一の新たな亡霊であり、われわれに「奉仕と義務を課する」一の新たな「最高存在」なのだ。[6]

社会的自由主義は、ブルジョアが労働者の自由をうばうのをやめさせようとしていた。でも、その結果どうなるのかというと、みんなの自由がうばいとられることになる。みんなが労働者になって、みんなのためにムリやりはたらかされるのだ。やりたいとか、やりたくないとかそういうことじゃない。それをやるのは、社会のための義務であり、奉仕なのである。主人と奴隷の関係でいえば、みんなが奴隷になったということだ。しかも、それが社会のために、平等のためにと、正義をふりかざしていわれるから、その強制力はハンパないものになっている。みんなイヤだとおもっても、自主規制してやってしまうのだ。たちがわるい。社会による支配。いまや社会はあたらしい主人であり、だれもあらがえない最高存在である。社会的自由主義とは、あたらしい奴隷制のことだ。マジ、陰険。

6　前掲書、一六五頁。

人道的自由主義
——なにがクリエイティブだ、このやろう

ならばといって、でてきたのが人道的自由主義だ。ブルジョアの支配をぶったたいたからといって、みんなが奴隷になってしまったんじゃしょうがない。もっと自由に、もっと自由にならなきゃいけないんだと。じゃあどこをというと、労働である。

たしかに、彼の労働は充足的な内容をもたない。というのは、それは社会から負わされているだけで、単に課業、任務、職業であるにすぎず、また逆に社会も彼を満足させてはくれない。というのも、社会はただ労働をあたえるばかりだからだ。労働とは、労働者を人間として満足させるべきはずのものなのだ。ところがその逆に、労働は社会を満足させるだけだ。また社会は、労働者を人間としてあつかわねばならぬはずである。ところが、社会は、労働者を——ルンペン的労働者として、あるいは労働するルンペンとしてあつかうのだ。[7]

みんなやりたくもない、つらい労働をしいられている。苦痛だ。もちろん、それだけじゃ、

みんなつかれはててパンクしてしまうから、給料を上げましょうかとか、労働時間を短縮しましょうかとか、日曜日をやすみにしましょうかとか、いろいろやるわけだ。でもこれだと、はたらくという、人間にとってだいじな行為が苦痛であるということにはかわりない。毎日、おまえは奴隷だよ、はたらけといっておいて、たまにやすみをあげたり、遊びにいかせてあげますよといっているだけなのだから。なんの解決にもなっていない。というよりも、たくさんやすみがほしいとか、そんなふうにおもっている時点で、はたらきたくないとおもっているということなのだ。だから、人道的自由主義はこういうのである。労働をより人間的なものにいたしましょうと。

ゆえに、人道的自由主義はいう。君らは労働を望んでいる。そう、われわれも同じように労働を望んでいる。ただし、われわれはこれをもっとも完全な程度で望んでいるのだ。われわれは、余暇をうるためにこれを望むものではなく、労働自体のうちにあらゆる充足を見出すために、これを望んでいるのだ。われわれは労働を望む、けだし労働はわれわれの自己発展であるからだ。

7　前掲書、一七五〜一七六頁。

とするなら、労働もまたそれに応じたものでなければならぬ！　人間を尊くするのは、ただ人間的な、自己意識的な労働、「エゴイスト的」意図ではなく人間を目標とする労働、人間の自己開示であるような労働だけであり、ゆえに、こういわれねばならぬ。われ労働す、ゆえにわれ在り〔laboro, ergo sum〕、私は労働する、だから私は人間である、と。[8]

いまだったら、自己実現とかいわれるのだろうか。労働というのは、そのひとがこれからどうやって生きていきたいのか、よく考えて、自分の個性をいかして、ほんとうにやりたいことをやっていきていくということだ。やりつづけることで、そのひとの個性を、人間性をのばしていく。こんなにやりがいのあることはない。だから、たくさん休日がほしいというのは、ありえないのである。だって、労働のほうがたのしいのだから。まさに、われ労働す、ゆえにわれありだ。

人道派は、あらゆる素材を加工するような精神の労働を望む、いかなる事物も静止させずあるいはその現状のままにはおかぬような精神を、何ものにも安閑とせず、すべてを解体し、えられたすべての結果をあらためて批判するような精神を、望む。

この休みなき精神こそは真の労働者であり、このものはもろもろの偏見を絶滅し、もろもろの制約・制限を打ちくだき、人間を支配しようとするすべてのもののうえに人間を高める。[9]

この人間的な労働におわりはない、そしてやすみもない。なぜなら、この労働はたえざる自分磨きをやっていきましょうということだからだ。もっとよくなれ、もっとよくなれ。もっともっとと自分の個性をたかめていかなくちゃならない。もっともっと人間として成長していかなくちゃいけない。そうおもってはたらきましょうということだ。これ具体的に、シュティルナーのいう人道派がどんな労働をイメージしていたのかはわからない。でも、なんとなく当時だったら、芸術家とか文筆家とか、そういう比較的自由度のたかい人たちがイメージされていたんじゃないかとおもう。ちょっとバカにした意味でいっておけば、クリエイティブな仕事っていいよねと。

もしかしたら、工場労働者にクリエイティブってムリなんじゃないですかというひともい

8　前掲書、一七六～一七七頁。
9　前掲書、一七七頁。

るかもしれないが、いまだったらこたえはでているだろう。たとえば、トヨタで有名なことばにカイゼンというのがあるが、これって労働者はなにも考えずに機械的にはたらいていればいいんだということじゃなくて、たえず自分たちの仕事をよりよいものにしていきましょう、たえずあたまをはたらかせて、はたらきかたをカイゼンしていきましょうということだ。工場労働にかぎらなければ、いまはどんな仕事でもアントレプレナーシップをもちましょうとか、だいじなのはあなたの創造力とコミュニケーション能力ですとか、あなたの個性がだいじなんですとかいわれているわけで、自己実現のための労働というのはふつうにいわれるようになっているんじゃないかとおもう。

でもねと、シュティルナーはいうわけだ。これ逆に、やばくないっすかと。毎日、毎日、いやもっといえば毎分、毎秒、たえず自分をたかめるための努力をしなくちゃいけないということなのだから。そして、それができたら人間的だということは、できなきゃ、おまえ人間じゃねえといわれているのとおなじことだ。個性がない、創造力がない、ひととしてできそこない。よりよくなれ、よりよくなれ。日曜もやすんじゃいけない？　自分で自分にプレッシャーをかける。よりよくなれ、よりよくなれ。

たいがい、そんなことをくりかえしていたら、人間というのは心か体、どちらかをこわしてしまう。しかも、そこまでして自分をみがいても、ざんねんながらそれをつかってぼろもうけするのは、ひとりブルジョアなのだ。なんなら、おまえそれ好きでやっているだけなんだから、給料でなくてもいいだろうというやつだってでてくるだろう。やりがいの搾取。自分で自分を支配する？　人間主義？　こういっておいてもいいだろうか。人間的なものによる支配。それは奴隷たちがハイになって、いぇい、オレは主人だ、えらいんだといっているようなものである。奴隷のくせして、主人のまねごと。よりよくなれはクソくらえ。なにがクリエイティブだ、このやろう。人道的自由主義とは、あたらしい奴隷制のことである。おお、ヒューマン！

この世界のすべてがクソなんだ　どうでもいいね、どうでもいいね、どうでもいいね

で、シュティルナーはいうのだ。みんなこぞってリベラル、リベラルと、自由になれっていえばいいことであるかのようにいっているが、それってどうなんですかと。なにが自由だ、不自由ばかりだ、欲深さゆえのがんじがらめのとおせんぼ。だいたい、自由になれっていっているときというのは、いまある支配から自由になろうとしているときのことだ。いまのひどい状態をカイゼンしよう、よりよくなれ、よりよくなれ。たいてい、これがよりよい支配体制をつくっていこうとなってしまうのってわかるだろうか。

自由——何からの？　おお、すべて振いすてえぬ何があろうか？　奴隷制の、至上権の、貴族・君侯の扼《くびき》も、欲情と情熱の支配も、自己意志の、我意の支配でさえもが、だ。全き自己否定こそまさに自由より以外の何ものでもなく、それはすなわち自己決定からの、自己自身からの自由なのであり、何か絶対的なるもの、あらゆる称讃にあたいするものとしての自由を求める衝動が、われわれから自己性を奪い去るのだ。その衝動は自己否定を創造したのだ。[10]

君主に支配されるのはイヤだ。もっとよくなれ、資本主義。でも資本家に支配されるのもイヤだ。もっとよくなれ、社会主義。でも、社会に支配されるのもイヤだ。もっとよくなれ、人間主義。でも、人間的なものに支配されるのもイヤだ。もっとよくなれ、もっとよくなれ。自由をもとめればもとめるほど、より生きづらくて、狡猾《こうかつ》な支配体制ができあがってしまう。どんどんどんどん、だれもさからえなくなってきて、さいごはもう、さからったらおまえ、人間じゃねえよとかいわれるようになっているのだ。自分を犠牲にして、理想的な支配に身をゆだねよう。自己否定の創造だ。シュティルナーは、こういっている。自由になるということは、自分自身から自由になるのとおなじことだ。ぜんぜん自由じゃねえよ。よっ、クリエイティブ。

じゃあ、どうしたらいいのか。シュティルナーは、これまでの革命の考えかたがよくないんだといっている。体制転覆。ふるい体制をぶちこわして、あたらしい体制をおったてろと。でも、そんなことをしたらみんな、リニューアルされたどえらい体制にしばられることになるぞと、そういっているのだ。だったら、よりよくなれなんておもわなけりゃいい。一切合財、クソくらえ。すべてにツバをはきかけろ。やっちまえ、やっちまえ。とにかくあばれろ、たちあがれ。反逆だ。

革命《レヴォルチオン》と反逆《エンペールンク》とは同義のものと見なされるべきではない。前者は、諸状態の転覆、既存の状態《フーシュタント》もしくは Status〔訳註・状態、ラテン語〕の、国家もしくは社会の転覆であり、ゆえに一の政治的または社会的な行為である。後者・反逆も、なるほど諸状態の転覆を不可避の帰結として伴いはするがしかし、これは断じてその転覆に伴なわれて生ずるのではなく、人間の己れ自身にかかわる不満から生ずるのであって、反乱ではなくして、個の立つこと、擡頭であり、それから派生する諸制度は意とす

10　シュティルナー『唯一者とその所有（下）』一九六八年、八頁。

るところではないのだ。革命は新たな諸制度を目標とするものであるにたいし、反逆は、もはやわれわれを整理・制度化せしめることなく、われら己れ自身を立たしめることへと導くのであって、もろもろの「制度」などには何ら目くらめ《ママ》く希望を託したりはしないのだ。[11]

だれだって、ひどい目にあわされたらたちあがる。でも、それがあたらしい体制のためじゃダメなのである。〜のために、〜のためにとかいっていたら、そのために自分を犠牲にさせられるだけなんだし、なによりその体制がなきゃ生きていけないとおもわされるわけだ。そりゃ、みんな奴隷の生をしいられる。だって、その体制を管理してくれるやつらがいなけりゃ、生きていけないとおもわされてしまうのだから。

だから、そんなもんにからめとられてしまったら、領主の首を狩りとるんでもいい、屋敷に火をはなつんでもいい、工場や機械をたたきこわすんでもいい、金持ちの財産をうばいとるんでもいい。とにかく、体制の象徴をぶっこわす。で、そんなもんなしでも生きられるぞ、よゆうでいけるぞというのを、身をもってしめすのだ。身体でかんじろ。あらゆる体制に希望なんてない。おまえがやれ、おまえがやれ、おまえが舵《かじ》をとれ。自分で自分をたたしめろ。反逆、自立、ヨーソロー。

じゃあ、そうやって生きていけるやつってのはなんなのか。なにかのためじゃない、ただ衝動に駆りたてられて、自分がおもったことをやって、そこによろこびをおぼえていけるやつってのはなんなのか。シュティルナーは、そういうのを純然たるエゴイスト、唯一者だといっている。

私は私の力の所有人であるのだ。私が己れを唯一者として識るときに、私はそれであるのだ。唯一者において、所有人でさえもが、そこから己れの生れ出た己れの創造的無へと帰る。私の上なる存在、神であれ、人間なるものであれ、それらすべては私の唯一性の感情を弱めるものであるが、この意識の曙の前ではじめて色あせてゆく。私は、唯一者なる私自身の上に、私の事柄をすえる。そのとき、その事柄は、己れ自身を消尽する移ろい死にゆく創造者において立ち、私は、かくいうことを許されるのだ。

私の事柄を、無の上に、私はすえた、と。[12]

11　前掲書、二四五頁。

12　前掲書、三二三頁。

ここまでくると、第一章でふれた大杉栄《おおすぎさかえ》の「生の拡充」とおなじことをいっているのってわかるだろうか。なにかの役にたつかどうかとか、だれかの役にたつかどうかとか、そんなことはどうでもいい。そんな脳みそのヘリクツはかなぐり捨ててしまって、なんにもないところから、ゼロから、無からうごきはじめる。そういうときに、ひとってのは必要性にしばられずに、すげえ力を発揮するもんなんだということだ。

たとえば、狩猟採集民だったら、どこまで槍《やり》をとばせるのか、限界のさらにそのさきまでやっていたわけだが、ふつうにウサギやシカをとるだけだったら、そんなの必要ないわけだ。一〇〇メートルとか、一五〇メートルとか、とばそうとする意味がわからない。でも、なんか投槍器《とうそうき》とかをつくっちゃって、それをブンッとふったら、オレすげえよ、槍をトリみたいにとばせるようになっちゃったよっていってバカさわぎしていたわけだ。あるいは、相互扶助の例でもあげたが、ふつう損得を考えたらやらないのに、子どもが井戸に落っこちそうになっていたら、たとえ自分が体勢をくずして、井戸に落っこちることになったとしても、サッと体をなげだしてたすけるのだ。生きる力が自分の生死さえもとびこえて、ピョンピョン、ピョンピョンとびはねていく。そういう力を手にするのだ。

ちなみに、これシュティルナーは「力の所有」といっているが、所有といってもいわゆる財産権のはなしじゃない。財産権ってのは、たくさん奴隷をもっていたらエラいみたいなところがあって、それで自分の価値がはかられるわけだ。財産とは、ひとを選別するための道具である。そういうんじゃなくて、力を所有すると、それまでの価値がぜんぶだいなしになるまで、ピョンとぶっとんじまうわけだ。ただ酔いしれる。オレ、すげえ、オレ、すげえと。もちろんシカの角を手にしたり、友人とかかわったりしているわけで、モノやひととの関係を手にしてはいるのだが、それでなにをやっているのかというと、価値も評価もなんにもないところに、無にむかって自分をぶん投げているわけだ。いいもわるいも、どうでもいいね。オレはなんにも関心がないぞと。

くりかえすと、シュティルナーがいっている所有というのは、自分を消尽させていく、死にゆかせるための武器を手にするということだ。オレは価値があるんだとか、こんだけエラいんだとか、そんなことはどうでもいい。無我夢中になって好き勝手やってみて、それができたよろこびを身体でかみしめる。なにかのためじゃない、だれかのためじゃない。なんにもとらわれずに、われしらずうごくのだ。おまえがやれ、おまえがやれ、おまえが舵をとれ。それができる、もっとできる、そういう力をもっともっと所有していこうよと、そういうことをいっているのだ。

ちょっとクドくなってしまうかもしれないが、もうすこしだけいっておくと、だいじなのは、シュティルナーが無になることを強調しているということだ。「創造的虚無」。いっしゅん、ハァ？　とおもわされるのだが、いいことをいっている。たとえば、さいしょ、ひとはなんの役にもたたなくたっていいんだ、好きにやろうぜといっていたとしても、その役にたたないとか、ダメというのが尺度になっちまうときだってあるわけだ。いまはクソみたいなあつかいをうけているけれども、こういう文章をかけるのが、ほんとうの意味でクリエイティブなんだとか、こうやって槍をもって狩りができるのが一人前なんだとか、かならずそういうことをいう連中があらわれてくる。

でも、それじゃ財産権というか、いわゆる所有の論理とかわりない。だから、シュティルナーはいうのである。力をもてといっても、なにか生産的なことをやらなきゃいけないとか、そういうことじゃない。そんなもん、ぜんぶかなぐり捨ててやれ。いつだって、いちばんだいじなことは無になることなんだと。それは空虚になることじゃないし、なんにもできなくなるということじゃない。いつだって、なんにもとらわれずに、うごくことができるようになるということだ。なんでもできるようになるということだ。虚無、すなわち創造ということだ。なにかのためじゃない、だれかのためじゃない、ただこりゃおもしれえ、なんだこれってのをやってみて、それができたことをよろこんでいきたい。そして、なんどでもなんどでも、そのなんにもないところからはじめるのだ。

わたしは、わたしのことを、無のうえにすえた。ちなみにこれ、もともとはゲーテの詩で、オレはなんにも関心がないぞ、どうでもいいねっていう意味らしい。この世界のすべてがクソなんだ、どうでもいいね、どうでもいいね、どうでもいいね。クソ、クソ、クソ。なにをやっても、なんにもねえ。クソのあとにはクソしかねえ。おさきまっくら、闇しかねえ。だったら、なんでもやってやる。こんなクソみたいな世界なら、損得なんてどうでもいいね。うれしい、たのしい、きもちいい。ただそれだけで、ただそれだけで、オレもおまえもみしらぬあなたも、しぜんと身体がうごきだす。いのち捨てます。自分を捨てろ、ぶん投げろ、まっくら闇にほうりこめ。闇がゆれる、ブンブンゆれる。黒い身体がうごきだす。やみくもな力でうごきだす。ピョンピョン、ピョンピョンとびハネる。闇は無限だ。創造的虚無！　創造的虚無！　ハァ？　どうでもいいね、どうでもいいね。われわれは永遠のクソである。

小さくまえへならえ——新自由主義の精神

シュティルナーがいっていたのは、だいたいこんなところだ。純然たるエゴイズム。中途半端じゃダメだ。カネにならなくたっていい、社会のためにならなくたっていい、人間的にすぐれていなくたっていい。そんなもんおかまいなしに、ほしいもんがあったらピャアッと手がでてしまう。欲望の直接的表現だ。そんな万引き野郎になっちまえばいいんだとそういっているのだ。でも、いまになっても、そういう世のなかにはなっていない。むしろ、よりよくなれ、よりよくなれという圧力はたかまるばかりだ。このへん、シュティルナーの先見の明はたいしたもんで、かれがいっていたとおり、その後、自由主義は三つの段階をたどっていて、しかもリニューアルされるたびにひどい支配体制になってきている。

これ、いまだったら自由主義からケインズ主義へ、そして新自由主義へとでもいわれるだろうか。さいしょはカネもうけっていいよね、自由競争だとかいっていたら、貧富の格差がひらきすぎて、しかもほとんどのひとが貧乏人になって、みんなカネがなくなった。そしたら、やべえよ、モノが売れねえよ、不況だなんだのといって、こんどは国家が公共事業だの、社会政策だのにのりだした。みんなに仕事をあげましょう、会社はわけもなく労働者をクビにしちゃダメですよ、そしたらみんながモノを買えますからと。ケインズ主義だ。けっきょくカネのことしか考えちゃいないのだが、いちおう、みんなのために、社会のためにってのがキーワードになったわけだ。

でも、一九七〇年代にもなると、家電でも自動車でも、あるていどモノがいきわたって、みんなあんまり買わなくなった。じゃあ、そのつど売れるものだけつくりゃいいじゃん、必要なときに必要な人員だけやとうようにすりゃいいじゃんといわれるようになって、きほん非正規雇用になっていく。クビきり、リストラ、雇止め。やりたいほうだいだ。国家もそれを推奨する。で、そういうのが新自由主義とよばれていて、あんたいつクビになってもしかたないんですよ、あきらめてくださいねっていっているだけなのだが、すごいのは、ここに「人間的なもの」っていう言説をふりまいたことだ。これからはあなたの人間力がためされているんですよ、もう会社に依存するのはやめましょう、自分の潜在能力をひきだして、あたらしい仕事につけるようになりましょうと。人間、自立、万々歳。

こういうのを自己投資型の人間といっていいだろうか。たえず自分にカネをかけて、なにかしらのスキルに磨きをかけて、いままでよりもたくさんカネをかせげるようになる。よりよくなれ、よりよくなれ。それをやりつづけられるのが、ひととしてすぐれていることなんだといわれるのだ。けっきょくカネじゃん、社会的評価じゃんとおもってしまうのだが、それが人間力と直結しているから、またきびしい。だって、できなかったり、やらなかったりしたら、社会的につかえないというだけじゃない、おまえは人間としておわっているといわれるのだから。どひゃあ。

で、やばいのはこれ、借金人間というか、自己奴隷化のきわみみたいなところまでいっちまっていることだ。ちょっとまえまでだったら賃金奴隷というか、会社からカネをもらって生きていたわけだから、勤務時間内だけはその負債を返すかのように、奴隷みたいにはたらいていたわけだが、いまじゃ会社にいなくても、他人からカネをもらっているわけじゃなくても、ふだんから自分で自分にカネをかけて、そのぶんをとりもどすために、負債を返すかのように、自分磨きをやっているのだ。

大学の授業料にカネをかけるのか、資格試験にカネをかけるのか、はたまた語学か、ITスキルか、金融工学をまなぶのか、それとも自己啓発セミナーにカネをかけるのか。それこそ、ひとは見た目なんだといって、ジムで体をきたえるひともいるだろうし、ファッションセンスをみがいたり、やっぱりヘンなセミナーにかよって、笑顔の練習をしたりするひとだっているだろう。なにをするにもカネ、カネ、カネ。カネがかかる。なけりゃ、もじどおり借金だ。

そういや、わたしも六三五万円、借金をして大学院にいったわけで、借金人間だ。まあ、あんまり返そうという気もないのだが、でもおんなじように債務奴隷になってしまって、スキルアップをして、借りを返そうとしているひとはおおいんじゃないかとおもう。で、それができたら、もっともっとカネをかけて、もっともっと上にいきましょう、よりよくなれ、よりよくなれと、ずっとそれをつづけていくのだ。きりがねえ。もう会社勤めしているかどうかとか、そういうレベルじゃなくて、ふだんからずっと奴隷労働をしいられているのだ。もうこれ以上、はたらけない。

しかしあらためておもうのは、ここまでくると、カネをかけてなにかをするということが、はたらくこととおんなじになっているということだ。消費と労働が一致している。だって、当人にとっても、オシャレな服できかざって、それをSNSに投稿するのが自分磨きというか、仕事みたいになっているわけだし、衣服をつくったり売ったりするほうも、そういう情報をかきあつめて、ポンッと統計にかけて、はやりの商品をだせるようにしているわけだ。きょうもあしたもショッピング。タダばたらきだ、奴隷である。

いやいや、そうはいってもほしいものをゲットしたり、好きなものを食べるためにカネをはらうのと、労働はちがうでしょうというひともいるかもしれないので、ひとつだけ例をあげておこう。あれは数年まえ、ある真夏の日のことだ。土曜日、友だち数人で朝まで飲んで、そのあとドトールかなんかで、ゆっくり朝食をとって、お昼くらいにさあ帰ろうかとお店をでた。そしたら、まわりの店がどこもかしこもすげえ行列になっていて、みんな汗をダラッダラながしながら、ビシイッとキレイに整列していた。いやあ、このクソ暑いなか気がしれねえな、しかもせっかくの休日なのに、この人たちはいったいなにをやっているんだとおもいながら、わたしが「なんかこれ、運動会のときの、まえへならえをおもいだしますね」というと、となりにいた白石嘉治《しらいしよしはる》さんがニコニコしながらこういった。「あれが現代の労働なんです」。なるほど。

はやりの店をみつけだし、キレイにならんでアピールだ。ここはイケてますよ、それがわかっているわたしたちもイケてますよと。イラだって声をあらげたり、店の看板をけとばしたり、われさきにと店におしいったりしちゃいけない。そいつはイケてないということだ、空気をよめないということだ、コミュニケーション能力がないということだ、人間力がないということだ。人間失格、労働者失格。だから、どんなに暑くて死にそうでも、自分をコントロールして、笑顔でたのしげにふるまわなくちゃいけない。礼儀ただしくきちんと整列だ。オレはクールだ、いいねっ！　わたしはスマートだ、いいねっ！　いまじゃデモにいってもおなじようなことをやっている気がするのだが、これをいうと悪口がとまらなくなってしまいそうなので、いまはやめておこう。とにもかくにも、確認しておきたかったのは新自由主義の精神だ。小さくまえへならえ。おお、ヒューマン！

クソしてねやがれ、それが不法占拠の精神だ

しかし、それでもやっぱり、消費ってのはたのしいもんなんじゃないですか、自己充足なんじゃないですかというひともいるだろう。労働は苦痛で、賃金奴隷としてやっているけれども、消費はその苦痛をいやすためにやっているんだと。まあ、そうおもわれてきたからこ

そ、いやあ、いま労働が消費みたいになってるよね、それって自分がたのしいから、好きでやっているんだよね、それで失敗したとしても自己責任だよね、政府はなにもしなくてもいいんだよねといわれていて、社会保障費カットの理由にされているわけだ。わたしなんかは、そんなことをいわれると、このやろう、四の五のいわずにカネをだしやがれとおもってしまうのだが、とにかくもうちょっと、この消費ってやつについて考えておいてもいいんだとおもう。

どこまでさかのぼればいいのかわからないが、もともと財産っていうのは、主人が奴隷を所有するということだったわけだから、カネをはらってモノをゲットするというのは、オレにはこんなにたくさん奴隷がいるんだぞ、すげえだろうということだったんだとおもう。自分のすごさをアピールするのだ。でもこれ、まえにもいったかもしれないが、主人のほうも自分を奴隷ではかりにかけているわけで、オレの価値は奴隷一〇人分なんだぜとかいっているのとおんなじなわけだ。いいかたはイバっているけれども、ようは奴隷である。しかも、自分の価値をしめせるのは、あくまで奴隷制あってのことだから、そのためには国家だの、軍隊だの、奴隷商人だのがなくちゃいけないわけだ。それなしには生きていけない。戦争だってなんだって、国のため、カネのため、いつでもわたしいのち捨てます。主人と奴隷。つまるところは奴隷なのだ。

おなじことは、この資本主義にもいえて、マンションだの、マイホームだのを購入したり、高級車をのりまわしてみたり、たかい教育費をはらって学歴を身につけたり、高級ブランドの服をきてみたり、みんなの鼻につかないくらいの、こぎれいなかっこうをしてみたり、スタバのコーヒーを片手に街をあるいてみたりして、自分の社会的ステータスを誇示しているわけだ。でも、これきりがなくて、もっといいものを、もっともっととおもわされるし、なによりやればやるほど、カネをはらってモノを買うことが生活することなんだ、それなしには生きていけないんだとおもわされてしまう。

たとえば、ノドの渇きをいやすということが、コカ・コーラやＶｏｌｖｉｃを飲むことを意味するようになっていたり、都会でコーヒーを飲むことがスタバのフラペチーノを意味するようになっていたり、ハンバーガーがマックを意味するようになっていたりと、生きれば生きるほど、生活が商品世界に切り縮められてしまう。で、気づけば、それなしじゃ生活できないとおもわされているのだ。

一九六〇年代、シチュアシオニストのギー・ドゥボールは、こういうのをスペクタクルの社会とよんでいた。スペクタクルっていうのは見世物のことで、商品に魅せられるわたしたちをその観客にみたてているのだが、かれはこんなふうにいっている。

凝視される対象（それは、観客自身の無意識的活動の結果なのだが）に対する観客の疎外は次のように言い表される。観客が凝視すればするほど、観客の生は貧しくなり、観客の欲求を表す支配的なイメージのなかに観客が己れの姿を認めることを受け入れれば受け入れるほど、観客は自分自身の実存と自分自身の欲望がますます理解できなくなる。活動的な人間に対するスペクタクルの外在性は、観客の身振りがもはや彼自身のものではなく、自分に代わってそれを行っている誰か他人のものであるというところに現れてくる。それゆえ、観客はわが家にいながらどこにもいないような感覚を覚える。というのも、スペクタクルはいたるところにあるからである。[13]

ほんとうは、ノドが渇けば水道水を飲めばいいんだし、カネはらえなくて水をとめられたとしても公園にいけばいい、かりに行政がポンコツで水道水がつかえなくなったとしても、川にいったっていい、井戸をほったっていい、なんとでもなるのだが、なんかこう商品世界にどっぷりつかっていると、その感覚もなくなってしまうのだ。生きるためには、国や企業

13　ギー・ドゥボール『スペクタクルの社会』木下誠訳、ちくま学芸文庫、二〇〇三年、二八頁。

にカネをはらってなんとかしてもらわなきゃいけない。もっとカネをはらって、もっと快適にしてもらおう。ああ、コーラ。ああ、スタバ。ああ、きもちいい。もうこれなしじゃ生きられないと。スペクタクルだ。

わたしたちはいつも見世物でもみせられているかのように、上からパッパッパッと、これが生きる最低条件ですよ、これが快適になるってことですよ、これがもっともっと快適になるってことですよっていうのをしめされている。もちろん、ふとおもったりするわけだ。あれ、なんで水を飲むのにカネをはらってるんだろう、なんで何百円もだして、こんなクソみたいにあまいコーヒーを飲んでんだろうと。でもやめられない、とまらない。観客はただ、見世物をみることしかできないのだから。もはや自分の生は自分のものじゃない、他人のものである。

じゃあ、どうしたらいいのか。かんたんだ。好きに生きちゃえばいいのである。カネがなければないで、それでシレッと生活しちゃえばいい。たとえば一九七〇年代、八〇年代だったら、ドイツやイタリアの若者たちがスクウォッティングといって、つかわれなくなった建物をガンガン不法占拠して共同生活したりしていた。衣服や食料はそのへんでかっぱらってきたっていいんだし、ちょいちょいコガネをかせいで、それでなんとかしたっていい。ハッパもすいたい、酒も飲みたい。

しかも、若いゴロツキがあつまれば、もうたいしたもんで、音楽がききたい、おどりてえとおもえば、地下室をライブハウスにかえてしまったり、そしたら友だちも泊まれるようにしたい、じゃあじゃあということで、どこからともなく廃車とかをひろってきて、それを何十台もダッとならべて、ゲストハウスにしてしまったりする。この部屋いいでしょう、クソでしょうと。それにアートもほしいよねとおもえば、壁はいくらでもあるわけで、ベッタベタにクソみたいな落書きをしたりするし、映画がみたいとおもえば、どっかからともなく映写機をもってきて、その場で、即席の映画館をつくってしまう。で、自分たちでつくったクソみたいな映画をながしたりするのだ。クソ、クソ、クソ。なんでもござれ。とどのつまりはクソなのだ。自分の生をいきている、クソったれ。

しかし、資本主義がおそろしいのは、そうやってスペクタクルからぬけだそうとする力さえも、ビジネスチャンスにかえてしまおうとすることだ。一九九〇年代にもなると、みんなこぞってこういいはじめる。いやあ、若者文化ってすばらしいよね。一方的におしつけられてきた商品世界を拒否して、自分たちの手で自分たちの生活をつくりだしている、あたらしい価値をつくりだしている。これこそ、真に創造的なことですよね、ああ、クリエイティブ、ああ、自己価値創造と。

で、さっきいったスクウォッティングとかが、再評価されるわけだ。若者たちが廃墟をクリエイティブな場所につくりかえている、すごいよと。それで、そういうのができそうなアーティストがチヤホヤされて、企業家といっしょに、どこかしらの自治体にまねかれて、なんちゃらプロジェクトなるものをたちあげさせられるわけだ。スラム街とか、さびれた街にはいっていって、創意工夫。オレたちの力で、この街の潜在能力を開花させるんだ、自分をみがけ、街をみがけと。地域アートだ。

じゃあ、手はじめに空き家とゴミでもつかって、芸術作品の展示会でもやってみましょうかとか、ダンボールでねているホームレスがいっぱいいるから、それをつかって、なんじゃこりゃあみたいな家でもつくってみましょうかとか、貧しい子どもたちの顔にペインティングでもほどこしてあげましょうかとか、いろいろやるわけだ。そしたら、この街は文化的ですね、すてきですねといって若者があつまってきて、それにあわせて、オシャレなお店ができはじめる。街はうるおい、再生だ。創造的都市、いっちょあがり。

もちろん、そんなにうまくいくわけじゃないし、うまくいったらいったで、むちゃくちゃ問題があったりする。街がキレイになると、だんだん、このオシャレで文化的な街には、おまえら似あわねえんだよといってホームレスが排除されたり、地価があがって、もともとの貧乏な住人たちがたちのきをせまられたり、むかしながらのコギタナイ商店がガンガンつぶれたりするのだ。街には、よそものの若者があつまって、いけすかない不動産屋とか、投資家とか、企業家とかばかりがもうけていく。こういうのをジェントリフィケーションっていうのだが、アーティストは、そういうのの尖兵《せんぺい》みたいにさせられちゃっているのだ。オシャレに排除、ホレ、ホレ、ホレと。

しかもこれ、アーティストにとってもどうなんだろうとおもうのは、いつでも地域の役にたつプロジェクトをたちあげられなきゃいけない、もっとクリエイティブにやりましょう、もっともっととおもわされることだ。それができなきゃ、おまえクリエイティブじゃない、アーティストとしておわっているとかいわれてしまう。そして、そんなことがあたりまえになったら、マジで好き勝手にやって、クソみたなことばっかしやっているやつは、ほんとうにつまはじきにされてしまうだろう。つらすぎる。アートってなんだ。地獄だ、地獄だ、人工《アーティフィシャル》地獄《ヘル》だ[14]。

さて、もういちど消費にはなしをもどしておくと、商品世界の奴隷にさせられるのはイヤだし、そうかといってもうひとつの世界をつくりだし、その主人になるのもイヤだ。どんなに立派なライフスタイルをつくりだしたって、それでまわりを奴隷にして、あげくのはてに

14　このあたりのはなしについては、クレア・ビショップ『人工地獄——現代アートと観客の政治学』（大森俊克訳、フィルムアート社、二〇一六年）を参照のこと。

自分もそれにしばられてしまったら、どうしようもない。だから口をすっぱくして、こういっておかなきゃいけないんだとおもう。上から価値をおしつけるとか、下から価値をつくりだすとか、そういう問題じゃない。価値そのものがいらないんだ。むずかしいことじゃない。スクウォッティングの原点にたちもどれ。クソ、クソ、クソ。なにをやってもなんにもねえ。クソのあとにはクソしかねえ。とどのつまりはクソなのだ。オレは有意義な生活がしたいんじゃない、ダラダラしたいだけなんだ。クリエイティブ？　クソしてねやがれ。それが不法占拠の精神だ。クソったれ！

地域アートの役割とはなにか？　なにもするな！

さて、この地域アートっていうのは、日本でもそこらじゅうでやられている。東京近郊ではいまもむかしもどこもかしこも再開発をやっているが、だいたいそういうところで、アートが動員されている。で、行政や企業の責任者が、こういうわけだ。わたしたちはカネのことばかり考えているんじゃないですよ、文化を考えているんですよ、これは人間的な開発なんですよと。ヘドがでるね。もうこのくらいでじゅうぶんかもしれないが、せっかくなので、じっさいそれでどんなことがおきるのか、ひとつだけ例をあげてみたいとおもう。

このかん、わたしが、こりゃあきらかに街がかわったなとおもったのは、東京じゃなくて大阪だ。みんなそうだとおもうのだが、たまに旅行とかでいくと、ちがいがすごくよくわかる。二〇〇八年、わたしはうまれてはじめて、釜ヶ崎《かまがさき》にいった。釜ヶ崎というのは、日本最大の寄せ場で、日雇労働者が仕事をもとめてあつまってくるところだ。一九八〇年代までは活気があったが、いまじゃ日雇いの仕事がへってきているから、仕事にあぶれた人たちがホームレスになってくらしている。場所としては西成《にしなり》区にあって、新世界《しんせかい》の裏あたりにあるといえばわかるだろうか。

じつはその年、釜ヶ崎では暴動がおこっていて、わたしはユーチューブでおっちゃんや若者たちが警官とガチンコのバトルをくりひろげ、石つぶてをくらわせたり、自転車をなげつけたりするようすをみていた。こりゃすごい、どんなところなのかみてみたいとおもって、それでちょうど大阪に用があったので、せっかくだしということで、友だち三人でいってみたのだ。うどんをすすって腹ごしらえして、さあいこうとすると友だちのひとりがひどい二日酔いで、ウゲエッ、ウゲエッと道路にゲロをはきはじめた。だ、だいじょうぶか。友だちが「オレのことはかまわずに、はやくいってくれ」というので、しょうがない、ふたりでいくことにした。

テコテコ、テコテコ、あるいてまわる。それでパッとみてわかったのは、むちゃくちゃ活気にみちあふれていたことだ。カップ酒をもったおっさんたちが、バカでかい声でくっちゃべっていたり、露天商のおっちゃんがバッタもんのカバンとか、海賊版のＤＶＤとか、賞味期限ぎれのパンとかを売っていたりする。それに自分たちでつくったんだろう、ビニールシートとベニヤ板でできた屋台がたちならんでいて、おっちゃん、おばちゃんが缶詰をつまみに、カップ酒で宴会をしているのだ。ギャハハッと笑い声がきこえてきて、すげえたのしそうだ。ちなみにこれ夜じゃない、昼間の光景だ。それをみた友だちがハイテンションになって、「栗原さん、すごいっすよ。釜ヶ崎はエロいっす、エロいっす」とさけんでいた。おっちゃんたちに影響されたのか、声がでかい。

でも、友だちの気持ちもわかって、そのすこしまえ、わたしたちは山谷《さんや》っていう東京の寄せ場に遊びにいったのだが、まあ日にもよるんだろうが、そのときは、おばちゃんがあんましみあたらなくて、おっちゃんたちが地べたにすわりこみ、ほんとにグッタリとしていて、それがすごくつらそうだったんだ。もちろん、釜ヶ崎だって状況はきびしいんだろうが、でもなんか元気そうだった。それで友だちはうれしくなってしまったんだとおもう。エロいっす、エロいっすと。まあ、そんなことをいいながら、ひとまわりして、うどん屋までもどってくると、道路におっちゃんがねそべっているのがみえた。きもちよさそうにゴロゴロしている。酒をのんで酔っぱらったら、道路でゴロゴロ。いいね！　そうおもいながらちかづいていくと、おっちゃんじゃない、友だちだ、おいていった友だちがねていたのだ。なじみすぎだよ。おきあがった友だちが第一声、こんなことをいっていた。「酔いがさめました」。あいよ。

これがわたしにとっての、はじめての釜ヶ崎だったのだが、それから二年後、もういちどいってみたら、ぜんぜんようすがちがっていた。こんどは満をじしてというか、ちゃんと時間をとって、釜ヶ崎を研究している原口剛《はらぐちたけし》さんに案内をおねがいして、あいりん会館（現・西成区保健福祉センター分館）から三角《さんかく》公園、飛田新地《とびたしんち》まで、いろいろとつれまわしていただいた。原口さんが、その場所ごとのはなしをきかせてくれてむちゃくちゃおもしろかったし、それこそ、はなしではきいたことがあったけれども、じっさいにみたことはなかった遊郭、飛田新地をみて、びっくりしてしまったりと、いろいろおどろかされたことはあったのだが、でもなによりびっくりしたのは、そのあと街をブラブラあるいていて、まえとおなじところをまわっても、風景がぜんぜんちがっていたことだ。[15]

まず、ひとがみあたらない。露天商もひとりもいなくて、屋台もなくなっていた。やっと

15　釜ヶ崎の歴史をしりたいかたは、原口剛『叫びの都市——寄せ場、釜ヶ崎、流動的下層労働者』（洛北出版、二〇一六年）をどうぞ。

ひとがいたとおもったら、グッタリとすわりこんでいる。そう、街に活気がないのだ。あれ、これはどうしたことだろうとおもって、原口さんにきいてみると、いま屋台や露天商へのとりしまりが、ものすごくきびしくなっている、ピークだ、だからなりをひそめているんだといっていた。なんでそんなことされるのかというと再開発だ。二〇〇〇年代初頭から、大阪では梅田《うめだ》の大規模な再開発がすすめられていて、その近郊、天王寺《てんのうじ》や新世界も、観光地化しようといわれるようになった。で、めざわりなのが、そのまんなかにある釜ヶ崎だ。クサい、キタナい、ジジイ、ババア。観光客をよびよせるためには、そのイメージを払拭《ふっしょく》しなくちゃいけない。で、行政がホームレス排除にのりだしたわけだ。

二〇〇三年には、日雇いやホームレスのおっちゃん、おばちゃんたちがたのしみにしていた、天王寺公園の青空カラオケ屋台が撤去された（一九九〇年代にはすでにかれらが公園でねとまりできないように有料化されていた）。二〇〇七年には長居《ながい》公園でテントをはってくらしていたホームレスを強制排除。で、さらにはということで、道路である。やれ、ここに屋台をだすのは違法なんだ、撤去しろ。やれ、違法なものを売りさばく悪質業者をとりしまれと。そこで何十年もやってきた人たちを、とつぜん犯罪者あつかいしてたたきだしたのだ。ひどい、ひどすぎる。アミダの慈悲もゼニしだい、ちくしょう。わたしが釜ヶ崎にいったのは、ちょうどそのころだ。

で、あまりにひどかったので、非人道的だとかなんだとかいわれて、それでもちこまれたのがアートである。ホームレスの強制排除は、やりすぎだ。もっとやりかたを考えよう。ようは、釜ヶ崎のブラックなイメージをかえられればいいのである。よし、文化だと。たとえば、二〇一三年から「釜ヶ崎グラフィティアート」っていうのがやられていて、アーティストが商店街にはいっていって、空き店舗のシャッターにグラフィティを描いたり、老朽化した空き家の塀や、ここはいいよっていわれた壁にグラフィティを描いていくのだ。灰色の街をカラフルにかえよう。それまでの暗くて、こわくて、キタナい釜ヶ崎のイメージをかえるんだと。あかるくて、たのしくて、キレイな街にいたしましょう。じっさいジャーンッとすごいグラフィティが描かれると、その空き店舗のまえで立ち小便をするひとがへったりするらしい。[16]ちっ、ぶっかけてやればいいのに。

まあ、そんなかんじで、アーティストがはいって街を活性化させようとしているわけだが、これ慈善事業っぽいし、文化的なよそおいをしているんだけれども、やっていることは排除

16　このへんの事情については、中村葉子「なぜアートはカラフルでなければいけないのか――西成特区構想とアートプロジェクト批判」（『インパクション』一九五号、インパクト出版会、二〇一四年）を参照のこと。

だっていうのはわかるだろうか。街をカラフルにしようっていうのは、それまでの住人にたいして、おまえら灰色なんだよっていっているようなもんなのだから。小便くさいおっさんたちが街を徘徊《はいかい》していちゃダメなんだということだ。あるいは、クソみたいなものしかおいていない露天商や屋台はいらねえっていうことなんだろう。かわりに、それっぽい雰囲気だけのこした屋台村みたいのをつくって、観光客をよびこめればいいのである。創造的都市。排除につぐ排除、そしてさらなる排除だ。もしかしたら、そういうことをいっていると、だったら、おまえ、アートはなにをしたらいいんだよといわれそうなので、はっきりいっておきたいとおもう。なにもするな！

月夜の釜合戦
カマをほろうぜ、好兄弟！

さて、これだけだと救いがない気もするので、もうちょっとだけいっておくと、地域アートの本をよんでいたら、失敗例として、こんなはなしがとりあげられていた。あるヨーロッパの有名アーティストが、仲間をひきつれて南アフリカにいって、町おこしみたいなかんじで、行政といっしょに芸術的な公園をつくったんだという。その公園で大々的なイベントをうって、さいしょは観光客があつまってきてにぎわった。でも、アートだなんだのといわれても、地域住民にはわからない。しばらくすると、すぐにひとはこなくなった。で、どうなったのかというと、勝負は夜だ。夜な夜な、街の貧乏人たちが公園にしのびこみ、われさきにと建造物をぶちこわして、鉄くずをもちさってカネにしたのだ。[17]ケケケッ。これ、地域アートの失敗例といわれているのだが、失敗しているのは、カネもうけしたかったアーティストと不動産業者だけであって、それ以外の人たちには、どう考えても成功にしかおもえない。大成功だ。

ということで、おもいだしてもらいたいとおもう。ギャングースだ。つよいものがよわいものを奴隷のようにあつかって、その奴隷がさらによわいものをチンカスのようにあつかっている。みんな主人になりたいの？　でもチンカスの、チンカスの、さらにそのさきのドチンカスまでいってしまうと、そんなものどうでもよくなってしまう。オレはチンポコくせえんだ、ファンキー、モンキー、ベイビーなんだと。[18]ひらきなおりだ、敗北のこぶしをあげろ。金持ちだろうが貧乏人だろうが、よわいものをいためつけ、主人ぶっているやつらはゆるせ

17　これについては、清水知子「Shall We “Ghost Dance?”――ポスト代表制時代の芸術」（『地域アート――美学／制度／日本』堀之内出版、二〇一六年）を参照のこと。

18　ちなみに、ファンキー（funky）とはチンポコくさいという意味だ。

ねえ。ザクザク、ザクザク、かっぱらえ。主人の財産かっぱらえ。そうやって、主人なしじゃ生きられない、主人にならなきゃ生きられないとおもわされてきた、自分たちの心をぶっこわすのだ。脳みそのヘリクツひっくるめ、一切合財、スッカラカンだ。よりよい主人になれ、よりよい主人になれ？　どうでもいいね。だったら、徹底的に敗北してやるぜ。奴隷解放の狼煙《のろし》をあげろ。もうだれにもしたがわない、もうなんにもとらわれない。勝手にしやがれ。われわれは都会の原始人だ。

いま自由、自由っていわれているけれども、それは奴隷が主人のふりをしようとしているだけのことだ。これまでの労働はしんどかった。もっと自由にはたらこう、もっとクリエイティブにはたらこう、もっとオシャレにはたらこう、もっともっとと。自分をみがけ、おまえをみがけ。よりよくなれ、よりよくなれ。でも、やっていることは真夏に、汗をダラッダラながしながら店先で行列をつくり、小さくまえへならえをやっているようなもんで、苦役でしかない。タダばたらきだ、奴隷なのだ。でも、それを笑顔でやってのけると、お店や街の商品価値があがって、自分の価値もアップしたみたいにおもえるのだろう。しかもわらえないのは、この主人ぶっている連中というのは、その価値をひきさげるような人たちがいると排除にかかるということだ。クサい、キタナい、ジジイ、ババア。ちくしょう。そろそろ、自由をぶっとばすときがきたようだ。

どうしたらいいか。南アフリカのギャングースがおしえてくれている。かっぱらえ、かっぱらえ、かっぱらえ。闇にまぎれて、かっぱらえ。クサい、キタナい、上等だ。オレはチンポコくせえんだ。ファンキー、モンキー、ベイビーだ。わたしは、わたしのことを、無のうえにすえた。どうでもいいね、どうでもいいね、どうでもいいね。クソ、クソ、クソ。なにをやっても、なんにもねえ。クソのあとにはクソしかねえ。おさきまっくら、闇しかねえ。だったら、なんでもやってやる。損得なんてどうでもいいね。オレもおまえもみしらぬあなたも、だれかがそこでやられていたら、しぜんと身体がうごきだす。いのち捨てます。闇がゆれる、ブンブンゆれる。そういや、「月夜に釜をほられる」ということわざがあって、これは、ああ月がキレイだな、あかるいなとみとれていたら、だいじな釜を盗まれてしまったというものなのだが、たぶんそういうことなんだとおもう。カネもちにはあかるいものしか、キレイなものしかみえちゃいない。だったら、そこが勝負なんだ。闇をゆるがし、カマをほれ。月夜の釜合戦[19]。はじめからいっちゃいけないことなんてない、やっちゃいけないことなんてない、ぜんぶ自由だ。自由をぶっとばせ。カマをほろうぜ、好《ハオ》兄弟。自由だ、クソったれ！

19　そんなタイトルの映画が上映されておりました。「月夜釜合戦」（監督：佐藤零郎）。詳細は、以下のホームページをどうぞ。http://tukikama.com/。

第三章　革命はただのっかるものだ

動物なめんな、さあ生くぞ！

さてここまで、一般的によいものとしてかたられがちな議会制民主主義や自由主義について、ほんとうはクソなんですよということをかいてみた。どうだろうか。こういうことをいっていると、よく、じゃあおまえどうすりゃいいんだよといわれるのだが、わたしがきまってこたえるのは、どうもこうもねえよということだ。議会がないと生きていけないとか、経済がうまくまわらなきゃ生きていけないとか、この世には生きていくために必要なものがいっぱいあるかのようにおもわされているが、たいていはウソだ。だって、そんなんだったら、原始人とかどうやって生きてきたんだよ、というはなしになるだろう。で、そういうのに、みんなパッと気づいてしまって、いっせいに好き勝手にうごきはじめてしまうときがある。それが革命だ。おら、原始人！

そうはいっても、なかなかピンとこないひともおおいとおもうので、ちょっとだけとおまわりしてみよう。わたしはダダイストの詩人、高橋新吉《たかはししんきち》にハマっていたのだが、かれの小説にこんなものがある。

自由は柵の中にのみあり、自己とは凡百の時間の低調音であり、牛や豚は人間の胃袋にある時丈が空間的な意義ある存在になる。

最後には雲と共に飛ショーするもののみが残る。それは近よって眺めれば無に等しい。

生存の寂莫、悲哀を感ずる事は、父となり、子となり一匹の蝶となる事だ。闘いながら小便を垂れつづける牛は、糞を食べる豚と何の差異もない。[1]

これ、「宇和島の闘牛」（一九三六年）という小説なのだが、闘牛ってのは元気いっぱいにぶつかりあってたたかっていて、自由な雰囲気をただよわせているわけだ。でも、そうやって自由だねとかいっていられるのは、たたかっているすがたをみせて、人間をよろこばせているときだけだ。それは日々、乳をしぼりとられて飲み物となり、ステーキや焼肉になってクチャクチャとむさぼり食われているのとおなじことだ。もっといえば、クソをくらってクソをして、トンカツにあげられている豚にひとしい。こりゃうめえ、元気いっぱいだね、ストレスがないね、クサミがないね、フレッシュだね、自由にのびのびそだったんだね、こりゃたまらんと。

1　高橋新吉『ダダイストの睡眠』松田正貴編、共和国、二〇一七年、九二頁。

ようするに、闘牛の自由ってのは、柵《さく》のなかの自由でしかないのである。りっぱに人間の役にたったかどうか、それだけで自由かどうかがきめられる。ああ、人間さま、ご主人さま、ブヒブヒ、モウモウ、したがいますと。支配されてる、不自由だ。で、こういうのが人間の社会とかさなるわけだ。なんか市民とかいわれると、個人の自由を謳歌《おうか》しているかのようにおもわれるが、その自由っていうのは、資本家がつくった秩序のなかでのものでしかない。資本家のためにブラックな仕事にたえてがんばりました、そのカネでたくさんモノを買いました、資本家がもうかりました、ホメられました、うれしい、もっとホメられるようになりましょう、じゃあ、もっともっとつらい仕事をやりましょう、自分の意思でと。いいね、いいね、奴隷だ、家畜だ、動物農場だ。

これ柵というか、秩序をつくったのが、人間さまか、はたまた資本家かがちがうだけで、おんなじことだっていうのはわかるだろうか。ご主人さまの役にたったかどうか、それだけが自由のメルクマールである。ブヒブヒ、モウモウ。たたかえ、食われろ、飲まれちまえ。個人の自由とは、柵のなかの自由にほかならない。

どうしたらいいか。かんたんだ。燃やすしかない。あらゆる秩序に灰になってもらわないかぎり、奴隷解放も動物解放もありえない。燃やせ、燃やせ、燃やせ。柵を燃やせ、秩序を燃やせ、自由を燃やせ、自分を燃やせ。ご主人さまにエサをもらわなければ、生きていけない？　そうおもわされてきた自分ごと、燃やしてしまえ。ゼロだ、なんにもなくなる、虚無になる。そしたらかならず、こうおもえてくるはずだ。どうでもいいね、どうでもいいね、どうでもいいね。

主人の役にたつかどうかとか、そんなことはどうでもいい。なんの価値もなくたっていい、なんにもしばられなくたっていい。エサなんてあたえられなくても、そこらへんにはえてるもんを食ったら生きていけてしまう。数人でつるめば、もっとやれる、なんでもやれる、なんにでもなれる。きっと、そういう輩《やから》が続々とあらわれてきて、とまんなくなってくるのが、革命ってもんなんだとおもう。だれもかれもが、こうさけぶ。さあ、いくぞ。われわれは都会のインディアンだ、大地の豚だ、鉄牛だ。燃やせ、燃やせ、燃やせ。一切合財、燃やしちまいな。動物なめんな。さあ、生くぞ！

おまえが舵をとれ
――バクーニンのパリ・コミューン論

じゃあ、そんな例はあるのか。わかりやすいとおもうのは、一八七一年、パリ・コミューンだ。だって、このときパリの民衆はかんぜんに国家機能を停止させてしまって、それでいて、だれのいうこともききやしない、自分たちのことを自分でやりはじめてしまったのだから。革命だ。もちろん、この革命は二か月ほどでぶっつぶされてしまうのだが、それでもやることはやっている。当時、アナキズムの父ともよばれていたミハイル・バクーニンは、パリ・コミューンについて、こんなふうにいっている。

私はパリ・コミューンの支持者である。それは君主制と聖職者を擁護する反動によって、血の中で鎮圧され殺戮されたために、ヨーロッパ・プロレタリアートの心と想像力の中で、より生々しい、より力強いものとなった。私は特にそれが、国家の明確な、大胆な否定であったためにパリ・コミューンの支持者なのである。[2]

さすがバクーニン、直球だ。パリ・コミューンの意義はなにかというと、国家なんていらねえよ、そんなもんなくてもやっていけるぜと、それをしめしてみせたことにあるといっているのだ。バクーニンはいう。国家がなければ、なんでもできる、なんにでもなれる。ひとがほんとうの自由をとりもどし、自分のことは自分でやる、自分たちでやれる、やってしまうといっているのだ、それも予想もしていなかったようなやりかたで。ちなみに、さっきの章でさんざん自由をぶっとばせといってきたので、もうすこしていねいに、バクーニンにとっての自由ってなんなのかをみておこう。

私は自由の熱狂的な愛好家であり、自由をその中でのみ人間の知性と尊厳と幸福とが発展し拡大しうる唯一のものと見なしている。それは、実際には全員の隷属に立脚している幾人かの特権以外のいかなるものをも決して代表していない、永遠の虚偽である、国家によって明らかにされ、与えられ、計量され、規制された、あの自由ではない。それはまたジャン＝ジャック・ルソー派やその他すべてのブルジョア自由主義派によって説かれた、個人主義的な、エゴイスト的な、卑俗な、擬制の自由、国家によって代表される全員の権利と称するものを各人の権利の限界とみなすあの自由、必然的に常に各人の権利のゼロへの縮減に到達するものではない。そうではなく、私は、真にその名に価する自由を求める。各人の中に潜在的な能力としてある肉体的な・知的な・精神的なあらゆる力の全き発展の中で形成される自由をであり、われわれ自身の本性にもとづく戒律がわれわれに指示する以外の制約を

2　バクーニン「パリ・コミューンと国家の観念」『バクーニンI　アナキズム叢書』江口幹訳、三一書房、一九七〇年、三一二頁。この文章は、パリ・コミューンがぶっつぶされた直後、一八七一年の六月五日から二三日にかけてかかれたものだ。ざんねんながら、未完におわっている。

認めない自由をである。したがって、適切にいえば制約はない。というのも、それらの戒律は、われわれの傍らや上にいる、外部の何らかの立法者からわれわれに強制されたものではないからである。[3]

ながながと引用してしまったが、どうだろう。チョビッとだけだが、名言がでてきている。国家は永遠の虚偽である、と。君主政であれ共和政であれ、いってみれば、ご主人さまが君主であれ金持ちであれ、みんな生きるショバ代として、ムダに税をむしりとられていたり、シコタマはたらかされていて、あんたは自由ですよとかっていわれているわけだ。あんたはこんだけカネをかせいで、こんだけ支払い能力があるから、こんだけ自由にやっていいんですよと。自由が計量されている。自分、ゼニです。

でも、バクーニンはいうわけだ。そんなのウソっぱちだ、擬制の自由にほかならないと。だって支払い能力がなけりゃ、おまえらクズだぞといわれるわけだし、これになれてくると、オレたちは、君主が軍隊でまもってくれているから生きていられるんだ、税をみつぐのはあたりまえだとか、オレたちは、金持ちが会社をつくって、仕事をくれるから生きていられるんだ、したがうのはあたりまえだ、死んでもはたらけよとおもってしまうのだ。どんなにクソみたいな君主でも、こえふとった金持ちでも、そうするのがあたりまえ、それ以外の選択肢はないとおもってしまう。とんだ強制だ。

だから、バクーニンはそんなのぜんぶぶっこわしちまえよというのである。自由ってのは、はじめから計画されたり、規制されたりするもんじゃない。もっと潜在的なもんだ。規制するものがなにひとつなくなれば、一人ひとりがその知性や肉体の力を開花させはじめる。たとえば、パッといきなり軍隊がなくなってしまったら、古い銃を手にとるんだっていい、猟銃をもつんだっていい、スキやクワをもつんだっていい、包丁をもつんだっていい、フライパンをもつんだっていい、紙とペンをもつんだっていい、ギターをもつんだっていい、各人各様に武装すりゃいいんだし、パンがなければパン屋にある、工場がとまれば自分たちでうごかせばいい、その敷地がひろけりゃ野菜をそだてたっていいんだし、ブタでもヤギでもかえばいい。たいていのことは、なんとでもなる。

民衆っていうのは、みんななにかしらそういう知恵をもっているものであり、やればやるほど、その力をましていく。ひとりじゃできないことでも、まわりがおもしろいことをやっていれば、オレもそれをやってみようとおもってやってみるわけだし、イマイチかなとおもったら、オレはこうしてみようかな、ああしてみようかなと、またヘンなことをおっぱじめ

3　前掲書、三〇九〜三一〇頁。

るわけだ。自分のことは自分でやる、自分たちでやれる、やってしまう。おまえがやれ、おまえがやれ、おまえが舵《かじ》をとれ。ヨーソロー！

そうやって自発的にやれることをバンバンつないでいって、あたらしい生きかたをみいだしていってしまう。バクーニンは、そういうのを自由連合ってよんでいた。当時、アナキストたちは、その組織がどんなに口じゃいいことをいっていても、上から命令をだして、ひとをしたがわせる中央集権主義じゃダメなんだ、自由連合主義でいこうぜっていっていたのだが、いわんとしていたのはいまいったようなことだ。

で、そろそろまとめると、パリ・コミューンは短命におわってしまって、しかも参加者のおおくがブルジョアの軍隊に血祭りにあげられてしまったわけだが、でもそれでも革命やれるぞ、自由連合いけるぞっていうのを、身をもってしめしてくれた、死を賭《と》してやってみせてくれたところに意味があるということだ。だって、そんなすげえもんみせつけられたら、みんなオレもやる、オレもやると鼓舞されずにはいられなくなってしまうのだから。行動によるプロパガンダだ。おまえがやれ、おまえがやれ、おまえが舵をとれ。ヨーソロー！　どこまでやれたのか、そしてどこまでやれるのか。せっかくなので、このとき大活躍したアナキストの女性闘士を例にとって、パリ・コミューンがどんなかんじだったのか、具体的にみていきたいとおもう。ブルジョアたちにおそれられ、「血に飢えたメスオオカミ」とも

「石油放火女《ペトロルーズ》」ともよばれたルイズ・ミシェルだ。

ルイズの青春――ケケケッ！

ルイズ・ミシェル。おそらく、名前をしっているというひとは、だいたい、日本のアナキスト、大杉栄《おおすぎさかえ》がその名前にちなんで、娘にルイズとつけたということでしっているんじゃないかとおもう。[4] どんなひとだったのか。マジでぶっとんだひとなのだが、いまじゃあんまりしられていないとおもうので、くわしく紹介してみたいとおもう。

ルイズは一八三〇年五月二九日、フランスの片田舎、オート・マルヌ県のヴロンクールというところで生まれた。お父さんは、エティエンヌ・シャルル・ドマイ。それこそ、城みたいな屋敷にすんでいた貴族である。お母さんはマリアンヌ・ミシェルといって、そこの使用人だったひとだ。ようするに、貴族が使用人をはらませちゃったのである。だから、庶出子としてうまれている。おめでとう。

でも、シャルルもその夫人もいいひとで、マリアンヌはそのまま屋敷においてもらって、

4　もしも、こちらのルイズについてしりたいというかたは、松下竜一『ルイズ　父に貰いし名は』（講談社文芸文庫、二〇一一年）を参照のこと。

ルイズについても、わが子のように愛情をもってそだててくれた。いろいろいわれはあって、ルイズはシャルルとその夫人のことを「おじいちゃん、おばあちゃん」とよんでいたらしいので、もしかしたら実父はシャルルの息子、ローラン・ドマイだったのかもしれないが、まあそのへんはよくわからないので、おいておこう。

じゃあ、おじいちゃんこと、シャルルはどんなひとだったのかというと、フランス革命前、パリ高等法院の弁護士だったひとだ。けっこう教養のあるひとで、自由主義者。ルソーやヴォルテールを好んでよんでいたという。ルイズにも、当時の女性としてはベストな教育をさずけてくれて、ちっちゃいころからピアノをおしえてもらったり、読み書きはもちろんのこと、詩をかく勉強とかもさせてもらっていた。

文学も大好きで、コルネイユやモリエールのような古典作家から、当時の現代作家、ヴィクトル・ユゴーまで、いろんな本をよみふけっていた。それから、お母さんのマリアンヌがすげえ信心深いひとだったということもあって、このころのルイズは敬虔《けいけん》なカトリック信者だった。そういうこともあって、カトリックの司祭でもあり、キリスト教社会主義者としてしられていたラムネーの著作なんかも熱心によんでいたという。

ちなみに、そんなかでも、いちばん影響をうけたのはユゴーだった。どうも二〇歳くらいのときに、ルイズはあこがれのユゴーに詩をかいておくってみたんだという。するとなんとなんとだ。ユゴーからていねいな返事がとどいた。ひゃあ!!! そんなことされたら、もっと好きになってしまう。で、そのあと文通がはじまって、ルイズがパリにあいにいったりもして、以後、ふたりのつきあいは一八八五年にユゴーが死ぬまでつづいた。すごいもんだ。しかも、のちにルイズは政治活動をガンガンやって、そのたびにパクられるようになるわけだが、そういうとき、なんとユゴーが身元引受人として警察署までむかえにきてくれたんだという。マジでいいひとだ。ありがとう。

さて、ここまで、ルイズはなに不自由なく、けっこうリッチなくらしをしてきたわけだが、二〇歳のとき、転機がおとずれた。おじいちゃん、おばあちゃんの死だ。すでに一五歳のときにシャルルが亡くなっていて、二〇歳のときに夫人が亡くなったのだ。ふたりは遺産として、ちょっとした土地をのこしていってくれたのだが、それだけで食っていくことはできやしない。じゃあじゃあということで、ルイズははたらくことにきめた。

一八五一年、県庁所在地のショーモンまででていって、勉強をして小学校教師の免状をとっている。よっしゃ、これで先生になれるぜとおもいきや、ちょうどこのタイミングで、ナポレオン三世がクーデターをおこして、第二帝政をはじめてしまう。このころ、ルイズはすでに共和主義者になっていた。もう、ぜったいにゆるせなかったのだろう。公立の小学校につとめるためには、ナポレオン三世に忠誠をちかいますと宣誓しなくちゃならなかったのだが、ルイズはこれを拒否してしまう。イヤだねったら、イヤだね。

で、どうなったのかというと、公立の先生にはなれなかった。しかたがない。一八五三年一月、ルイズは故郷ちかくのオドロンクールという町で、私塾をはじめることにした。授業では、いまじゃ国歌になってしまっているが、当時は革命歌だったラ・マルセイエーズをうたったり、ひたすらナポレオン三世をディスりまくったりしていたようだ。皇帝なんていらねえんだよと。子どもたちのほうも、そうだ、そうだ、となっていたようで、どうもみんなで教会にいったときのこと、司祭が皇帝のために祈りをささげましょうというと、なんだこのやろう、ふざけんなといって、ルイズの生徒全員が退席するという事件がおこったんだそうだ。たのしそうである。青春、青春。ケケケッ！

もちろん、これで大目玉をくらったのはルイズだ。すぐに、その地域の教育長みたいなひとからよびだしをくらった。ファイエ学長だ。でも、なんのことはない。うちの生徒はなんにもわるいことしてないぞと、ルイズがまくしたてると、ファイエ学長はそりゃそうだねと、なっとくしてしまう。しゃべっていたら、なんか仲よくなってしまった。で、事件をまるくおさめてくれたばかりじゃなく、今後もなにかあったらいつでもきてくださいということで、その後、ルイズがほかの学校にいくときなんかは、推薦状をかいてくれたりしている。わたしなんかからすると、エラいひとってのはだいたいクソみたいなやつばっかだとおもってしまいがちだが、いいひともいるもんだ。感謝！

てな具合で、ルイズはこの私塾を二年ほどやって、そのあとファイエのおかげで、パリで教員の仕事についたのだが、母がたおれてすぐに帰郷。で、一年ほど、友だちがやっていた学校ではたらいていたが、やっぱり教員をやりたいっていうのだけじゃなくて、おもうぞんぶん文章をよんだり、かいたりしたいというおもいもあったんだろう。もういちど、文化の中心地にでてみたい。一八五六年、二六歳。ルイズは、花の都パリにでた。きょうから、おら、パリのひとになる。さあ、いくぞ。

ヤカラ上等、友だち、だいじ

パリにでてきたルイズは、ペンネームをつかって、詩をかいたりしながら、シャトー・ドー通りにあった、ヴォリエ夫人の小学校ではたらくことになった。就職のためかなんかだろうか。六歳サバをよんで、はたらいていたらしい。子どもたちにはやさしくて、学生の自発性をおもんじてくれるいい先生だったといわれている。

そのまま教員の仕事はつづけていて、一八六五年には、ドマイ夫妻がのこしてくれた土地をうっぱらい、そのおカネで自分の小学校をつくっている。当時としては先進的なことをやっていて、子どもたちが食っていくためにと職業教育をほどこしたり、知的障害をもった子どもたちへの教育にとりくんだりと、そういうこともやっていたようだ。ちなみに、政治的な活動もやってはいるが、まだこのころは初等教育をひろめましょうとか、ちゃんと慈善事業として、貧民救済をやらなきゃダメだよねとか、そういうことをいったり、やったりしていたようだ。やさしい博愛主義者、ルイズ。

そのイメージがかわってくるのが一八六九年、三九歳のことだ。警察資料をみると、このころから社会主義者の集会に、ガンガンあしをはこぶようになっている。いっしょにうごいているメンバーをみても、ヴァレス、ヴァルラン、ウード、フェレなど、わかい活動家と行動をともにするようになっていて、しかもヴァレスが革命的ジャコバン派とよばれていて、ヴァルランがアナキスト、あとのふたりはブランキ派なのだが、なかでもこのブランキ派の子たちとつるんでいたらしい。

どんな連中かというと、世のなかかえるためには、もう蜂起《ほうき》しかねえよ、伝道的一揆《いっき》だ、実行伝道、やっちまえといっていたヤカラどもだ。もちろん、みんな政治的な文章もかけば、詩もかいたりするわけで、そのへんのつきあいからだったんだろうが、それにしてもだ。もともとルイズはあついひとだったし、ナポレオン三世、死ねくらいにはおもっていたんだろうが、わかい衆とくっちゃべっているうちに、あいつマジでぶっ殺すにかわっていったのだ。ヤカラ上等、友だち、だいじ。

で、なにをやっていたのかというと、反帝政の新聞づくりを手伝うってことをやっていた。もちろん、社会主義の観点からだ。ちょうどこのころフランスでもコキつかわれて、ふみにじられて、ひとりで泣いていた労働者たちがストライキをおこし、群れをなしてたちあがりはじめていた。そういうのを紹介しながら、もう帝政か共和政かとか、そういうレベルじゃなくて、ひとを奴隷のようにあつかう皇帝もブルジョアもぶっつぶさなくちゃいけない、そのために決起することがだいじなんだ、自分も身を賭してやってやるぞって、おもうようになっていったんじゃないかとおもう。

そして一八七〇年一月、ある事件がおこった。ヴィクトル・ノワールの殺害だ。このノワールというのは、二一歳のわかいジャーナリストで、ナポレオン三世に批判的な記事をバンバンかいていた。それで怒りをかって、ナポレオン三世の従兄弟、ピエール・ナポレオンの屋敷によびだされた。なんだなんだといってみると、とつぜんピエールがおまえ庶民のぶんざいでムカつくんだよと因縁をつけてきて、ピストルをぶっぱなした。で、ノワールは胸をうちぬかれて射殺されたというわけだ。ギャア！

しかも、ピエールはとらえられ、コンシエルジュリっていう牢獄《ろうごく》にいれられたものの、なんか皇族だからといってヒイキされて、そこの長官の部屋でねていたり、いざ裁判となると、判事には皇室シンパがえらばれた。こりゃひどい。ということで、この事件をきっかけに、民衆の帝政にたいする怒りが爆発した。ノワールの葬儀がいとなまれると、なんと一〇万人とも二〇万人ともいわれる人たちが参列していて、もうそれ自体がデモになっていた。そりゃ、ルイズもいくっきゃない。

シャー、本気でいくぜ。ルイズは、ちょっとまえにオジさんの家からかっぱらってきた短刀をふところにしのばせて、葬儀にくわわった。ええっ、なにやってんですかとおもうひともいるかもしれないが、ルイズだけじゃない。このとき、ブランキ派のゴロツキたちはもちろんのこと、ふつうの住民たちもみんななにかしらの武器をもってきていた。家にピストルがあればそれをもってくるし、なければないで、オレはコンパスだぜとかいって、それを手にもっていたひともいたんだという。全員武装だ。

たぶん、パリ中の人たちがおもっていたんだろう。もう帝政はうんざりだ。死ね、ナポレオン。みんながみんな怒りのピークにたっしていた。だから、このデモがどんなきっかけで暴動になり、革命状況になっていくかわからない。そしたらもちろん、軍隊が本気をだしてくるわけで、ドンパチやらなきゃならないわけだ。バッチこいということで、各人各様に武装してのぞんだのだ。命がけである、たいしたもんだ。ざんねんながら、まだこのときはそうならなかったのだが、ルイズは革命の空気みたいなものをじゅうぶんに肌でかんじとったにちがいない。武闘派、ルイズの誕生だ。オジさんの短刀をかっぱらい、ナポレオンを殺しにいこう。ウィ！

さて、ちょっとばかし余談なのだが、この殺害されたノワールさん、ペール・ラシェーズ墓地というところにうめられた。このあとパリ・コミューンのくだりでもでてくるが、いまだと、ショパンとかピアフとか、有名人がたくさんねむっているので、パリの観光名所にもなっているところだ。で、このノワールさんのお墓というのは、いっぷうかわっていて、お墓のところに本人のブロンズ像がおかれているのだが、それがデーンッと横たわったすがたなのだ。

これ凶弾にたおれたすがたをあらわしているのだが、写真でもみてもらえばわかるとおり、このノワールさん、またイケメンなのだ。だからだろうか、二〇〇〇年代にはいってから、パリの女子たちのあいだで、このブロンズ像にふれれば、恋愛が成就するとか、子宝にめぐまれるみたいなうわさがとびかった。縁結びの神さまだ。連日、ノワール詣《もう》でがとまらない。で、やってきた女子たちがモコッとふくれあがったノワールのチンチンをなでて、くちびるにキスしてかえっていく。だからどうなったのかというと、ブロンズ像の股間《こかん》とくちびるの部分だけがテカテカにハゲあがってしまったのだ。

それをみた行政がこりゃまずいぞといって、いちどブロンズ像を柵でかこったのだが、これにパリ中の女子たちが猛抗議。なにやってんだ、このやろう、ノワールは国家のもんじゃねえぞ、わたしたちのもんだとさわぎたてて、柵を撤去させた。だから、この像はいまでもふつうにさわることができる。股間とくちびるはテカテカのままだ。いまもむかしもノワールの死体は民衆のもの。バッチこい！

ああ、ああ、あああああああああ!!!

——ルイ・オーギュスト・ブランキの生涯

せっかくなので、もうちょっと脱線しちまおうか。さっきから、ルイズやその友だちがブランキ派だ、ブランキ派だっていってきたが、ちゃんと説明していなかったので。これ、ルイ・オーギュスト・ブランキの影響をうけた人たちなのだが、わかるだろうか。超オモシロ人物、もとい、超重要人物なので、かんたんに紹介しておこう。

ブランキは一八〇五年、ニースの北にあるピュジェ・テニエという町でうまれた。お兄さんはアドルフ・ブランキといって、けっこう有名な経済学者だ。一三歳のときに、リセという国立の中等・高等学校にかようために、パリにでてくる。むちゃくちゃ、あたまはよかったらしい。一八二四年、リセを卒業したブランキは、このころからカルボナリ党ってのにはいっている。これは専制政治をぶっつぶそう、そのためだったらなんだってやってやる、自由万歳！　といっていた秘密結社のことだ。なんだってやるっていうのは、殺人さえいとわないということだ。こわい。

　で、一八二七年から、パリでガンガン暴動がおこる。とうぜん、ぜんぶ参加だ。あばれまくって、参加するたんびにケガしてかえってくる。一一月には、世界初のバリケードがはられて、市街戦にまで発展するのだが、このときは銃撃戦のなかにはいっていって、首に銃弾をあびる重傷をおったんだそうだ。でも、これでまたブランキのテンションはあがってしまう。うひょお、たまんねえ、これが蜂起だ、民衆とともにたたかうってことなんだと。じっさい、数人の仲間と武器を手にとってたちあがってみれば、民衆もやったれ、やったれといっていっしょに銃をぶっぱなすみたいなことがおこっていたんだろう。行動こそが唯一のプロパガンダだ。そんな感触があったんじゃないかとおもう。

　そして一八三〇年。七月革命がおこる。パリ中の民衆がたちあがって、ブルボン王朝をほろぼした。もちろん、ブランキも銃をもってたたかっている。シャルル一〇世をおいだして、かわりにルイ・フィリップが王位についた。いちおう、これで立憲君主制になっているのだが、じっさいそうなってみれば、王様がかわっただけで、たいしてちがいはないわけだ。こりゃいかんということで、一八三一年一月、大学生の先頭にたって、あたらしい王制をたおせ、七月革命をわれわれの手にとりもどせみたいなことをいっていたら逮捕。このときは、二二日で釈放される。二六歳にして初逮捕だ。

わーい、ハクがついたぞくらいにいえたらいいのだが、そんなレベルじゃない。ブランキは、こっから一八八一年、七六歳で亡くなるまで、ひたすら監獄にぶちこまれることになる。年数でいうと、監獄にはいっていたのは三三年間。起訴されていたり、保釈中の身をいれれば、四三年間だ。ぶっとんでいる、逮捕につぐ逮捕、そしてさらなる逮捕だ。ざっとおっていくと、まずおなじ一八三一年、すぐに政府打倒の陰謀にくわわったとして逮捕される。ほんとうはこのときなにもしていなくて、かんぜんにでっちあげだったのだが、これで一年間ぶちこまれる。

このあと、一八三六年には同胞団っていう秘密結社をつくって、来たるべき市街戦にそなえて、せっせせっせと弾丸と火薬づくりにつとめていたのだが、これが権力にバレて逮捕。二年の禁錮《きんこ》刑をくらった。一八三七年五月、国王の結婚恩赦で釈放されるも、監視つきの暮らしとなる。でも、これでもめげないのがブランキだ。一八三九年五月には、四季の会っていう秘密結社をつくって、よっしゃ、君主政打倒だ、暴動だ。民衆をあおって、あおってあおりまくってやれということで、武装蜂起。シャー！

ブランキが、武器だ、武器がすべてをものがたる、うばいとっちまえといって、裁判所の警察駐屯所を襲撃するも失敗。チッっていいながら、パリの警視庁や市庁舎を襲撃するが、やっぱり返り討ちにあってボコボコにされる。で、チクショウっていいながら、街にバリケードをきずき、血みどろの銃撃戦を展開するも敗北。みんなチリヂリになって、いちど逃げることに成功したが、その後、逮捕されて死刑判決をうけた。でも、このときは終身刑に減刑されたんだそうだ。あぶねえっ。

とはいえ、もうダメかとおもっていたら、一八四八年、二月革命がおこるわけだ。ほんとうに君主政がぶっつぶされて、共和政になっている。で、あの英雄を牢からときはなてということで、八年ぶりにブランキはシャバにもどってきた。復活だ。とおもっていたら、共和政がまたひどいわけだ。まずしい労働者の生活はより苦しくなっていくばかり。その一方で、金持ちどもが肥え太っていく。ふざけんじゃねえ。もう共和政じゃものたりない。うて!うて!うて!　ブルジョアどもをうちのめせ!

この年の五月一五日、怒り狂ったパリの民衆、二〇万人が議会へとおしかけた。もちろん、ブランキも参加したわけだ。このとき、ブランキはもうちょっと準備してからじゃねえとブルジョアには勝てねえよ、きょうは圧力をかけるくらいにしとこうぜくらいにいっていたらしい。老いたか、ブランキ。ということで、民衆はブランキの命令を無視。ヤッチマエ、ヤッチマエといって暴動がおっぱじまった。

そう、暴動ってのは命令されておきるもんじゃない、勝手におきるものだ。群衆がいっせいに議会にのりこんでいく。国会占拠だ。で、すぐにやられちまうわけだが、これで責任をとらされて、とっつかまったのがブランキだ。一〇年の禁錮刑をくらっている。しかもそのあいだに、ナポレオン三世がクーデターをおこして、帝政を復活させちゃうわけだ。マジかよ、トホホ……。

そのあと、ブランキは刑期満了後も治安維持法の適用でアルジェリアに流刑された。一八五九年に恩赦で釈放されるのだが、一八六一年には秘密結社と非合法出版をやったといって、また四年の禁錮刑をくらっている。こりゃもうやってらんねえぞということで、一八六五年、ブランキは体調をくずし、パリのネッケル病院に輸送されていたところを、スキをみて脱走。ベルギーに亡命した。

そして潜伏すること五年。一八七〇年になると、パリで革命の気運がたかまってくる。さっき紹介したヴィクトル・ノワール事件だ。しかも、このころになると、パリじゃブランキ伝説みたいのがひろまっていて、ブランキ派を名のる人たちが八〇〇人くらいはいたんだぞうだ。こりゃいけるぜとおもったブランキは、ふたたびパリにもどってくる。あの葬儀のとき、わかい衆にかこまれて、おじいちゃんになったブランキもヒョコヒョコとあるいていたのだ。怪物参上、どえれえやつがあらわれた！

こっからは怒濤《どとう》の展開だ。九月二日には、普仏戦争でフランスが負けて、ナポレオン三世が捕虜になってしまう。帝政崩壊だ。バカじゃんということで、パリでは共和政の臨時政府がたてられた。でも、それで権力をにぎったのがブルジョア勢力で、しかもドイツ軍に降伏して賠償金をはらうとか、領土を割譲しますとかいっている。パリの民衆は大激怒だ。なにいってんだ、もうこれ以上、くるしい生活なんてできるわけねえだろう、あの腐りきったブルジョアどもをたたきだせ、いくぜ、コミューン、民衆の自治を宣言しようと。一八七一年、三月一八日、パリ・コミューンの樹立が宣言された。

きっと、そういううごきをみながらブランキは心をおどらせていたことだろう。うおおお、オレの時代がやってきたぞと。もうパリにやってきてからは、ブルジョアなんぼのもんじゃい、ドイツ軍なんぼのもんじゃい、こちとら全員武装だ、やっちまえと、火をはくような演説をくりかえし、民衆をアジりまくっていた。じゃあ、ブランキはコミューンでたのしくやれたのかというと、そうじゃない。じつはコミューン樹立の前日一七日の夜に、ブランキはまだパリにのこっていたブルジョア軍につかまってしまったのだ。みんなで、よっしゃ、コミューンだ、コミューンだとさわいでいたときに、ひとりカオールの監獄につれさられ、土牢にぶちこまれていたのである。だから、ブランキはあんなにまちのぞんでいた革命の瞬間をみていないのだ。ガーン!!!

その後、ブランキには終身刑がくだされる。もう逃がさねえぞときびしい警備のもと、えんえんと獄中にいれられた。一八七九年、体調をくずして死にそうになり、特赦で釈放されたのだが、さすがの怪物ももううごけない。一八八一年一月、パリで息をひきとった。ああ、なにをやってもうまくいかねえ、ああ、なんどやってもうまくいかねえ、ああ、暴動をおこしてえ、ああ、革命をおこしてえ、ああ、オレはなんてダメなんだ、ああ、ああ、ああああああああああああ!!!　さあ、もう一回。やりてえー、バッチこい!

やるならいましかねえ、いつだっていましかねえ 宇宙の命はノーフューチャー

とまあ、ブランキはそんなひとだ。いまのだけでもわかったかもしれないが、いっていたことなんかをみても、後世にいたるまで悪名たかいひとで、「武装蜂起教範」っていう文章をかいていたから、なんかこいつおっかねえぞといわれたり、蜂起は少数精鋭だ、中途半端なやつらはいらねえみたいなことをいっていたから、なんかこいつエリート主義なんじゃねえかとか、そっから権力奪取だ、独裁だとかいっていたから、なんかこいつ、やたら権力欲のつよいやつなんじゃねえかとかいわれていた。

もちろん、そういうところもバリバリあったひとだったんだろう。でも、なんかブランキがひとを惹《ひ》きつけてしまうというか、おもしろいのはそこじゃなかったんだとおもう。たとえば、ブランキは少数精鋭でもいいんだっていっていた革命家について、こんなふうにいっ

ている。

革命家の義務とは、常に闘争だ。いかなる時でも闘争、死にいたるまで闘争だ。[5]

ひとがほんとうに自由にうごくときってのは、この社会であたりまえだといわれている損得打算なんてとびこえてしまって、自分の命すらポンッとなげ捨てて、がむしゃらにおもったことをやっちまうときだ。というか、明日のパンのためにはとか、もうちょっとカネをもらうためにはとか、もうちょっと出世するためにはとかいわれて、なんかいまやれることをガマンさせられて、どんなにひどいことでもさせられてしまう、上から命令されたことをきいてしまうというのが支配である。したがえ、したがう、したがわされる。いいね、いいね、いいねと。

だから、革命家ってのはいつでもそんな常識をかなぐり捨てられるもんなんだ、ひとりでもわが身かえりみずにたちあがるやつがいれば、かならずひとの心をうつから、オレもわたしもとたちあがってくるやつがでてくるからといっているのだ。だれもが潜在的にもってい

5　ブランキ「武装蜂起教範」『革命論集（下）』加藤晴康訳、現代思潮社、一九六八年、一六頁。

る自由をあおって、あおってあおりまくれと。ほんとはそれで自由っていうのであれば、文字どおりの武装だけじゃなくて、ひとはどんな生きかたをしてもいいんだ、むちゃくちゃにやっちまえよってことになるだろう。ブランキはそこまではいっていないのだが、でもこのへんの発想はアナキストにちかいんじゃないかとおもう。

で、じっさいに暴動をあおったり、その場にでくわしたりしながらおもったわけだ。いざ、民衆がたちあがって、オラッ、政府軍ぶっつぶすぞっていって、敷石をはがし、バリケードをつくりはじめても、なにも考えなしにバリケードをはっていると、重要なポイントにはりそこねて、そのあいだに軍隊にぶっつぶされたりしているわけだ。なにより政府軍だってパリの地理にはくわしいわけだし、通信網をはっていて、民衆がどこでなにをやっているのか、電信でわかっちまうわけだ。そりゃ、やられる。

ということで、こっちだって、いざ戦闘になったら、どこでどんなバリケードをはったら軍隊のうごきをふうじられるのか、だれがどのタイミングで政府の通信網を断ちきったらいいのか、あるいは輸送網になる道路や鉄道をどこでくいとめようかとか、そのくらいの戦術はねっておいてもいいだろう。このほそい道だったら、小型の銃でいいだろうとか、やっぱりこの至近距離じゃ短刀でしょうとか、民衆は爆弾のパンパーンッていう派手なのが好きだけど、つくるのにテマヒマだけかかって、いがいと戦闘では役にたたないからやめとけとか、そういう技術的なことだってしってておかなくちゃならない。それで「武装蜂起教範」とかをかいたわけだ。戦術、だいじ。

ただ、そこから政府軍とたたかうために、民衆の軍事組織を編成していくはなしになっていって、それがそのまんま集権的な軍隊だったりするので、けっきょくもうひとつの権力組織ができあがってしまうだけなんじゃねえとおもってしまう。それに、なんども革命状況になりながらも、けっきょくずるがしこいブルジョアに権力をにぎられて、ラジカルな民衆が駆逐されているすがたを目撃してきたからなんだろう、軍事力をバックにして、プロレタリアートの代表が権力をにぎるんだ、そして一年でも一〇年でも独裁をしいちまえ、そのあいだに社会を平等なものにかえるんだといっている。プロレタリア独裁だ。いまからすると、その結果はソ連にしてもなんにしても目にみえているのだが、それはつぎの章でみていくことにしよう。

ようするに、ブランキのおもしろさがどこにあったのかというと、ひとがいつでもなんにもとらわれないでうごけるようにしていきましょう、そのための戦術をねりましょう、技術を身につけましょうといっているところだ。わたしはブランキの文章のなかで、そういったことがいちばんよくあらわれているのは、『天体による永遠』っていう本だとおもう。これ、かれがパリ・コミューン前日に逮捕されて、トーロー要塞《ようさい》ってとこに幽閉されているときにかいたものなのだが、おもしろいのは革命の熱気のもとにかかれているはずなのに、ひたすら宇宙のはなしをしているだけだということだ。なにやってんですかってとこである。でも、そこにかれの真意があらわれている。

じゃあ、どんなことがかかれているのか。こうだ。宇宙は無限だ、無限のひろがりをもっている、だけどその宇宙空間を構成している物質っていうのだろうか、元素とそのくみあわせは無数にみえるけれども、あくまで有限である。そのかぎりある元素が、いろんなかたちでくっついて地球という惑星ができたり、虫が、猿が、人間ができて、それがくずれて、またくっついてと、そうやって生滅変化をくりかえしているのだ。

そう考えると、妙なことがわかってしまう。宇宙のひろがりが無限で、元素のくみあわせは有限なのだから、そりゃおなじくっつきかたをなんども、なんどもくりかえしているってことになるだろう。地球はなんども誕生しているし、なんども滅んでいる。おなじ人間はなんどもうまれているし、なんども死んでいる。いいかたをかえれば、おなじ出来事をなんども、なんども経験しているわけだ。永劫《えいごう》回帰である。でも、これってどうだろう、つらくないっすかと、ブランキはいっている。

ここに一つ重大な欠陥が現われる。進歩がないということだ。ああ！　悲しいことに、それは事実なのだ。何もかもが俗悪きわまる再版であり、無益な繰り返しなのである。過去の世界の見本がそのまま、未来の世界の見本となるだろう。ただ一つ枝分かれの章だけが、希望に向かって開かれている。この地上で我々がなりえたであろうすべてのことは、どこか他の場所で我々がそうなっていることである、ということを忘れまい。[6]

これ、なんとなくブランキの人生を考えるとわかるんじゃないだろうか。たちあがっては逮捕され、たちあがっては逮捕され、ひたすらそのくりかえしだ。そんなことをつづけていたら、ずっとおなじことをくりかえしているような感覚におちいってしまう。なんにもかわらねえ、成功も進歩もありゃしねえ。仲間たちが血祭りにあげられたあの敗北が永遠にくりかえされている。未来がみえない。血みどろのいまが、なんどもなんどもかえってくる。敗北、敗北、敗北。なにをやってもうまくいかねえ、なんどやってもうまくいかねえ。なにをやってもムダなんだ、どうせやってもムダなんだ。まわる、まわる、目がまわる。自分、吐きます。ヴエッ、ヴエッ!!!　しかしゲロにつぐゲロ、そしてさらなるゲロのそのさきまでい

6　オーギュスト・ブランキ『天体による永遠』浜本正文訳、岩波文庫、二〇一二年、一三三頁。

くと、ひとはフッと気づいてしまうことがある。

燃え尽きた天体にとって、たとえ墓場の夜は長くとも、彼らの炎が稲妻のように燃え上がる時は来るのである。[7]

どんなにすげえ業火だって、きえることはきえる。だけどくりかえされるのは、きえたあとだけじゃない。稲妻のように燃えあがったその瞬間も、永遠にくりかえされるのだ。だったら、とおもってしまう。燃えちゃおうよと。どうせ未来なんてない、成功も進歩もないわけだ。いま、いま、いま。毎分毎秒、永遠にくりかえされるいましかない。だったらもう、あとさきなんて考えるのはやめちまおう。いま死んだっていい、永遠にくりかえしたいっておもえることをやりゃあいいのだ。いまこの一瞬にすべてを賭《か》けろ。いつだって、永遠をかんじることだけやればいい。将来なんてどうでもいいね。成功も進歩もありゃしねえ。やるならいましかねえ、いつだっていましかねえ。ヴェッ、ヴェッ！

そして、そういうのをくりかえしていると、だんだんとこうおもえてくる。かんぜんに燃えつきるってことは、なんにもなくなる、なんにもしばられなくなる、あたらしい生きかたを手にしているってことだ。敗北にひらきなおれ、墓場の夜にひらきなおれ。それは成功しなきゃいけない、進歩しなきゃいけないと、いつもいつもくちうるさく命令してくる、この社会という名の牢獄から脱獄するってことだ。負けたっていい、損得なんてどうでもいい。燃えろ、燃えろ、燃えろ。敗北上等、燃えつきろ。ゼロになって、墓場のなかからまた燃えあがってやれ。敗北、敗北、敗北。生きるってことは、それをなんどもなんどもくりかえしていくってことだ。たたかれ、だまされ、おまけにおいつめられ、生きることがいやになるときくらい、オレにもある、シャー！　さあ、生くぞ。

じっさい、蜂起はそういうもんなんだろう。さっきもちょっといったように、この社会ではみんな将来のために、成功のために、いまを犠牲にさせられている。明日のパンのために、明日の出世のために、ブラックでもがまんしてはたらけ、できなきゃおまえクズなんだと。で、もっとクズのブルジョアにコキつかわれて、ふみにじられて死ぬまで奴隷みたいなあつかいをうけるわけだ。でも、ひとってのは、ちょっとしたきっかけで、そういうのをピョンととびこえてしまう。このやろうっておもったら、あとさきなんて考えずに、ブルジョアのあたまをかちわろうとしてしまうのだ。

もちろん、それで仕事をうしなったりパクられたりしたら、マジやべえ、将来がなくなっ

7　前掲書、六〇頁。

ちまったよっておもうだろう。でも、いちどでもなりふりかまわず、なんにもとらわれずにうごいて、その一瞬に永遠をかんじることができたなら、ひとはこのさき、なんにでも、またなんにでもなれるよっておもえるはずだ。だって、そのひとはもう奴隷じゃないんだから、なんにもしばられなくなっているのだから。うひょお、スッカラカンだぜ、なんでもできる、なんにだってなれる、絶対自由だと。

　ブランキは、そういう自由を手にすることが蜂起なんだ、そういうのをなんどでもなんどでもあおりまくってやれといっていたのだ。将来なんかにしばられずに、なんにもとらわれないで、とにかくがむしゃらに生きてみたい。ゼロからはじまるいまこのとき。燃えろ、燃えろ、燃えろ。敗北上等、燃えつきろ。燃やせ、燃やせ、燃やせ。おまえの将来、燃やしてしまえ。なんにもなくなるまで、一切合財、燃やしてしまえ。そんでもってゼロになって、墓場のなかからまた燃えあがってやるんだと。えっ、自殺行為だって？　うるせえよ。ここが墓場だ、このやろう。なにをやってもうまくいかねえ、なんどやってもうまくいかねえ。敗北、敗北、敗北。ああ、暴動をおこしてえ、ああ、革命をおこしてえ、ああ、オレはなんてダメなんだ、ああ、ああ、ああああああああ!!!　敗北にひらきなおれ。墓場の夜にひらきなおれ。いま、いま、いま。やるならいましかねえ、いつだっていましかねえ。宇宙の命はノーフューチャー。われわれは墓場の夜を暴走する。ケケケケッ！

よっ、肝っ玉姉ちゃん！

やばい、ブランキのはなしがながくなりすぎた。そろそろ、ルイズにはなしをもどそう。一八七〇年七月一九日、普仏戦争がはじまった。この戦争、勝敗ははじめからみえていて、プロイセン軍は、精鋭部隊五〇万人。じゅうぶんに訓練され、最新鋭の大砲に、武器弾薬も確保していた。これにたいして、フランス軍の実働部隊は二五万人。がんばって、いい銃はかいそろえていたのだが、肝心の弾薬が不足していた。しかも、赤い帽子に赤い軍服をきたフランス軍は、よくきたえられたプロイセン軍からしたらもう、かっこうの標的だったんだという。むかしの戦争だと赤い服ってのがすごみというか、イカクの効果があったらしいのだが、近代戦では関係ない。あいつらバカなのかといわれながら、バシバシとうち殺されていったのだ。そりゃ勝てねえっす。

こりゃまずいと、ナポレオン三世も出撃していったが、フランス軍はボコボコにされて、八月にもなると、国境をこえてプロイセン軍が侵攻してきた。パリにも続々と敗戦のしらせがとどいてくる。これはもう皇帝にも、正規軍にもたよっちゃいられない。自分たちの身は自分たちでまもろう。武器だ、それにはまず武器がなきゃいけない。ここで、あのブランキがうごきだす。八月一四日、ラ・ヴィレット街事件だ。午後三時、白昼堂々、ブランキは一

○○人ほどの仲間をひきつれて、ラ・ヴィレット大通りにある消防署にむかった。不意をついて大人数で消防署をかこいこみ、交渉して、もっている武器弾薬をあけわたしてもらおうとおもったのだ。

でも、おもったようにはうまくはいかない。当初、ブランキは力ずくで武器をうばいとるつもりなんてなかったのだが、すぐに警察がやってきてしまう。この暴徒どもがと、サーベルをぬいておそってくる。ブランキはとめにかかるが、もうそっからはすさまじい大乱闘だ。で、どうなったのかというと、ブランキたちの圧勝だ。警察側は死者一名、重傷者二名をだして逃げかえっていった。だけど、肝心の消防署が頑として武器をださない。チクショウ、もっと圧力がほしい。ブランキは見物にきていた群衆をあおろうと、「共和国万歳！ プロイセン人をやっつけろ！ 武器をとれ！」とさけんだが、だれもたちあがろうとはしてくれない。

こりゃもうダメだ。計画失敗。ブランキたちはチリヂリになって逃げることにした。ここまでは逮捕者なし、すごいもんだ。でも、このあと首謀者であったウードとブリドーのふたりが私服にあとをつけられ、密告されて逮捕されてしまう。問答無用で死刑にされそうだ。まやべえぞってことで、みんなで救援活動をやるのだが、ここでがんばったのがルイズだ。まず、助命嘆願の署名をあつめる。それをパリの防衛にあたり、実質的なトップであるトロシュ総司令官にわたしにいこう。で、署名はたくさんあつまったのだが、じゃあだれがわたしにいくのかっていうと、ブランキ派の男子がいくわけにはいかない。おまえもかって、つかまりかねないからだ。

じゃあじゃあということで、ルイズがひきうけた。ズカズカとトロシュのいる建物にのりこんでいって、控室みたいなとこがあったので、そこの長椅子にすわりこんだ。とうぜん、おまえかえれよとおいかえされそうになるのだが、そこはがんばるわけだ。オラッ、グズグズしてねえで、はやくトロシュをよんでこいよ、人民からの要求があるんだ、あたしゃトロシュがくるまでかえらないよと、まくしたてた。そしたら秘書がでてきて、ほんとうに留守なんです、わたしがひきとりますんで、どうかどうかといってきたので、わたすことにした。そんなかんじだ。よっ、肝っ玉姉ちゃん！

そうこうしているうちに、九月二日。スダンの戦いで、プロイセン軍にかこまれたフランス軍八万人が降伏。ナポレオン三世が捕虜になってしまう。これで帝政もおしまいだ。四日、その情報がパリにつたわると、皇帝のことなんかかまっちゃいられない。敵が攻めてくるというのなら、自分たちの身は自分たちでまもれ。こうなったらもう、あたらしい国をつくっちまおうぜと、群衆が立法院におしかけた。共和政バンザイ、共和政バンザイ。そうさけびながら、群衆の波がおしよせて警察をぶちのめし、鉄柵をのりこえてドドッと立法院のなかにのりこんできた。議場には、群衆がぎっしりとつめよせている。そのいきおいで、国防臨時政府をつくらせた。

ほんとうは、ここに革命勢力がはいってもいいものだが、しかしブルジョアってのはすごいもんで、ブランキ派がよしつかまっている同志を奪還しようと、群衆をひきつれて監獄にいってしまって、しかも群衆につかれがみえて、ちょっと潮がひいたなとおもったら、そのスキに臨時政府メンバーを発表してしまう。保守的な金持ちばかり。首班にトロシュ、外相にジュール・ファーヴル、外相にガンベッタ。いってみりゃあ、ブルジョア政権だ。だから、このあとひともんちゃくもふたもんちゃくもあるのだが、とはいえ、ここでいっておきたいのは、さっきのウードとブリドー、ぶじに奪還しましたということだ。大歓声のなか釈放されたふたりと、みんなでよろこび抱きあった。よっしゃあとルイズはいっている。よかったね。バンザイ、バンザイ、バンバンザイ!

チクショウ、なんて日だ!

さて九月四日、国防臨時政府ができた。でも、なんか信用できない。ブルジョアだからだ。まずしい連中のことなんて考えないで、自分たちは損しないように降伏してしまいそう。だからというのもあるんだろう。パリの民衆が勝手にうごきはじめた。だんだんと、政府とはべっこに自分たちのことは自分たちでやりはじめてしまうのだ。おっきなうごきとしては、三つがある。

(一) 国民衛兵
(二) 監視委員会
(三) クラブの開催

これ、国民衛兵というのは、フランス革命のときにできた民兵組織で、国家の正規軍とはちがって、地区ごとに民衆が自分たちで武装してしまうってものだ。もちろん、こんなものをみとめていたら、いつ貧乏人どもが金持ちをぶっ殺せとかいいだすかわからない。ということで、その後、おおはばに権限を縮小され、ひとにぎりの富裕層にだけみとめられていたのだが、こんかいの戦況悪化で、かんぜんに復活することになった。だれでも武装することができる。総勢三〇万人だ。

これだけいれば、まだたたかえる。でもざんねんながら、かれらには武器がない。国家がまだ民兵組織というか貧乏人を信用していないから、肝心の武器がまわってこないのだ。さっき、ラ・ヴィレット街事件を紹介して、もしかしたらおまえら戦争中になにやってんだよとおもったひともいるかもしれないが、じつはブランキたちがやろうとしていたのは、国から武器をうばいとって、国民衛兵にわけあたえるということだった。いがいとまっとうである。まあ、その民兵組織をつかって、革命でもおっぱじめちゃおうぜともおもっていたかもしれないが、そこはおいておこう。

ふたつめの監視委員会というのは、臨時政府ができた翌日に、第一インター、パリ支部の提案でできたものだ。ちなみに、第一インターというのは、第一インターナショナル（IWA、国際労働者協会）のことで、社会主義者の国際的なネットワークみたいなもんだ。さっき、名前がでてきたヴァルランなんかがそのメンバーで、かれらが考えたわけだ。あのブルジョア政府がなにをやらかすかわかんない。だから、ちゃんとみはっておかなくちゃならないだろうと。なめたらあかん、なめたらあかん。

じゃあじゃあということで、だれでも参加できる公共集会をひらいて、二〇区あるパリの各区で監視委員を選出しましょう、その各区の監視委員のなかから代表をだして、パリ二〇区共和主義中央委員会ってのをつくりましょうということになった。で、この中央委員会が政府に要求したりするわけだ。これまでさんざん民衆をいたぶってきた警察機構を解体しましょうとか、みんなが飢え死にしないように配給をしっかりやりましょうよとか、ちゃんとみんなの住宅を確保しましょうよとか。もし政府がなにもやっていなかったら、各区の監視委員が住民をひきつれて、うりゃあとプレッシャーをかけにいく。政府の犬どもにムチをうてと。そんなかんじだ。ワンワン！

で、三つめがクラブだ。臨時政府になってから、ようやく集会の自由がみとめられたので、せっかくだし定期的にあつまって好きにくっちゃべろうぜということで、夜な夜な、学校や教会、公会堂、劇場やカフェなんかにあつまって議論するようになったのだ。きちんと弁士がでてきて講演することもあれば、そのへんのおっちゃんが新聞をもってきて、それをひたすら朗読しているってこともあったそうだ。とにかく、ふだん政治的なことなんてはなさなかった近所の人たちがあつまって、ギャアギャアとおもったことをぶちまけあった。討論とかいうと、ちょっとめんどうくさそうにおもわれるかもしれないが、もうちょっとラフに好きなことをしゃべるみたいなかんじだったんだとおもう。自分たちのことは自分たちでまなぶといったところだろうか。一〇〇人、二〇〇人規模の、そういう場所が三六から五〇ヵ所くらいあったんだそうだ。

では、われらがルイズはどこにかかわっていたのか。ぜんぶだ。住んでいたモンマルトル、パリ一八区の監視委員になり、そのあたりの国民衛兵の一員にもなっている。軍服をもらって、ふだんは男のかっこうをしていた。で、夜になると、教会でひらかれていた「革命クラブ」に参加して、民衆にむかって、ブルジョア死ね、革命だ、社会主義でいこうみたいなことをアジッたり、ときにはそこの議長なんかもつとめていたそうだ。よっぽどたのしかったんだろう。ハッスルしまくっている。このへんから、パリのなかで、すげえ女性闘士がいるぞってことがしられることになる。

このルイズが、ガンガンうごきはじめるのが、一〇月二日からだ。この日、ルイズはストラスブールがドイツに占領されたことをしって、こりゃたすけにいかなければいけない、政府に義勇軍をおくれっていう圧力をかけようとおもった。まわりの女性たちに声をかけて、市庁舎にデモをしかける。そして、さけんだのだ。てめえら、武器をよこしやがれ、そしたらわたしたちがいくぞ、ストラスブールの仲間たちといっしょにたたかって死んでやるんだと。でも、ぜんぜんラチがあかない。それで、ルイズが代表になって要求をつたえにいくと、いがいとすんなり、どうぞといって部屋にとおされたんだそうだ。あれっ、これはいけるぞとおもいきや、ガチャーンッて、とつぜんドアを閉められてしまった。うん？　逮捕されたのだ。ドンマイ！

やたらと肥え太った将校がでてきて、詰問される。このやろうとおもったルイズが、おまえら仲間をたすけにいけよ、なんでいかないんだというと、はあ？　みたいな顔をされて、「おまえはストラスブールに住んでいないんだから、そいつらがどうなろうと関係ないだろう」といわれたらしい。ちっ、こいつ死ねばいいのに。そうおもいながらも、なにもできない。しばらくして釈放されたものの、デモ隊は強引に解散させられてしまった。チクショウ、なんて日だ！

　そうこうしているうちに、さらに戦況は悪化する。一〇月二七日、メス要塞が陥落。バゼーヌひきいる一七万三〇〇〇人の正規軍が、防衛のための努力をほとんどしないで降伏してしまったのだ。ガーン!!!　これをうけて、パリの臨時政府は休戦を画策しはじめる。でも、それをしったパリの民衆は大激怒だ。死ぬまでたたかえ、徹底抗戦だと。一〇月三一日、ブランキ派がうごいた。群衆をひきつれて、市庁舎にデモをしかけたのだ。とうぜん大暴動に転化して、いっせいに市庁舎にのりこんでいく。

　もう大混乱だ。ブランキもやってくるが、あまりにごったがえしていて、仲間とあえない状況になっていた。このとき、ブランキ派のリーダーだったフルーランスっていうあんちゃんが大活躍して、政府のお偉がたに、もう政府はいらない、パリのことはパリの民衆がきめる、自治だ、コミューンだといって、四八時間以内にコミューン選挙を実施する約束をとりつけたんだという。わーい、やったぜといって、群衆はさっていくのだが、ざんねんながら、それでほんとうにやったぜとおもったのは、ブルジョア政府のほうだった。すぐに約束を反《ほ》故《ご》にして、暴動をそそのかした首謀者に逮捕状をだした。フルーランスもつかまっている。チクショウ、なんて日だ！

年があけて、一月。フランスはさらに敗戦につぐ敗戦をかさねていく。もうダメだ。休戦したい、休戦したい。臨時政府はプロイセンとの交渉にのりだした。で、でてきた休戦案が、アルザス・ローレンヌ地方の割譲と、五〇億フランの賠償金をしはらうということだ。マジかよ、ただの降伏じゃねえか。ふたたび住民は大激怒。ブルジョア政府をぶっつぶせ。ヤレ、ヤレ、やっちまえ。ここでうごいたのが、ルイズのいた一八区の監視委員会だ。一月二二日、その地区の国民衛兵とつるんで、とらえられていたフルーランスを奪還。そして、市庁舎に武装デモをしかけた。政府側はブルジョアの国民衛兵を動員して、これを鎮圧しにかかる。ドンパチがはじまった。ルイズはもう、ノリノリだ。ぶっぱなせ！　ぶっぱなせ！　国民衛兵の服をきて、市庁舎にむけてガンガン大砲をぶちこんだ。で、やりあって、やりあって、結果はざんねん！　政府軍の圧勝だった。ルイズたちは五〇人ほどの死傷者をだし、命からがら逃げだした。これならいけるといって、政府は一月二八日、さっきの案どおりの休戦協定にゴーサインをだしてしまう。チクショウ、なんて日だ！

さてここまで、パリのはなしだけをしてきたが、ムチャクチャになっていたのはパリだけじゃない。地方都市でもすごいことになっていた。九月四日、パリの影響をうけ、リヨンとマルセイユでは、共和政が宣言されていたし、ル・クルーゾやトゥールーズ、グルノーブル、それから植民地だったアルジェリアでも、反帝政のうごきがおこっていた。とくにマルセイユのうごきははげしくて、民衆が暴動をおこして市庁舎を占拠。第一インターのバステリカが民兵をたばね、保守的な政治家をおいだして、政権は急進派がにぎった。この急進派というのは、ブルジョアなんだけど貧困対応もだいじだよねっていっていた人たちだ。マルセイユでは、この急進派とインター派がいっしょにうごいていた。

しかも、すげえいきおいがあったから、とりあえず南フランスの防衛のためにも同盟をくもうぜといって、まわりの都市にさそいをかけ、「南部同盟」っていうのをたちあげた。で、ここでテンションがあがっちまったのが、アナキストの父、バクーニンだ。かれは第一インター・リヨン支部のリシャールにまねかれてフランスにやってきた。マルセイユにいたバステリカといっしょに、リヨンに潜入する。バクーニンは、これまでにかんじたことのない熱気をかんじたんだろう。こりゃいけんじゃねえのか、いまここで、国家を廃絶しちまえば、まわりの都市も続々とたちあがるにちがいない、リヨンでコミューンの樹立だ、さあいくぞ。そうおもって、イチかバチかの大バクチにでる。

一八七〇年九月二八日、バクーニンたちは労働者の暴動をあおり、そのいきおいにのって、いっきにリヨンの市庁舎を占拠した。うおおお、やったぜ、大成功だ。いくぜ、革命。こいよ、民衆。バクーニンたちは、市庁舎から民衆に武装蜂起をよびかけた。でも、リヨンの民衆はだれもこない。あれっ、マジかよ。そうこうしているうちに、ブルジョアの軍隊がやってきて、一瞬でボコボコにされてしまった。バクーニンも逮捕されている。その後、アナキストの仲間がたすけだしてくれたものの、バクーニンは民衆がだれもついてこなかったことにショックをうけてしまう。ちっ、こんな国に革命の気運なんかねえよ、ウンコだ、ウンコ！　そんな捨てぜりふをのこして、イタリアに逃げていってしまった。チクショウ、なんて日だ！

しかも、こんときの失敗が尾をひいてしまって、マルセイユのバステリカは、まだオレたちだけでハネあがっても民衆はついてこない。ブルジョアはムカつくけど、いまは急進派といっしょにうごかざるをえないかとおもってしまったらしい。でも、それからすぐに事態は急変する。一一月一日、マルセイユの民衆が市庁舎におしかけ、反動的なブルジョアをおいだしちまえ、自治だ、コミューンだとさけびはじめたのだ。もうおさまらない。バステリカが、こりゃしかたがねえといって、革命的コミューンの樹立を宣言するが、しかしこれに急進派がドン引きしてしまう。

かれらはパリの臨時政府ともつうじていて、こりゃいかん、内戦になるぞとおもって、マルセイユのコミューンから離反しはじめたのだ。うらぎろうとしたのである。ほんとうだったらここで、上等だ、やってやるぜっていって、つっぱしっちゃえばよかったのだが、そうはいっても、リヨンのにがい経験がある。バステリカは急進派に気をつかって、ちょっとまってよとよびかけてしまった。で、そうこうしているうちに、保守派のブルジョア勢力にまきかえされてしまって、コミューンは自然消滅。一一月一三日、市会選挙がおこなわれて、保守勢力が圧勝し、南部同盟も解体された。チクショウ、なんて日だ！

ファック、ファック、人口反対！

それにしても、なんでこんなときに内乱ばっかしやっているのか。というか、どう考えてもプロイセン軍に勝てっこないのに、なんで徹底抗戦とかいっているのか。当時、ロンドンに亡命中だったマルクスは、フランスの状況をきいて、パリの連中はマジで狂っているとおもったらしい。あいつら狂信的愛国主義者だぞ、まわりのことなんて、なんにもみえちゃいない、プロイセンに勝てるわけねえのに、どうせヤラれるだけなのにと。ソー、クール。おなじインターのメンバーでも、バクーニンとはおおちがいだ。なにせバクーニンはその狂っている連中をさらに狂わせてやるぜとか、そういうことしか考えていなかったのだから。あげくのはてに大失敗だ。ファック、ファック。

でも、マルクスのほうが、底意地がわるいなとおもうのは、それで革命が成功すると、いやあパリ・コミューンってすごいよねって讃美《さんび》しはじめるところだ。さすがに、そういうのをみるとちょっとどうなんですかといいたくもなってしまうが、とはいえ、そうやってかかれた文章が、また名文だったりするわけだ。『フランスの内乱』。まだよんでいないかたは、名著なのでぜひどうぞ。[8] ファック、ファック。

でも、さすがに狂信的愛国主義っていわれたまんまだと、なんでパリの民衆があんなにがんばっていたのかがわかんなくなってしまうとおもうので、ちょっとその点だけ考えておきたいとおもう。さいしょにこたえだけいってしまうと、かれらは自分たちがたんなる人口として、データとして、数字としてあつかわれることに怒りをおぼえていたのだ、ふざけんじゃねえと。もうすこしくわしくいっておくと、このころパリはオスマンの都市改造ってので、街のありかたがおっきくかわっていた。オスマンってのは、一八五三年からセーヌ県の知事だったひとで、ナポレオン三世の命令をうけて都市の再開発をやったひとだ。なんでそんなことをやったのかというと、かんぜんに経済のため。ブルジョアたちは、おっきな工場をたてて、カネもうけをしたい。でも、それまでのパリは路地っていうのだろうか、どこもかしこも家が密集していて、そのあいだに、まがりくねった小道がうねうねといりくんでいた。これ風情はいいのだが、経済効率からいくときびしい。工場にモノを運搬するにしても、まわり道、まわり道で時間はかかるし、せまくてたくさん物資をはこべない。

だから、オスマンがなにをやったのかというと、ぜんぶぶっこわしたのだ。中心部にあった家々、路地をガチャン、ドカンと解体してしまって、そのまっさらなところに、ひろい直線道路をしいていった。そんでもって、安い土地が広々とひらけていて、鉄道や運河もきていた郊外に、ジャンジャン工場をおったてていく。そうやって、パリの物流を最適化しようとしたのだ。しかも、せっかくだしということで、下水道もいきわたらせて衛生面の管理をした。いやあ、キレイになりましたね、ひとも密集しなくなりましたね、コレラとかヘンな疫病にかかることがなくなりましたね、いいでしょうというわけだ。

　でも、いいわけがない。じっさいのところ、そこの住民たちは家をぶっこわされて、郊外にたちのかされたのだから。もちろん、さいしょはいいことをいわれるわけだ、これはいっときのことなんだから、開発がおわったらすぐにもどっておいでよと。だけど、いざ開発がおわると、パリ中心部の土地の値段がハネあがってしまう。家賃は二倍だ。金持ちはいい。キレイになったところで、ホイホイとカネをはらって、こりゃたまらんねといいながら、ぜいたくにくらせばいいだけだ。でも、貧乏人は家賃二倍なんてはらえないわけで、けっきょくそのまま郊外に住むことになった。たいへんだ！

　だから、このオスマン改造で、パリの住宅はかんぜんに二分されることになった。カネのあるブルジョアたちが、あたらしく開発された中心部にすんで、それをとりまくように郊外

8　マルクス『フランスの内乱』木下半治訳、岩波文庫、一九五二年。

に貧乏人がすみついたのだ。なんかムカつく。しかも貧乏人にとっては災難つづきで、中心部の影響で、郊外の家賃もあがりはじめたのだ。それに中心部じゃまだ泉の水をくんで飲むこともできたのに、郊外じゃそれもできない。だから、みんなバカたかい飲料水を買わなくちゃいけなくなった。こりゃムリだとさらに郊外の外へ、外へとでていくひとが続出したのだが、いったらいったで、はたらきにでるのがすげえとおいし、パリでは入市税ってのをとっていて、それで肉、灯油、燃料などの必需品をやすくしていたのだが、なんか郊外にいったら、その恩恵をうけられなかったりしたらしい。たかい、かえない、はらえない。

カネ、カネ、カネ。なにをするにもカネがかかる。カネがなけりゃ生きていけない、はたらかなけりゃ生きていけない。ひとたびそうおもわされてしまうと、だんだんこう考えるようになってしまう。オレたちは工場なしじゃ生きていけないんだ、道路なしじゃ生きていけないんだ、それを整備してくれる行政なしじゃ生きていけないんだ、税金はらうのもしかたがないんだ、お国のために、経済のために。あれなしじゃ、これなしじゃ……。生きることに、どんどん条件が課せられていく。インフラ権力だ。

でも、そんなふうにさせられていく一方で、ここまで露骨にやられたら、だれだって気がついてしまう。あれ、なんかオレたち人間あつかいされてねえぞと。都市計画とかいっている時点で、人間はもう人間としてみられていない、人口だ。人間は経済効率をあげるためのデータであり、数字でしかなくなっている。ヒト、ヒト、ヒト。そう、ブルジョアにとってつごうのいいところにヒトを配置できりゃいいのであり、いらなくなったらたたきだして、あたらしいのをいれりゃいいのである。いくらでもとりかえがきく。だれがどこでどんな生活をするかなんて、どうでもいい。おまえらに人格なんてねえぞ、数字は数字らしくしろ、とっとうごきやがれってことだろう。もう物流でながされていくモノとおんなじだ。人的資源、もっとはっきりいってしまえば、奴隷である。そういうことがあからさまにやられていたのだ。ファック、ファック。

そこに、普仏戦争である。ナポレオン三世が勝手に戦争をおっぱじめて、またひとの生き死にをデータみたいにあつかいはじめた。軍隊ってのはそういうもんだとおもうが、ひとを人的資源としてあつかうというのだろうか、ここの部隊の人数がこれだけへったら、これだけ補充しましょうというわけだ。で、その戦争に負けて、こんどはひとがすんでいる領土を勝手にゆずりわたすとかいいはじめた。ファック、ファック。

そのうえさらに、ムダに借金をせおって、みなさん、これからは返済のためにもっとがんばってはたらいてくださいねとかいっているのだ。なにいってんだこのやろう、どこまでオレたちをコケにすれば気がすむんだ。ああ、もうたえらんねえ。ヤレ、ヤレ、ヤッチマエ。騒乱、騒乱、騒乱だ。賭けられていたおもいは、ただひとつ。オレたちは数字じゃねえぞ、奴隷じゃねえぞ。自分たちの生きかたは自分たちできめる。自分たちの生き死には自分たちできめる。死ぬまでいくぞ、徹底抗戦。ヤレ、ヤレ、ヤッチマエ。ファック、ファック、人口反対！

あっ、革命がおこってら

はなしをさきにすすめよう。一八七一年二月八日、選挙がひらかれた。臨時政府はプロイセンとの休戦協定を正式なものにするために、国民議会でゴーサインをだしてもらおうとおもったのだ。でもその結果、どうなったのかというとパリでは抗戦派の圧勝だ。パリの民衆は、たたかうほうをえらんだのだ。こりゃダメだ、そうおもった休戦派のブルジョアたちは、拠点をボルドーにうつしてしまう。二月一二日、国民議会を招集し、休戦派のブルジョアが実権をにぎった。ここでトップの行政長官に任命されたのがティエールだ。かれはパリの愚民どもにかまってられっか、なにがなんでも休戦でいくんだといって、プロイセンとの交渉にのりだした。二月二六日には、休戦協定に調印している。ちっ、なんどもいっているが、ブルジョアってのはやることがマジできたない。

これをうけて三月一日、パリにプロイセン軍がはいってくる。といっても、ムダに支配しようとすると、こいつらなにおこすかわからねえとおもって、象徴的な進軍にとどめたようだ。三日だけ滞在して、すぐにでていった。そのかん、パリはあまりの怒りでしずまりかえっていた。ドキンチョウだ。あらしのまえのなんとやら。でも、これでなめてかかるのが、ティエールだ。あれ、こいつらたいしたことねえぞ、やっちまうかと。三月一〇日、ティエールは政府をヴェルサイユにうつすと、一五日、パリを手中におさめようと軍隊をひきつれてやってくる。

ティエールはおもった。パリの治安がまずいことになっているのは、あの愚民どもが武器をもっているからだ。だったら、とりあげてしまえばいい。そうだ、国民衛兵から武器をうばいとれと。三月一八日未明、ティエールは軍に奇襲を命じた。パリの民衆がねているあいだに、大砲をもちさってしまおうとしたのである。でも、そうは問屋がおろさない。このとき、モンマルトルの丘にいて、国民衛兵の屯所にいたのがルイズだ。夜を徹して、見張り番をやっていた。夜中、なんかあやしい男がふたりやってきたので、とりあえず、とっつかまえて監禁する。そしたらまたあやしいのがやってきたので、なんだなんだとやっていると、とつぜん屯所が襲撃された。バンバン銃弾がうちこまれる。仲間のひとりに弾があたって、デーンッとぶったおれた。こりゃやべえ！

で、ルイズはおもったわけだ。ヴェルサイユ軍がほんきでパリをうばいにきた。とにかく、みんなにこのことをしらせなきゃいけない、いそげ。はげしくドンパチがやられているなか、ルイズはひとり騎銃をもって屯所をとびだした。「うらぎりだ、うらぎりだ、みんなはやくおきろ！」。そうさけびながら、丘をかけおりた。第一八区の監視委員をたたきおこし、カン、カン、カーンッと警鐘をならす。すぐに国民衛兵の隊列がくまれた。ルイズは数人をひきつれて、丘のうえにもどっていく。死んだっていい、あのクソやろうどもにひとあわふかせてやると。特攻じゃあ！

でも丘のうえまでのぼっていくと、ルイズは信じられないような光景をまのあたりにしてしまう。このやろう、大砲はもっていかせねえぞと、すさまじい人数の群衆がヴェルサイユ軍をとりかこんでいたのだ。それでもと兵隊が大砲をもっていこうとするが、そこに女たちがたちふさがる。銃をかまえても「うてるもんなら、うってみろ」と、だれひとりひるまない。これにブチキレたルコント将軍ってのが発砲を命じるが、いやムリっすよといって、だれもうたない。「なにやってんだ、うて！」というが、それよりもおおきな声で、ある下士官が「うつな、銃をさげろ！」とさけんだ。みんなそっちのいうことをきいた。武装がとかれ、ルコント将軍はとらえられた。群衆の怒りがすべて将軍にむけられる。ヤレ、ヤレ、ヤッチマエ。すぐに処刑だ。ドンマイ！

この日、パリじゃほかの地区でもおなじことがおこっていた。こりゃまずい、殺《や》られるとおもったティエールは、いちもくさんにパリを脱出。ヴェルサイユに逃げかえった。やったぜ、ブルジョアのクソやろうどもをたたきだしてやったぞ。うおおお、ハウ！ハウ！ハウ！群衆がうねりをあげている。モンマルトルでは、ルイズの友だちでブランキ派のフェレってやつが「ヴェルサイユをぶっつぶせ、ヴェルサイユへ、ヴェルサイユへ、シャー！」とさけんでいた。すぐに群衆からも「ヴェルサイユへ、ヴェルサイユへ！」と怒号のような声がかえってくる。うおおお、ハウ！ハウ！ハウ！　群衆の熱気がさめやらない。なんだ、なにがおこっているんだ。ルイズはようやく気がついた。あっ、革命がおこってら。うおおお、ハウ！ハウ！ハウ！　ハウ！ハウ！ハウ！　マジヤベエ！　超ヤベエー！

パリ・コミューン宣言

そうそう、三月一八日のおしもんどうでもわかったかもしれないが、このときパリでは、女性たちの力がハンパなかった。ここからさき、ヴェルサイユ軍との戦闘にはいっていくわけだが、女性たちは朝はやくから店頭にならんで食料確保をしたりしていた。まあ、そういったらおとなしそうにきこえるかもしれないが、なにがおこっていたのかは察しがつくだろう。このご時世だからとやたら高値をつけてきたり、パンをだししぶっている店があったら、集団でおしかけて、うりゃあ、てめえ、パンをよこしやがれとまくしたて、うばっていったわけだ。リャク、リャク、リャク、されどリャクだ。掠奪《りゃくだつ》がしたい、ケケケッ。で、こういうのにくわえて、女性たちは武器をつくったり、ここが攻められたらやばいっしょっていうところにバリケードをきずいていたのだ。

ちなみに、このときルメル夫人ってのが大活躍していて、四月にはいると、かの女が率先して、パリ防衛・負傷者看護のための婦人同盟ってのをたちあげている。この婦人同盟には、ルイズもはいっていて、野戦病院をつくって負傷者の手当てにあたったり、街で炊き出しなんかもやっていたそうだ。しかも、このルメル夫人は社会主義者でもあって、家で内職をやってる女性たちが、業者にピンハネされているのはしのびない、というか給料安すぎんだろうといって、女性労働の組織化をしようとしたり、女性の生活協同組合をたちあげて、自分たちで食品の一括購入や販売をできるようにしていた。やるな、ルメル。そんでもってルイズは、この婦人同盟にも参加しながら、男のかっこうをしてモンマルトルの丘にいき、男の先頭にたってドンパチをやっていた。すごいね、ルイズ！

じゃあ、そのあとパリはどうなったのか。一八七一年三月二八日、パリ・コミューンが宣言された。このパリっていう街を自分たちで管理しちまおうぜということだ。このへん、まえにいった監視委員会の中央委員会が声明をだしていてかっこいいので、かんたんに引用しておこう。

コミューンは自立的《オートノーム》でなければならない。すなわち、それ独自の能力、伝統、欲求に従って自己を統治し自己を管理し、都市における個人のごとく、政治的、国民的、連合的な集団にあって自己の全面的な自由、個性、完全な主権を保持する法人として存在しなければならない。[9]

ちょっと、ことばがかたくてわかりにくいかもしれないが、このパリは、オレたちは、だれにも支配されねえぞっていっているのだ。君主政も共和政もしったことか。わけのわかんない皇帝にむちゃくちゃなことをいわれるのはイヤだし、ブルジョアにコキつかわれて、カネにふりまわされるのもイヤなんだ。もうなんにもしばられない、したがわない。おまえがやれ、おまえがやれ、おまえが舵をとれ。自分のことは自分でやる、自分たちのことは自分たちでやる。自立だ。しかもこれ、やればやるほど、あれっ、けっこういけんぞ、もっとやれんぞ、なんでもやれんぞとおもえてくる。

ちょっとまえまでは、オスマンの都市改造だなんだのがやられて、カネがないと生きてい

9　H・ルフェーヴル『パリ・コミューン（下）』河野健二、柴田朝子、西川長夫訳、岩波文庫、二〇一一年、二七四〜二七五頁。

けない、工場がないと生きていけない、道路がないと生きていけない、行政がないと生きていけない、税金をはらわないと生きていけないとおもわされてきたわけだし、いつ外国に攻められるかわかんねえから、オレたちがまもってやるとかいって、徴兵制がなきゃ生きていけない、軍隊がなきゃ生きていけない、そのためにも税金はらわないと生きていけない、あ、やっぱりカネがないと生きていけないとかおもわされてきたわけだ。でも、いざ国家が破綻《はたん》して、生きていくために必要だっていわれてきたインフラがとまってみれば、モーマンタイ、なんの問題もなかったわけだ。

なんか男どもが戦場にいっちゃって、かえってこねえからメシが食えねえとおもっていたら、近所に口のたっしゃなおばちゃんがいて、いっしょにパン屋におしかけたらなんとかなっちゃったわけだし、もうちょっとみんなが食えるようにしたいよねっておもっていたら、別グループのおばちゃんたちもやってきて、とってきたもんをもちよることになって、炊き出しとかができちゃったわけだ。いちどそういうスペースさえできてしまえば、われもわれもとひとがとびこんできて、予想外に栄養がとれていたり、そこにいる女子たちで、わるだくみがはじまったりするわけだ。

いやあ、うちの内職安すぎるでしょう、これってピンハネじゃないか、ブルジョア死ねよ、いっちょ協同組合でもつくってみようかとか、ルイズみたいなゴロツキがやってきて、いっしょにドンパチやろうよ、マジたのしいっすよとか、いやいや銃撃戦だけじゃなくても、こういうたたかいかたもあるからおぼえておきましょうよとか、いろいろとわる知恵の連鎖みたいなことがおこった。もじどおりの戦争状態になったときだって、けっきょく力を発揮したのは、国民衛兵の戦闘力じゃない。コンパスとか、かっぱらってきた短刀を手にとって、オレは、わたしはたたかうぞといきりたっていた群衆の力だったわけだし、「うてるもんなら、うってみろ」と両手をひろげた女性たちの身体が、最強の武器になっていたわけだ。そう考えると、たいがいのことはこういえる。モーマンタイ！

　インフラなしでも生きてゆける。ふだん、くちうるせえババアだとおもっていたやつとつるんでみれば、ぜんぜん生けた。とにかく食うためだとおもって炊き出しをやってみれば、そこがおもってもみなかったようなわるだくみの場にかわっていった。わるのりにつぐわるのり、そしてさらなるわるのりだ。やれる、やれる、もっとやれる、どんどんやれる、なんでもやれる。ひとりでいるときは、インフラなしじゃ生きていけないと不安だったけど、ヘンなやつとでくわしたり、ヘンなスペースにでくわしたりしてみたら、おもってもみなかったようなヘンなことができるようになっていた。自分の身体がまったくべつのものに化けていく、その力がパンパーンッて爆発していくのだ。

　よく考えてみると、コミューンってのは、そういうもんなんだろう。日本語に訳されると、自治都市とか共同体とかっていわれていて、それもまちがいじゃないのだが、もじどおりの意味でとれば、「ともに生きることを誓う」っていう意味だ。さいきん、フランスの理論家集団、不可視委員会は、コミューンについてこんなふうにいっている。

> 　コミューンを成立させるもの、それは、ひとつの都市ないし農村の住民たちが交わす、**共に在りつづける**という相互の宣誓にほかならない。十一世紀フランスの動乱のなかにあってコミューンとは、相互扶助を誓い、たがいの配慮にたずさわり、あらゆる圧制者からの自己防衛をになうことである。それは文字どおりの「盟約・誓願（conjuratio）」であり、コミューンにまつわるこの誓願行為は、それを葬り去ろうとした後の王政下の法学者によって陰謀という意味が付されなければ、なおも栄光をとどめていただろう。ある忘れられた歴史家はこう要約している。「宣誓による結成なしにコミューンは存在しなかったが、コミューンが存在するためにはそのような行為があれば充分だった。コミューンは共同の宣誓とまったくの同義だった」。コミューンとはつまり、共に世界と対峙していこうと交わされる協定であり、自分たちの力を自分たちの自由の源とすることである。目指されているのはなんらかの実体ではなく、**関係の質、世界内を生きる一流儀である**。[10]

これ、もっと単純にいってしまえば、友だち、だいじってことだ。友だちだけでも生きていけますって宣言することだといってもいい。あたりまえかもしれないが、友だちのあいだに支配も服従もありゃしない。あったら友だちじゃないだろう。でもだからこそ、おもしろいことがあったら、なにそれ、マジヤベエとゲラゲラわらったり、そこからわるのりしたりして、もっともっととヘンなことをおっぱじめるわけだ。そういや本書ではずっと、国家はひとを奴隷にするといってきたが、奴隷ってのは、家族や友人とのつきあいをかんぜんにたちきられて、それで人格をうばいとられていくものだ。で、それとはちがって市民は自由なんだとかいわれているのだが、けっきょくインフラに依存して生きていると、ヘンな友だちにであう機会をうしなってしまっている。そんなヒマがあったら、てめえらはたらけよ、カネかせげよと。やっぱり奴隷だ。

だから、コミューンってのは、そうやって潜在的にうばわれてきた力をとりもどす行為なんだ、パンパーンッて爆発させていくことなんだっていってもいいだろう。この爆発をどんだけ連鎖させていくことができるのか。きっと、問われているのはこういうことだ。われわ

10　不可視委員会『われわれの友へ』HAPAX訳、夜光社、二〇一六年、二〇六頁。

れの友へ。杯三杯、きょうだいのちぎり。杯五杯、道をかたる。カネのことなどすておけ、きょうだい。国の壁などこわせよ、きょうだい。きょうだいのためなら千里をかけん。きょうだいのためなら命をかけん。きょうだいは無数だ。パリ・コミューン宣言。

自分を統治したいんじゃない、だれにも統治されたくないんだ

そうはいっても、まだ既存の政治の考えかたはのこっていて、選挙がひらかれ、コミューン議員がえらばれた。とうぜん、ここには革命的ジャコバン派とか、ブランキ派とか、インター派とか、いろんな社会主義者たちがはいっていた。で、そいつらが委員会をつくって、ことにあたる。たとえば、労働・工業・交換委員会ってのだったら、とりあえず、貧乏人がいちばんこまってるのは借金だから、しばらく返済猶予ってことにしましょうとか、当時は、仕事をサボったり、ミスをしたら罰金をとるみたいな制度があったのだが、さすがにそういうのはもうやめましょうとか、戦時下だからって必要物資の値段をガンッとあげられたら、庶民はやっていけなくなるから、そこは価格統制をしましょうとか、いくつかコミューンの直営工場をつくって、そこはブルジョアがしきるんじゃなくて、評議会をたちあげて、選挙で代表をきめましょうとか、そんなことをやっていた。

それから、いいなとおもうのが教育委員会で、きほん教育は無償でしょうといって義務教育をはじめたり、芸術面では、議員にもなっていた画家のクールベにもかかわってもらって、芸術家の連盟をたちあげたり、これまで貧乏人にはカネがなくてあんまし芸術を鑑賞できなかったから、だれでもみられるようにしよう、とくにコンサートなんてたかくてみることができなかったから、じゃあじゃあ、みんないいのをみちゃいなよといって、テュイルリー宮殿で無料のコンサートをひらいたりしていた。

ちなみにこれ、パリがヴェルサイユ軍に攻めほろぼされた日も、宮殿の庭で孤児と寡婦のための大コンサートをひらいていたんだそうだ。たいしたもんである。バンバンと大砲がうちこまれ、銃弾がとびかうなか、うひゃあ、こりゃたまんねえ、音楽サイコーってやっていたのだから。弾があたるとかあたらないとか、そんなの関係ねえ。わたしはいま、音楽がききたいんだ。いま死ぬぞ、いま死ぬぞ、いま死ぬぞ。これが真の祝祭だ。自分、錯乱してます。音楽サイコー!!

コミューン議会がやっていたのは、こんなかんじだ。でも、パリ・コミューンがすごかったのはそこじゃないんだとおもう。よくこのコミューンは、自分たちのことは自分たちでやっていたから、自己統治っていうことばがつかわれていて、たしかに自分たちでやってはいるのだが、でも統治なんてできちゃいなかったのである。なんでかというと、みんなでコミユーンをつくって議員をたてて、しかもけっこういいことをやってくれている。じゃあ、その議員さまのいうことはなんだってきいていたのかというと、そんなことはない。だって、イヤなものはイヤなのだから。

さっき、パリの各地区でクラブがひらかれていて、そこで民衆がギャアギャアとさわぐようになったといった。ここがすげえ力をもっちゃうのである。たとえば、議員がやってきて、価格統制をやりますとかいっていたのに、ぜんぜんやっていなかったら、てめえ死にてえのかと怒号がとびかったり、議員がいなくても、どこそこのブルジョア一家がヴェルサイユに逃げだして、家があまっているから、ここを貧乏人につかわせろとか、その資産を老人や戦争遺族にゆずれ、やらなきゃ実力行使だぞ、ヤレ、ヤレ、ヤッチマエとか、そういったことをいったりしていたのだ。

あるいは、戦況が悪化して、こりゃもうダメだとヴェルサイユに降伏しようといいはじめた議員がいたら、うらぎりだ、うらぎりだ、あいつヤッチマエとまくしたてたりもする。ルイズがいた「革命クラブ」なんかじゃ、ブランキが釈放されるまで、ヴェルサイユ軍の捕虜を毎日、ひとりずつぶっ殺す、マジで勝手にやるからなと、そんなこともいっていたんだぞうだ。こわすぎる。民衆がえらんだ議員だろうとなんだろうと、デタラメなことをやっていたらぶちかます。いや、けっこうまっとうなことをいっていたとしても、イヤだとおもったらぶちかますのだ。つきあげ、怒号、実力行使。暴走、暴走、暴走だ。自分のことは自分でやる。自分たちのことは自分たちでやる。でも自分を統治したり、統治されたりしたいんじゃない。だれにも統治されたくないんだ。いうことなんてききやしない。イヤだねったら、イヤだね。どえれえやつらがあらわれた！

よわい、よわすぎる！

さて戦闘はどうなったのか。まず、パリ・コミューンは徴兵制反対、常備軍廃止をうたっていたから、もじどおりそれを実行する。だから、軍隊は民兵である国民衛兵だけになった。コミューンの思想にしたがって、たたかいたいやつがたたかうんだということにしたのだ。だから士気はたかい。しかも、いちおう総数はおおくて、三〇万人くらいはいたんだという。でも、ほんとに、いつでもうごける部隊は六万人くらい。ヴェルサイユ軍が正規兵二〇万人だから、もともと分がわるい。それにマジですかとおもうのは、コミューン議会は銀行にはあまくて、中央銀行をつぶさなかったのだが、これがこっそりヴェルサイユ政府に資金援助をしていて、そのカネをつかって軍隊も武装を完ぺきにしていたのだ。さらにさらに、バックにはプロイセン軍がいる。無敵だ。

だから、たたたかうためにはそうとう準備しておかなくちゃいけなかったのだが、なかなかそうはいかなかった。国民衛兵ってのは、もちろん純粋な素人集団ではないのだが、それぞれの地区ごとに編成されていて、それぞれなりのたたかいかたをすることに誇りをおぼえているから、指揮系統がない、全体としての統率がとれないのだ。トップのいうことなんてききやしない。好き勝手にたたかっちゃう。ある種、素でだれにも支配なんてされねえぞ、命令なんてされねえぞってのをやっちゃっていたのだ。さすがに、これじゃたたかえねえぞっていうことで、コミューン議会は、職業軍人のクリュズレに指揮をまかせたのだが、クリュズレにはかんぜんに正規軍の組織編成しかあたまにない。

だから、かれは国民衛兵をピラミッド型の中央集権的な組織にかえようとした。おまえら、上からの命令には絶対服従だと。そしたら、とうぜんながら各地区の衛兵たちは、ふざけんじゃねえとブチキレて、てめえは独裁主義者だ、軍隊主義者だ、クソなんだと批判をあびせる。だれもいうことなんてききやしない。これじゃさすがにとおもって、議会はクリュズレを罷免。かわりにローセルってひとをトップにすえた。でもローセルにしたって、やることはおんなじだ。軍隊を中央集権に再編しようとして反対された。トホホ、ムリだよ……。かれも五月に辞任している。メチャクチャだ。

ルイズはこういったゴタゴタについて、職業軍人も、民兵も、民間人も、それぞれのたたかいかたに徹すればいいのにといっている。いがいと、これがただしかったんじゃないかとおもう。それこそパリにはいってきたら、だれが銃をぶっぱなしてくるのかわからないし、石でもガスでも油でもなんでも武器になってとんでくる。そういう民間人だか民兵だかみわけがつかない存在ってのが、敵にはこわいのであり、そういう特性をいかした非正規兵のたたかいかた、パルチザンに徹すれば、すげえつよかったんだとおもう。まあ、それにたけたひとがいなかったんだからしかたがないか……。

　そんなかんじだったので、軍隊はムチャクチャよわい。一八七一年四月二日、パリにヴェルサイユ軍が攻めてくるとの一報がはいってくる。こりゃもう、先制攻撃しかねえぞということで、急きょ作戦がねられ、補給とか装備とか、ほとんどなんの準備もないまま、左翼、右翼、中央の三方からヴェルサイユにのりこんでやろうということになった。翌日、出発。主力だったのはベルジュレひきいる右翼部隊だったが、とちゅう口約束で中立をまもってくれるといっていた要塞をとおりすぎようとしたところ、うらぎられて、バンバン大砲をうちこまれた。総くずれだ。部隊のほとんどが負傷者をおいて、逃げかえってしまう。左翼、中央の部隊もまもなく敗走。よわい、よわすぎる！

　でもこのとき、右翼の部隊にいたのが、まえにちょっとでてきたブランキ派のフルーランスだ。みんなが逃げだすなか、かれは少人数の部隊をひきいて、まえにまえにと猛然とつっこんでいった。一発でもいい、あのヴェルサイユのクソやろうどもに、銃弾をうちこんでやるんだ。つっこんで、つっこんで、ヴェルサイユまであと六キロというところまでいったのだが、ここで撃退された。敗走する。とちゅう、農家にお世話になって休憩をとったのだが、農夫にうらぎられた。ヴェルサイユ軍にとっつかまって、その場でぶっ殺される。クソみたいな軍人に、オレの腕前をみせてやるぜとかいわれて、一刀のもとにあたまをかちわられたのだ。地面にたおれ、苦しそうにころげまわっているところを、みんなでヘッヘッへとあざわらい、さいごは憲兵が「オレが脳みそをふっとばしてやるぜ」といってピストルをぶっぱなした。その後、死体はヴェルサイユにもちかえられ、みせしめなのか、警視庁のなかにデーンッとおかれて、着飾ったブルジョアの女どもに日傘で脳みそをつつかれたりしていたようだ。

おら、石油放火女《ペトロルーズ》になりてえ

その後もコミューン軍は敗退につぐ、敗退をかさねていく。そんな戦況をみながら、なにをおもったのか、ルイズは仲間たちに「だったら、ティエールを暗殺しちゃえばいいじゃん」と提案したりしていたらしい。みんなにムリだと反対されたので、じゃあ、わたしひとりでやるといったが、それでもやっぱりとめられた。ブランキ派のゴロツキたちがほんきでとめたくらいだから、よっぽどルイズにあやういものをかんじとったんだろう。こいつ、死のうとしているとしかおもえないと。でもルイズはなにかしたくて、したくてたまらない。暗殺はムリでも、ビラまきくらいだったらいいだろう。ヴェルサイユの貧乏人たちにハッパをかけて、ブルジョアを襲撃せよってあおるんだと。で、ひとりヴェルサイユにしのびこんで、アジ演説をしてかえってきたんだそうだ。かっこいい。

そんなことがありつつも、ふだんルイズは昼間、自分の学校の子どもたちに食事を用意してあげて、夜はモンマルトルにもどって一兵卒としてたたかっていた。でも、あきらかに、マジメな兵士じゃない。いろいろとぶっとんだエピソードがあって、もうパリをヴェルサイユ軍が包囲していたころのはなしだ。ドンパチをやっていて、夜中になって仲間から、ルイズおまえちょっとやすんでこいよといわれて、あいよといってプラプラとあるいていたら、廃墟になった、でもよさげな教会があった。

だれもいないので、ここでねようかとおもったら、オルガンがのこされている。ルイズはちっちゃいころから、ピアノやオルガンが大好きだ。ああ、弾きてえ。ああ、ダメだ。ああ、弾きてえ。ああ、ダメだ。ああ、もうたえらんねえ。で、ジャンジャカ、ジャンジャカ、弾いちゃったわけだ。すぐにコミューンの兵隊がやってきて、ルイズをどやしつけた。てめえ、狂ってんのか、砲弾の的になるぞと。そりゃそうだ。でも、ルイズはおもった。弾きたいものは、弾きたいのである。いつ死ぬかもわかんねえのに、いま、やりたいことをやらないで、どうすんだ。ルイズ、ただしい。そうだ！

　また、こんなエピソードもある。ある日、学生がやってきて、わたしは確率の計算をしているんだという。砲弾がおっこちてくる確率を計算したいから、わたしを軍にくわえてくれというのだ。それをきいて、ルイズはギャハハハ、それおもしろいっていって、その学生といっしょに塹壕《ざんごう》のなかにはいった。ルイズはコーヒーを飲みながら、ボードレールの詩集をよんでいたらしい。学生がそろそろきますよとかいっていたら、やっぱりコミューンの兵隊がきて、おまえらあぶないからはやくでろという。ちっ、いちいちうるせえな。そうおもいながら、塹壕からでると、その瞬間、ドーンッと砲弾がおちてきて、コーヒーカップもろとも、塹壕がふっとんだんだそうだ。ひゃあ、たのしい！

　それから、たくましいなとおもったのは、もうパリ市内で銃撃戦になっていたときのこと、バンバン銃弾がとびかうなか、ルイズはバリケードの中にいた。そしたらたまたま女子の友だちにでくわした。あらっ、おひさしぶりねみたいになって、せっかくだし、お茶でもしたいとおもったのだが、なんかちかくの喫茶店が閉まっている。でも、かえるんじゃない。だったら実力行使しかないねっていって、デーンッと店におしいった。店主はビビる。なにせ、ルイズは騎銃をもっているのだから。それでコーヒーをくださいといったら、だしてくれて、ふたりでゆっくりおしゃべりした。しばらくして、また戦地にかえっていく。なんか、わたしなんかからしたら、肝がすわっているなとおもってしまうのだが、ルイズからしたら、ただこれだけなんだろう。コーヒーがのみたい！

じゃあ、戦闘はというと、一八七一年四月、パリを包囲するヴェルサイユ軍にたいし、ルイズはイシイやクラマールの第一線にでていって、ドンパチをくりひろげた。バシバシと敵兵をうち殺していたようだ。そうはいっても、もう兵力も火力もだんちがい。勝てない、敗北だ。でもルイズには弾丸《たま》があたらない。そうこうしているうちに、五月二一日だ。ヴェルサイユ軍がパリに侵入してくる。うおおお、徹底抗戦だ。ルイズはモンマルトルの墓地にむかった。いくと、墓石を盾にしてみんながたたかっている。とうぜん参戦だ。ドンパチやったが、やっぱり勝てない、敗北だ。でもルイズには弾丸があたらない。こんどはクリニャンクール通りのバリケードに参加する。必死に応戦するも敗北だ。ルイズは敵兵にグイッとつかまれ、ダーンッとぶん投げられて意識をうしなった。おきたら、まわりにひとっこひとりいなくなっている。みんな殺られたのだ。チクショウ！　でも、まだだ、まだまだやれる。ルイズはそのあしでピガールのバリケード戦にかけつける。うりゃあとたたかったが、やっぱり勝てない、敗北だ。パリが落ちた。でもルイズには弾丸があたらない。

ふとあたりをみまわしてみれば、コミューン兵がバシバシとヴェルサイユ軍に虐殺されている。兵隊ばかりじゃない。女も子どもも、おまえもか、おまえもかと、ムダにぶち殺されているのだ。殺戮《さつりく》、殺戮、殺戮だ。ああ、ああ、ああああああああああ!!! ああ、ああ、ああああああああああ!!! パンパーンッ。ルイズ、覚醒《かくせい》だ。なにをおもったのか、どこからともなく石油をもってきて、ヴェルサイユ軍がはいっていった建物に、ビシャビシャッ、ビシャビシャッとまきまくった。そして、火をはなったのだ。地獄の炎がいまときはなたれた。オーオーオーオオッ、オーオーオーオオッ、オーオーオーオオッ、オーオーオーオオッオー。オーオーオーオオッ、オーオーオーオオッオー。ギャア!!! ヴェルサイユ軍がいっせいに焼け死んでいく。それをみながら、ルイズはこうさけんだ。「あの怪物どもを燃やしつくせ! 燃やせ! 燃やせ! 燃やせ! ヤレ! ヤレ! ヤッチマエー!」。

それをきいたパリの女たちが決起する。そうだ、その手があったか。ミルク缶に油をいれて、ヴェルサイユ軍が建物にはいると、とにかくまいては火をつけ、まいては火をつけと、ひたすらそれをくりかえした。燃やせ! 燃やせ! 燃やせ! ヤレ! ヤレ! ヤッチマエー! パリ中に火が燃えさかる。パリが火の海になった。じつはこの攻防戦で、ヴェルサイユ軍がいちばんおそれたのが、この女たちだったんだという。どこからともなくやってきて、平然と火をはなってさっていく。こわすぎだ。マジヤベエ。パリの女どもはバケモノだぞと、そんなうわさがはびこった。そしてこの女たちを指して、こんな悪名がつけられることになった。石油放火女《ペトロルーズ》。伝説の誕生だ。もちろんこれ、女たちをディスってひろめられたことばなのだが、どうだろう。こんなにイカした名前をつけられたら、みんなこうおもっちまうんじゃないだろうか。おら、石油放火女《ペトロルーズ》になりてえ。おらも、おらも！

もしわたしを生かしておかれるなら、復讐の叫びをあげることをやめないでしょう

パリがおちた。このときの虐殺は、ほんとうにすさまじかったらしくて、一〇万人ちかくがぶっ殺されたんだという。いちばんひどかったのは、コミューンさいごの砦《とりで》、ペール・ラシェーズ墓地のたたかいで、五月二八日、とっつかまったコミューン兵たちは、即決裁判で、みるも無残な殺されかたをしたんだという。血の海だ。おなじ日に、この章でなんどかでてきたヴァルランもラファイエット街でつかまっていて、ヴェルサイユ軍から執拗《しつよう》なリンチをうけ、しかもみせしめにと、市中ひきまわしの刑にあい、ひたすらけりとばされ、石をなげつけられ、もう処刑されるまえには目玉がピョロンッととびだしていたほどだったという。でも、そんな状態になっても、ヴァルランは正気をうしなわない。「うおおお、コミューン万歳！」。さいごは、そういって銃殺されたんだという。かっこいいぜ、あばよ！

じゃあ、ルイズはどうなったのか。すごいのはケガもしなけりゃ、つかまりもしていなかったということだ。まんまと逃げおおせる。でも、やっぱりブルジョアってきたねえなとおもうのは、ヴェルサイユ軍はパリ中の家々をたずねあるいて、コミューンにくわわったやつらを逮捕していくのだが、ルイズの家にくると、娘がいないならてめえだといって、お母さんをひっぱっていったのだ。で、しりあいから、お母さんが身代わりにつかまったよときいて、みずから出頭し、逮捕されたのだ。

これ、ルイズだけじゃなくて、なかのいい友人で、フェレってのがいたのだが、かれもいちどは逃げおおせて隠れ家に身をよせたものの、自宅にいた病身の妹がヴェルサイユ軍にひっぱられそうになり、お母さんが、やめてくれといって、フェレの潜伏先をはなしてしまったんだという。フェレは逮捕。軍事法廷でさばかれ、死刑判決。一八七一年一一月二八日、銃殺された。それをしってお母さんは罪の意識にさいなまれ、発狂してしまった。ひどすぎる。ちなみにこのフェレ、ルイズより一五歳下の子なのだが、どうもルイズはかれにホレていたらしい。片思いだったのだが、なんともやりきれない。さすがのルイズもガックシきていたようだ。がんばれ！

さて、ルイズはヴェルサイユにつれていかれ、監獄にぶちこまれていたのだが、一二月一六日、軍事法廷によびだされる。検事からは、おまえは女のくせして、ヴェルサイユ軍に発砲したのか、殺したのか、おまえはあの石油放火女なのか、バケモノなのか、死ね、死ねと糾弾される。なにわかりきったことをいってんだ、こいつ。そうおもいながらも、ルイズはこうこたえた。

彼らは民衆にむけて発砲させようとしたのです。私はこのような命令を出した連中にむけて発砲させることを、ためらったりはしなかったでしょう。

パリの火災についても同じです。私は参加いたしました。ヴェルサイユの侵略者たちにたいして、炎の防壁で守ろうと思ったからです。共犯者はございません。みずから進んで行動したのです。[11]

そういうと、怒りにもえた検事が死刑だ、死刑だとさけびだした。上等じゃねえか、このやろう。ルイズはこうきりかえした。

その通りです！　初審検察官のお言葉はごもっともです。自由のために鼓動をうっている心臓はすべて、数発の鉛の弾に貫かれる権利しかもたないのです。そして

11　ルイーズ・ミッシェル『パリ・コミューン――女性革命家の手記（下）』天羽均、西川長夫訳、人文書院、一九七二年、一七八頁。

私もその弾丸の分け前を要求いたします。もし私を生かしておかれるなら、復讐の叫びをあげることをやめないでしょう。そして兄弟たちの恨みをはらすために、特赦委員会の人殺したちを告発いたすでしょう。[12]

そういうと、裁判官が静粛に、もうおまえはしゃべるなといってきたのだが、ルイズはさいごにこうさけんだ。

私の発言は終わりました。もしあなたがたが卑怯者でないなら、私を殺しなさい。[13]

うおおお、やばい、かっこよすぎだ。裁判で、わたしを死刑にしろ、いま殺さなければ、かならずきょうだいたちの恨みをはらしにくるからな、てめえら、おぼえておけよってタンカをきったのだ。アァッ、アッッ、憎い、憎い、憎い。ヤレ、ヤレ、ヤッチマエ。そうだ、ムダに復讐だ。ルイズのこころが真っ黒にそまっていく。けっしてほかの色にはそまらない、なんにもとらわれない、制御できない、そんな色にかわったのだ。

どんな感情だってそうかもしれないが、とりわけ憎しみはみさかいもなけりゃ、妥協もない。そんなことをしたら身の破滅だってわかっていても損得なんてとびこえて、パンパーンッと自分ごとふっとばしてしまう。自己テロルだ。いいわるいじゃない。ひとのおもいってのは、おおきくふくらんだら、かならず爆発してしまうのだ。あらゆる感情はぜったいにただしい。どんなものであれ、感情をもつことはぜったいにただしい。だってそれはどんなキレイゴトにも、どんな秩序にも、なんにもしばられないで、パンパーンッて生きられることなんだから。真に自由だ。身体が勝手にうごきだす。アナーキー！

わがきょうだいたちは、カネ、カネ、カネって、そんなものにふりまわされる人生はもうイヤなんだっていって、パンパーンッて爆発して、命がけでその秩序からぬけだしたのだが、まんまとブルジョアどもにたたき殺された。だったらそれをぜんぶ憎しみにかえて、真っ黒になって暴走してやろうじゃないか。秩序の柵でかこおうとしたってムダなことだ、毎分毎秒、なんどだってぶっとんでやる。パンパーンッ、パンパーンッ、パンパーンッ。とめたければ、いますぐ殺せ。いくぜ、きょうだい。死なばもろとも。判決だ。無期流刑。ニューカレドニアに流されることになった。

12　前掲書、一七九頁。
13　前掲書、一七九頁。

人生最高のパンを食らう
――てめえら、腹がへってんだろう？　ヤッチマイナ！

一八七三年八月二四日、ニューカレドニアにむけて出港。船のなかには、おなじく流刑になったルメル夫人がいて、すげえなかよくなったみたいだ。いろいろとおしゃべりをしているうちに、ルイズはルメル夫人に、こんなことをいったんだそうだ。「あたし、アナキストになる！」。この世に秩序があるかぎり、なにをやってもムダなんだ。そこに秩序があるならば、なんどでも、なんどでも火をはなって逃げだしてやると。ルイズ、アナキスト宣言だ。よっ、石油放火女《ペトロルーズ》！

この船のなかではいろいろ逸話があって、みんなで「さくらんぼが実るころ」っていうシャンソンをうたったともいわれている。日本だと『紅の豚』で、歌手の加藤登紀子《かとうときこ》さんがうたっているのだが、わかるだろうか。内容としては失恋ソングなのだが、これじつは詩人クレマンがつくったもので、野戦病院で手当てをしてくれた看護師、ルイズをおもってつくったものなんだそうだ。一説によれば、このルイズである。あっ、あくまで一説によればだよ。同名の看護師がいたんだっていう説のほうがつよいんだけど、もしわれらがルイズなんだとしたら、ここまで、浮いたはなしひとつねえなとおもいきや、いがいとモテていたのかもしれない。やるな、ルイズ！

さて、ニューカレドニアにいってからは、フランスへの現地住民の抵抗運動に共鳴して、わたしはかれらを支持しますみたいなことをいっていたらしい。ルイズがしりあいになったニューカレドニアの子たちは、近代兵器をととのえたフランス軍にむかって、石とか弓矢とかでたたかいをいどんでぶっ殺されていくのだが、それでもなおたちあがっていくすがたに、パリ・コミューンの戦士たちをかさねたのだ。戦士たちのさけびがきこえてくる。そうだ、ヤレ、ヤレ、やっちまえと。

そして七年が経ち、ルイズに特赦がでて、パリにもどってくることになった。こっから、アナキスト、ルイズの伝説がはじまる。もうエイリアンみたいな大活躍だ。一八八二年三月一八日、パリ市内でひらかれた集会にでると、こうしゃべりはじめた。

もはや赤旗は不要である。これからはどん底の色、黒旗をかかげよう。[14]

14 Edith Thomas, *Louise Michel*, translated by Penelope Williams, Montréal, Black Rose Books, 1980, p.191.

そして、こううつづけたんだという。

てめえら、やってやろうじゃねえか。ときはきた。いまこそ一八七一年の、あの死者たちの復讐を決行するのだ。自由をかちとれ。[15]

そういって、ドーンッと黒旗をかかげてみせたんだという。これが世界初の黒旗の登場になる。よっぽどかっこよかったんだろう。このときのようすは、すぐに世界中にひろまって、以後、アナキストたちはデモや集会のたびに、黒旗をもってあらわれるようになった。ルイズのマネっ子だ。

こっから、ルイズのうごきがとまらなくなる。翌年、一八八三年三月九日、ルイズは友人といっしょに失業者のデモをよびかけた。このころフランスは不況で、仕事もなくて、ぜんぜん食えないってひとが街じゅうにゴロゴロしていたのだ。午後二時、黒旗をもったルイズがパリのアンバリッドってとこにいくと、なんとそこには一万四〇〇〇人もの失業者があつまっていた。よっしゃ、いくぜ。デモがはじまった。「仕事をよこせ、パンをよこせ、さもなくば弾丸だ、弾丸しかねえ！」。群衆からそんな怒号がとびかっていた。そしてパッとみると、とおりにはパン屋があったりするわけだ。うおおお、パンだ、パンがあるぞぉ。食いてえ、食いてえ、食いてええー!!!

で、群衆がルイズのところにききにくるわけだ。どうでしょう、どうでしょうか、ルイズさんと。すると、ルイズはサラッとこういったという。

　腹がへってんだろう？　ヤッチマイナ！　ただし、パン屋の主人には手をださないように。[16]

うおおお、いいってよ！　こっからはもうデモはデモじゃない。掠奪《りゃくだつ》だ、暴動だ。みちゆくさきのパン屋を三軒ほど襲撃し、パンをうばってみんなでわけあった。そして、むさぼり食ったのだ。うひゃあ、こりゃうめえっ！　人生最高のパンだったにちがいない。でも、すぐにこのツケがまわってくる。デモがおわると、ルイズは扇動罪でとっつかまり、禁錮六年の刑に処せられた。ひょええ。

けっきょく、恩赦がでて三年ででてこられるのだが、このかんにお母さんのマリアンヌと、

15　前掲書、p.191.
16　前掲書、p.207.

心のささえだったユゴーが死んでしまう。ガーン!!! これにはかなりこたえたようで、しばらく精神を病んでいる状態だったという。でも、活動のうごきはとまらない。一八八六年八月には、ドカーズヴィルってとこでやっていた炭鉱夫のストライキ支援にいっている。で、アジりまくったわけだ。ブルジョアどもをヤッチマエと。これで、殺人教唆。ルイズはとっつかまり、禁錮四か月の刑に処せられた。なんかこのへんのやられかたは、ブランキをおもわせるところがある。師匠!

でもそれでも、ルイズは活動をやめない。こいつやべえぞとおもわれたんだろう。このころから、右翼にねらわれるようになった。一八八八年一月二二日、ルイズはルアーヴルの劇場で演説をして、さらに別の場で一五〇〇人の聴衆を前に演説をしている最中《さなか》、リュカっていう右翼青年に襲撃されたのだ。パンパーンッ。ピストルをぶっぱなされ、弾丸二発をくらった。一発はあたまに命中している。重傷だ。でもルイズは死なない。どうも弾丸が頭蓋骨《ずがいこつ》にささり、一命をとりとめたんだそうだ。よかった!

しかもおもしろいのは、ケガから復帰して、ルイズがまわりにたずねるわけだ。あのリュカって青年はどうなったんだと。とうぜん刑務所にいる。すると、それをきいたルイズは、大激怒。あたしとあいつの問題なのに、なんで警察がはいってくるんだ。余計なことをしやがって。警察なんて、いらねえんだよと。で、すぐに警察への抗議行動を開始した。ファック・ザ・ポリス！　ファック・ザ・ポリス！　そんなことをやっていたから、リュカとその両親に感謝されて、お礼とおわびの手紙がおくられてきたんだそうだ。ザ・アナキズム。そのこころは、俠気《おとこぎ》だ！

でも、その後もルイズにたいする脅迫やいやがらせはつづく。政治的にも自由がきかなくなってきた。一八九〇年には、国際メーデーがよびかけられて、パリでも大規模デモがくまれることになったので、よっしゃ、あばれてやるぜとおもっていたら、その直前、四月三〇日に予防拘禁されてしまった。もうなんにもできねえ。そうおもって、ルイズはフランスをでることにきめた。一八九〇年八月、ロンドンに亡命。そこでのびのびと講演をやったり、文章をかいたり、世界中のアナキストと交流した。クロポトキンやエマ・ゴールドマンなんかともなかよくなっている。たのしそうだ。

とはいえ、フランスが気になる。一八九五年一一月に帰国。その後はひたすら遊説活動をつづけた。フランス各地をまわって、ストライキや暴動をけしかけたのである。アルジェリアもまわっていて、反植民地闘争よしみたいなことをいっていたようだ。そして、さいごの登壇になったのは、一九〇四年一二月三〇日。肺炎をわずらい、死にそうになりながらも、ニースの労働者のまえでしゃべった。内容は、日露戦争反対。あらゆる戦争をやめさせよう、たちあがれ、労働者たち、みたいなことをいったのだが、とおい国同士の戦争だろうくらいしかおもわれなかったようだ。集会では、気のない拍手がおくられただけだったという。クソったれ！

そして、その六日後。一九〇五年一月五日、ルイズはマルセイユのホテルで亡くなっている。まだまだアジりたりなかったんじゃないだろうか。でもやることはやった。享年七四歳。怪物死す。一月二二日、パリで葬儀がいとなまれて、このときは一〇万人の人たちが参列したといわれている。左派系の知識人で、こんだけ盛大なのは、ヴィクトル・ユゴー以来のことだったという。たいしたもんだ。えらいよ、ルイズ！

ちなみに、この一九〇五年一月二二日って、どういう日かっていうと、ロシアで血の日曜日がおこった日だ。こっからロシアはいっきに革命へとつきすすんでいく。ルイズだったら、どんなアドバイスをするだろうか。マルクスやレーニンは、パリ・コミューンを分析して、あいつらはプロレタリア独裁をやらなかったから負けたんだといった。ああいう緊急事態には、一党が軍の権力をにぎり、したがわないやつを力ずくでもしたがわせて、敵とたたかわなきゃダメなんだと。

でも、そんなふざけたことをいわれたら、きっとルイズはこういっただろう。強大なヴェルサイユ軍をたたきのめしたのは、パリの軍隊でもなんでもない。自分の身体そのものを武器にして、体をはってたたかった女性や群衆の無秩序な力である。君主やブルジョアの秩序に苦しめられてきた民衆は、それをぶちこわすこと自体によろこびをかんじていたのであり、それをやらかしていたときにいちばん力を発揮していたのである。マジで暴走しているときの群衆ってのは、だれのいうこともききやしない。ブランキだって歯がたたない。それをまたこっちから秩序でかこいこんでしまったら、ぜんぶだいなしになってしまう。革命家がやれることはただひとつ。暴走しはじめた群衆をさらにあおることだ。てめえのケツに火をつけやがれ。燃やせ、燃やせ、燃やせ。秩序を燃やせ、てめえを燃やせ、てめえの秩序を燃やしてしまえ。石油放火女が悲鳴をあげる。ああ、ああああああああ!!!　アァッ、アァッ、アナーキー。革命をつくることはできない。革命はただのつかるものだ。

第四章　革命はどうやっちゃいけないのか

こん棒をもったサルの群れ

よしっ、ロシアだ。これからアナキスト目線で、ロシア革命をみていく。さいしょにいっておくと、わたしはレーニンがキライだ。なんだか、みためがエラそうだし、なによりさからうやつらはみな殺しとかって、ちょっとありえない。だから大キライなのだが、でもかれが敵をディスるときのことばは、けっこう好きだ。左翼小児病とか極左冒険主義とか、マジでわらえる。名言だ。そんなこといわれたら、こっちだっていろいろとオチョくりたくなっちまう。ぼく、赤ちゃん。おら、冒険がしてえ。よーしっ。

そんななかでも、わたしがいちばん好きなのが、こん棒をもったサルの群れっていうことばだ。これ、どうも民衆が自発的に武装することをいっているんだという。いやあ、いいオチョくりかただよね。レーニンと同時代ということでいえば、ナロードニキ運動がそうだろうか。ナロードニキってのは、一九世紀後半、ロシアのインテリがやっていた運動で、ヴ・ナロード（人民のなかへ）ってのをスローガンにして、まずしい農村にはいっていって、よっしゃ、いばりくさっている皇帝、貴族、大金もち、みんなみんな、ぶっ殺しちまえといって、一揆《いっき》や暴動をあおるというものだ。

これがあんましうまくいかなかったのだが、レーニンはかりにロシア全土で一揆がおこったとしても、近代的な軍隊には勝てやしねえっておもったんだろう。スキ、クワもって、軍隊にたちむかったとしても、そんなのサルがこん棒をもったようなもんだ。返り討ちにあうのがオチである。だから、ほんきで皇帝をたおすつもりだったら、こっちも強大な軍隊をつくってたちむかわなくちゃいけない。そういっているのだ。

もちろん、冷静に考えれば、これ、いっていることおかしくて、相手の土俵でおなじことをやってたたかおうとしたら、そりゃ皇帝のほうがはじめからカネも軍事力ももっているわけで勝てやしないのだ。まんがいち、勝てちゃったとしても、そいつらが皇帝よりも、もっとひどい権力を手にしちゃっているだけのことだ。じっさい、そうなっちまうのだが、ひとまずおいとこう。

いいたかったのは、どうだろう。サルがこん棒をもっているのって、すごくないっすかということだ。だって、サルがこん棒をもっているんだもの。マジヤベエ。まず、なにより、こん棒をもっていなくても、サルのうごきは予測不能だ。とつぜん、ウキャアといってとびかかってきたとおもったら、ポテトチップスでもなんでも、人間がもっているものをうばいとり、さからえば嚙《か》みつき、ひっかいてくる。反撃しようとおもっても、ムダなことだ。すさまじいスピードでピョンピョンはねて、とらえられない。さっそうと森のなかへ逃げていく。超ヤベエ。

で、そんなサルたちがこん棒を手にするわけだ。しかも群れである。とつぜん、ウキャア、ウキャアと建物のうえからサルたちがとびかかってきて、デーンッとこん棒で人間たちのあたまをふっとばしていく。銃をかまえようとおもってもまにあわない。うごきがはやすぎて、とらえきれないし、たいていはかまえるまえにやられちまう。おそらく、むかしの武士とかでも勝てやしないだろう。だって、太刀筋がぜんぜんよめないのだから。ピョンピョーンッと、たかく、たかくジャンプしたとおもったら、上からあたまをかちわられている。コジロー、ムサシ！　そんなもんだ。しかもサルがどうやって連携をくんで襲ってくるかなんて、もうぜんぜん予想がつかない。圧勝だ。エイプ、トゥギャザー、ストローング。こん棒をもったサルの群れ。シーザー！

じっさい、農民が一揆をおこすってのはそういう意味があったんだろう。こいつらは奴隷なんだ、どんくせえんだ、なにをやってもさからわねえぞっておもわれていた農民たちが、とつぜんスキ、クワ、そして竹槍《やり》、斧《おの》や包丁をもってたちあがる。しかも、権力者はスキやクワが武器だなんてだれもおもっちゃいないから、そこにテコテコと農民がちかづいてきてもゆだんしているわけだ。そこにいきなり、バシッていって、あたまをかちわっているのである。ウキャ！　竹槍だってすごいもんで、ふだん刀をつかうことになれている武士たちは、農民が竹槍でつっこんできたら、バシュッて刀で切ってはらえばいいっておもっているわけだが、竹ってのは切ればきるほど、さきっちょがとがってくる。あれっておもっているうちに、そのままドーンッとつっこまれてやられちまうのである。竹槍、最強だ。ウキャ！

　だから、権力者にとっては自分たちとおなじたたかいかたをしてくるなら楽勝なのだが、民衆がサルみたいになって、予想もつかないうごきをしてきたときがこわいのである。だいたい、歴史的にどの国をみても革命状況になっているときってのは、こん棒をもったサルの群れがあらわれているときだっていってもいいだろう。しかしずるいなとおもうのは、おおくの革命家ってのは、旧体制をぶちこわすときには、サルたちにいい顔をしているわけだ。でも、いざ革命がおこったら、手のひらをかえす。しらずしらずのうちに、その武器をうばいとり、なにもできないようにして、さからうやつらがいたら投獄、拷問、みな殺し。そうやって、あたらしい権力をうちたててしまうのだ。ロシア革命では、それをやったのがボルシェビキ。とはいえ、おおくの革命でおんなじことがおこっているので、もうちょっと、そのあたりのことをみていくことにしよう。

革命家は革命を殺す
ギロチン、ギロチンでございます

さきにも紹介したが、ロシアのアナキストに、ピョートル・クロポトキンっていうひとがいる。そのかれに「革命の研究」っていう文章があって、これは一八九一年にパリで発表されたものなのだが、日本語に訳されたのは、一九二二年のことだ。翻訳したのは、大杉栄《おおすぎさかえ》。このころ、ようやくロシアでボルシェビキがなにをやっているのかがわかってきて、こりゃ批判しなきゃまずいぞとおもい、いろいろやっていたときに、なんか支柱になるような革命観はねえかなってことで、大杉が翻訳したのがこの文章だ。

じゃあ、どんなことがかかれているのかというと、革命ってのは、何百万もの民衆が、われもわれもと、死を賭《と》して決起したときにおきるもんだということだ。フランス革命のときだって、パリ・コミューンのときだっておなじことだ。たいした武器ももたずに、うりゃあといって、おっさんたちがいっせいにテュイルリー宮殿にのりこんでいったり、銃をかまえた兵隊がいても、やれるもんならやってみやがれといって、女性たちがつっこんでいったりする。それで血祭りにあげられるかどうかとか、自分の身がどうなるかなんて、だれも考えちゃいない。そんな発想とびこえちまって、自分の、自分たちの自由を、おもいきり爆発させて生きはじめるのだ。ウキャア。

で、革命家ってのは、そういう民衆の力をひきだそうとするもんだし、いざことがおきれば、民衆といっしょになって、ドンパチだってくりひろげるもんだ。でも、いちどヤンチャしはじめた民衆はもうとまらない。この社会の秩序を根っこからぶちこわしてやろうと、ムチャクチャにあばれまくるのだ。そりゃそうで、自分たちをいたぶってきた警察になんかしたがわないし、食いもんがなけりゃ、カネもちからうばいとる。強欲な地主でもいれば、みんなでぶっ殺して土地をわけあい、借金でもあれば、屋敷に火をはなち、証文ごと燃やしちまう。野蛮、どう猛、サルにこん棒。ウキャ！

でも、さいしょはいっしょにやろうぜっていって、民衆をあおっていた革命家たちが、ここまでくるとなんかひいてしまう。秩序がなくなることに不安をおぼえ、とつぜん保守的なふるまいをしはじめるのだ。

革命がきて日常生活のきまった順序がひっくり返されたとき。いっさいの善悪の情熱が自由に爆発して真昼間にさらけだされたとき。失神のそばに非常な熱誠をみ、臆病のそばに勇敢をみ、つまらぬ反感や個人的陰謀のそばに非常な自己犠牲をみるとき。過去の諸制度が倒れて、新しい制度が相続く変化のなかにぼんやりと描きだされたとき。そのときに、さきに自ら革命家と名のったものの大多数は、秩序の守護者の列の中にいそいで走っていく。[1]

1　クロポトキン「革命の研究」『大杉栄全集　第一〇巻』、大杉栄訳、ぱる出版、二〇一五年、五四六頁。

なんでそうなるのかっていうと、革命家にとって、民衆が勝手に生きはじめるのはこまるからだ。ほとんどの革命家は、いまの秩序がわるいだけで、秩序そのものは必要だとおもっている、いまの権力がわるいだけで、権力そのものは必要だとおもっている、いまの支配者がわるいだけで、支配者は必要だとおもっている。で、オレたちはただしい統治のありかたをしっている、オレたちが政権をにぎって、みんながいうことをきく、そういう真の権力みたいのをうちたてりゃいいんだとおもっているのだ。

みな独裁を夢みている。「無産階級の独裁」とマルクスはいった。詳しくいえばその執政官どもの独裁だ。ほかの政党の参謀等は、社会党以外のわが党の独裁だというだろう。が、それはみな帰するところは同じだ。

みなその敵の合法的虐殺による革命を夢みている。革命裁判、検察官、ギロチン、およびその雇人すなわち死刑執行人と獄吏とを夢みている。

みな国民をその臣下として、国家の叙任を受けた数千幾万の官吏によってその臣下を支配しようとする、全知全能の国家の政権獲得を夢みている。ルイ一四世もロベスピエールも、またナポレオンも、ガンベッタも、ようするにこういった政府以外のものを夢みてはいなかったのだ。

みなこの独裁時代の後に革命から生まれでる「建物の冠」として、代議政治を夢みている。

みな独裁者の造った法律にたいする絶対的服従を教えている。

みなその権力の首領等と違ったことを考えているものはすべて虐殺するという、公安委員会の夢ばかりみているのだ。自分自身の意志するままに思索し行為することをあえてする革命家等は殺されなければならない。もっと遠くへいこうというものは、なおさら殺されなければならない。[2]

革命家のなかには、マルクス主義者もいればブランキ主義者もいるし、ジャコバン主義者もゆるい自由主義者もいる。それぞれ考えかたはちがっていて、自分たちの党派をつくっている。でも、この一点ではおなじことだ。独裁！　独裁！　オレたちだけが真の統治とはなにかをしっている、オレたちだけが真の革命とはなにかをしっている、オレたちだけが正義である、オレたちだけがただしいんだ。だからオレたちのいうことをきかない連中は、みん

2　前掲書、五六一～五六二頁。

な敵である、悪である、反革命である。よしっ、ぶっ殺しちまえと。クロポトキンにいわせれば、これが「革命家一〇〇人中、九九人の夢」なんだそうだ。へへっ、わらっちゃいけないのかもしんないが、クロポトキンもずいぶん意地のわるいいいかたするね。革命家は革命を殺す。ギロチン、ギロチンでございます。ひっこめ！

どんな党派でも、いちど権力をにぎれば、意見のちがうやつらをとっつかまえて、反革命のレッテルをはって処刑しはじめる。さいしょは保守勢力だったらいいだろうっていって、シコタマ殺していって、つぎはべつの党派の革命家を殺していって、そのあとは民衆だ。したがわなけりゃ、とにかく殺す。ギロチンをチラつかせて、警官にしたがえ、役人にしたがえ、ボスにしたがえ、街頭でも工場でも農場でもと。できなければブタ箱ゆきですよ、殺しますよと。恐怖《テロル》による支配、テロリズムだ。いつ、だれが、なんの容疑でぶっ殺されるかわからない。こわい、こわい、こわすぎる。民衆にドーンッとなんじゃこりゃみたいな恐怖をうえつけて、思考停止においこんでしまう。で、家畜のように、国のいうことをきかせるのだ。ブヒィ。

どうしたらいいか。クロポトキンは、革命ってのはドカーンッと大暴動がおきる前日までが勝負なんだっていっている。ひとってのは不思議なもんで、はじめはムリやりしたがわされていただけなのに、なにも考えずに、ただ上からいわれたことにしたがっていると、だんだんとそれになれちまって、権力者がいなけりゃ生きていけないっておもうようになってしまう。道路をあたえてもらっているから、電気、ガス、下水道をととのえてもらっているから、工場を、農場をあたえてくれているから生きていられるんだ、文句なんていっちゃいけねえようと。インフラによる支配だ。ふだんからこういうのに飼いならされていると、革命がおきても、やっぱり権力者のいいなりになっちまう。

だから、もしそっからピョンッととびだしていくんだとしたら、そんなもんにたよらなくても、自分たちの力で生きていけるんだってことをしめしていくしかない。自分たちの力で食っていける、自分たちの力で住むことができる、自分たちの力でまなぶことができる。しかも、そのほうがラクチンでうまいもんが食えたりもする。つくったり、かっぱらってきたりすりゃあ、うまい酒だっていくらでも飲めるし、セックスだって好きなときにいくらでもできる。野蛮、どう猛、サルにこん棒。ウキャア。日ごろから、そうなる稽古《けいこ》をどんだけしてるかどうか。それさえできていれば、あたらしい権力者がどんなに恐怖をチラつかせても、めげたりはしない。ムダにあたまをはたらかせ、どんな手をつかってでも、断頭台をぶちこわし、好き勝手に生きようとしはじめる。なんどでも、なんどでも、こん棒を手にとり、とびだしていくのだ。いくぜ、ウキャ！

もし、敵に打ち勝つためには恐怖政治しかないということであったら、革命の将来はどんなに悲しいことであろう。が、幸いに、革命には、それと違った有力な他の方法があるのだ。そしてこの方法はすでに、どんな方法が彼らに勝利をたしかめるかということを求めている、革命家らの新しい世代のなかに芽ざしているのだ。彼らは、それがためにはなによりもまず、旧制度の代表者からその圧制の武器を奪いとらねばならないことを知っている。〔あらゆる都市、あらゆる農村において、あらゆる圧制の主要機関をたちどころに廃止しなければならぬことを知っている。〕ことにはまた、かくして解放された都会や農村に、住宅や生産機関や運輸の方法や、また食料その他生活に必要ないっさいのものの交換を社会化して、社会生活の新しい型をはじめなければならないことを知っている。[3]

さすが、クロちゃん。いいことをいう。圧政の武器をうばいとれ。あらゆるインフラをマヒさせろ。このとき、民衆のいちばんの武器になるのは、民衆の生活そのものだ。農民のスキ、クワが、とつぜん地主をたたきのめすための武器になっているかもしれないし、鉄道でも発電所でも、ふだんはインフラをうごかすためのその手が、いきなり、それをたたきこわすためのこん棒になっているかもしれない。

で、民衆がそういうのを、自信をもってやるってのは、権力者なんかいなくても、インフラなんかなくても、自分たちの力で生きていけるぜ、もうちょっとここでこういうやつらとつるめば、もっとやれることがふえていくぜってのが、あるていどみえはじめているからだ。たぶん、ほんとうの意味での革命ってのは、そういう、これでいけるぜ、もっといけるぜってのが、パンパーンッて連鎖していく、そういうものなんだとおもう。あたらしい生の形式が、さらにまだみたことのないあたらしい生の形式を、どんどんどんどん、よびおこしていく。わたしたちはどれだけ、そのための準備をしておくことができるのだろうか。野蛮、どう猛、サルにこん棒。エイプ、トゥギャザー、ストローング。これが、クロポトキンの革命観だ。パンパーンッ！

メシだ、メシだよ、メシ、メシ、メシだ
革命、革命でございます、よーしっ！

さて、舞台はロシアへ。ときは一九一七年二月二三日のことだ。この日は国際婦人デーということもあって、首都のペトログラードでデモがくまれた。でも、婦人参政権がどうこう

3　前掲書、五六七～五六八頁。〔　〕でくくった部分については、同書の「書誌解題」をみておぎなった。

とか、そういうデモがくまれたわけじゃない。メンだ、メシだよ、メシ、メシ、メシだ。メシだ、メシだよ、この世はメシだ。おいこら、皇帝、配給よこせ。メシだ、メシ、メシ、メシ、メシ、メシだ。腹がへったよ、とにかくよこせ。そう女工さんたちがよびかけて、デモがはじまったのだ。

このころ、ロシアは第一次大戦に参戦したものの、敗戦につぐ敗戦。しかも何年も戦争がつづいたことで、民衆はヒヘイし、食うにもこまるありさまだった。そういうこともあって、ついに民衆の怒り爆発。朕はたらふく食ってるぞ、汝人民《なんじ》、飢えて死ね。ちくしょう、なにか食いたい。てなわけで、女工さんたちのよびかけに、男の労働者たちもジャンジャンくわわり、すぐに九万もの人たちがあつまった。翌日も、翌々日もデモはやまない。どんどん、どんどん人数はふくれあがり、気づけば、三七万人。ペトログラードにいるほぼすべての労働者が街頭にくりだしていた。

こんとき、皇帝ニコライ二世は、戦地の大本営にいたのだが、首都大暴動の一報をうけて、こりゃまずいとおもう。で、すぐに軍に命じて鎮静化をはかったのだが、これが裏目にでてしまう。兵士たちが銃をかまえても、民衆は一歩もひかなかったのだ。子どもをかかえたおっちゃんたちが、こうさけんでいる。「パンをよこしやがれ、さもなくばいますぐ殺せ、どうせ餓死するくらいなら、いまここでぶっ殺されたほうがまだマシだ」。あれっ、そりゃそうだよね。てゆうか、オレたちだって腹ペコだ。パンが食いてえ、たらふく食いてえ。そんなときに戦争だの、民を殺せだの、オレたちはいったいなにをやらされているんだ、なにをまもらされているんだ。あたまスッカラカンだ。ケケケッ。もう、わらうしかない。兵士たちがわらいながらデモのなかにはいってくる。よう兄弟、これつかいなよっていって、武器をわけあたえはじめる。みんなでその武器を高々とかかげ、いぇーい、メシだ、メシよこせ、朕からうばいとっちまえとおおはしゃぎだ。大暴動である。警官がおさえにくるが、なにせ軍隊がみかたである、圧勝だ。一瞬でおっぱらっちまった。

もちろん、さいしょからすべての軍がみかただったわけじゃない。ドンパチやられて、ぶち殺された労働者もたくさんいたのだが、やればやるほど、兵士たちが良心の呵責《かしゃく》にさいなまれていく。で、ついについに二月二七日、軍内部で反乱がおこった。上官がデモを鎮圧しろっていって、出動を命じてもだれもきかない。それでもムリやりいかせようとしたので、うるせえよっていって、下士官がそいつをぶち殺し、民衆のみかたをしはじめた。で、かれらが反乱をよびかけたら、それいいねっていって、さみだれしきにほかの連隊でもおなじことがおこっていったのだ。よしっ！

無数の群衆とともに、反乱軍が警察をおそう。ヤレ、ヤレ。あのいばりくさった警官どもをたたき殺しちまえ。相手が機関銃をぶっぱなしてきてもなんのその。ドンパチ、ドンパチ。

ついでにここもやっちまえと裁判所を焼きはらい、そして兵器工場を占拠した。さいごは宮殿。ここに突入して、勝負ありだ。このいきおいをうけて、臨時政府がたてられる。それをきいてニコライ、ガックシ。すぐに退位してしまった。これが二月革命だ。革命、革命でございます。よーしっ！

でも、まだぜんぜんおわりじゃない。このときペトログラードでは、臨時政府ばかりじゃなくて、ソヴィエトも結成されていた。あっ、これ、このあとできる国の名前じゃないよ。文字どおり、評議会っていう意味だ。各工場から一〇〇〇人につきひとり、ちいさな工場だったら、そこからひとり、軍隊からは連隊ごとにひとりの代表をだして、二五〇〇人くらいであつまって意見をだしあう。で、やれることは実行にうつしていくのだ。民主的だね。ペトログラードでは、このソヴィエトと臨時政府のふたつ、どっちも力をもっていて、ちょっとした二重権力になっていた。

教科書っぽくなっちまうが、用語がわかんないとあれなので、いちおういっておくと、このときロシアの社会主義者には、おおきくいって三つの党派があった。社会革命党（エスエル）、ボルシェビキ、メンシェビキだ。社会革命党は、ナロードニキのながれをくんだグループで、農民を中心に革命をやろうよっていっていたとこで、ボルシェビキとメンシェビキは、もともとロシア社会民主労働党ってとこでいっしょにやっていて、工場労働者を中心に革命をやろうよっていっていたのだが、それが左右に分裂したものだ。

その左派、ボルシェビキの代表がレーニンで、こんなことをいっていた。革命をおこすためには、アホな大衆どもの意向をくむとかいってちゃダメだ。大衆のまえにたち、ただしく指導する前衛党をつくれ、共産党をつくれ、そんでもってオレたちが権力を奪取して、ただしい政治をおこなうんだと。うーん、あやしい。まあまあ、とりあえずここでは、ボルシェビキっていったら、共産党っておもってもらえたらいいんじゃないかとおもう。で、そんな連中のほかに、どこの党派にも属さないアナキストたちがいて、だいたいみんなソヴィエトに参加していたわけだ。ちなみに、いちばん勢力がつよかったのは社会革命党。この右派のボスがケレンスキーってやつで、こいつは、臨時政府のほうにはいってしかも入閣し、七月には首相にもなっている。

それじゃ、はなしをすすめよう。革命なったとおもいきや、いくらたっても、臨時政府は戦争をやめやしねえ。てなわけで、こりゃもうたえられんぞとなったのが、アナキストだ。二月革命後、ペトログラードのアナキストたちは、帝政時代の高官、ドゥルノヴォの別邸を占拠し、そこをアジトにしていろいろとわるだくみをしていた。ちかくに工場街があったこともあって、続々と労働者たちもあつまってきた。六月五日、ついに決起だ。印刷所を占拠し、ブルジョア政府をぶっつぶせといって、武装デモをよびかけた。軍隊が派遣されてきて、決起自体はすぐに鎮圧されてしまう。てやんでい。

でも、これで危機感をかんじたのは臨時政府のほうだ。あいつらやべえよっていって、ドゥルノヴォ邸のアナキストをおいだしにかかった。これに労働者たちが猛反発。ふざけんじゃねえっていって武器を手にとり、ドゥルノヴォ邸の防衛をはじめた。これにはクロンシュタット水兵もかけつける。工場街でもストライキがはじまった。で、テンションがあがっちゃったのがボルシェビキだ。便乗でござる。六月一〇日、すべての権力をソヴィエトに、ブルジョア大臣どもを駆逐せよっていって、デモをしかけた。しかしこれで臨時政府、ほんきをだしちまう。一瞬にして、みんなボコボコにされた。レーニンは逃亡し、地下に潜伏。トロツキーやカーメネフはとっつかまった。こりゃかなわん。

でも、こっから事態は急展開。七月、臨時政府の首相になったケレンスキーは、軍の最高総司令官をコルニーロフにまかせたが、かれに反乱をおこされてしまう。コルニーロフは軍をペトログラードにむけ、八月二七日までに、臨時政府の全閣僚に辞職するようにいってきたのだ。ケレンスキーはなにもできない。まわりの閣僚たちは、さっさと逃げだしちまった。マジかよ、絶体絶命だ。でもこのとき、腰をあげたのがソヴィエトだ。すぐに人民闘争委員会ってのをたちあげて、首都の防衛にのりだした。数千人の労働者が武装して、コルニーロフのまえにたちふさがる。

いくら撃たれても、撃たれても、労働者たちは一歩もひかない。侠気《おとこぎ》だい。そのあいだにソヴィエトはえりすぐりのメンツで代表団を結成し、コルニーロフ陣営におくりこんだ。よう兄弟、おまえらはだまされているんだよう、コルニーロフなんて貧乏人のことをなにひとつ考えちゃいねえぞ、オレたち兄弟じゃねえか、兄弟に発砲してんじゃねえよ、やめろ、やめろとアジりまくる。すると、どうしたことか、それをきいた兵隊たちは、ほんとうに、おお、そうかっつって、みんな武器を捨ててしまった。もうだれも軍の命令なんてききやしない。コルニーロフはすぐに逮捕。勝負はけっした。たたかわずして勝つは、善の善なるなり。よう兄弟！

これで事態は収束。ソヴィエトの力がいっきにたかまり、しかもソヴィエトのなかでも、ボルシェビキが復活して支持をあつめはじめた。これみよがしに、ボルシェビキがまくしたてる。ホレみたことか、ケレンスキーとか、ブルジョア大臣とか、あんな連中にまかせていたからこのざまだ、もうあんなやわな連中に、この国のことをまかせちゃいられない。武装してぶっつぶせ、権力をうばいとって、オレたちの手でこの世のなかをかえるんだ、すべての権力をソヴィエトにと。

一〇月二四日、臨時政府とのドンパチがはじまり、翌日には、政府の主要施設をうばいとった。二六日には、政府閣僚がいた冬宮をうばいとっている。ケレンスキーこそのがしたものの、これでほとんどの閣僚を逮捕。一〇月革命である。めでたし、めでたし、だったらよかったのだが、こっからさきは地獄絵図。つづく！

おしゃべりはもうたくさんだ
全員暴走、秩序紊乱

ついに臨時政府をやっつけた。じゃあ、あたらしい憲法をっていうことで、一一月一二日、憲法制定会議のメンバーをきめる選挙がおこなわれた。このとき、ソヴィエトのなかで発言力をつよめていたボルシェビキは、ぜったいに勝つとおもっていた。でも、フタをあければ、得票率は、社会革命党が四〇パーセント、ボルシェビキが二四パーセントで、立憲民主党が五パーセント、メンシェビキが三パーセント。ボルシェビキは第二党だった。おもいどおりになりやしねえ。

この結果をうけて、レーニンがヘリクツをこねはじめる。みんなで議論して、みんなであたらしい憲法をつくって、みんなであたらしい国をつくるってのは、ブルジョア社会の発想でしかない、オレたちは、もっと高次の段階にすすまなくちゃいけないんだと。なにいってんのとおもうひともいるかもしれないが、そういうことだ。自由主義では、だれがただしいのかを競いあって、勝ったやつが権力を手にするわけだが、ボルシェビキにとって、ただしいことははじめからきまっている。労働者の平等だ。そのために、強力な権力をふるっちまえばいいのである。プロレタリアート独裁だ。

　てなわけで、とつぜん憲法制定会議をディスりはじめたボルシェビキ。一九一八年一月五日には、タヴリーダ宮でその会議がひらかれたが、ボルシェビキはこれをみとめない。外では、ちゃんと会議をみとめろっていうデモがくまれていたが、ボルシェビキはソッコウで軍を派遣し、ぶっつぶしちまった。発砲して、死傷者までだしている。よっ、民衆の敵。その後、会議はおおもめにもめ、翌日まで延長になったが、これで業をにやしたボルシェビキ。タヴリーダ宮の守備隊長をうごかし、議員たちに銃をむけて、強制的に解散させちまった。ムチャクチャだ。

　とまあ、一般的にはそういわれているのだが、じつは、このとき会議を解散させた守備隊長はアナキストだった。クロンシュタット要塞《ようさい》からきていた、アナトーリ・ジェレズニャコフってひとだ。もともと、かれは国家もいらなきゃ、憲法もクソだとおもっていた。それなのに丸一日、これからの国はどうあるべきかとか、ウゼエことをきかされつづけたのだ。で、やっとおわったとおもったら、もう一日やりますとかいっている。ふざけんじゃねえ。ということで、このジェレズニャコフさん、翌日、会議がひらかれると、ひとりテコテコと壇上にのぼり、こうさけんだ。「守備隊はつかれました！」。議長がなにいってんだと制止するが、これにジェレズニャコフが逆ギレしてしまう。

守備隊は疲れていると言っているんだ。議場から全員出るよう頼んでいるのだ。それに、もうこんなおしゃべりはたくさんだ！　君たちも、もう十分おしゃべりはしつくしたろう！　出てゆけ！[4]

マジヤベエ、かっこよすぎだ。憲法制定会議、マジウゼエっておもっていたアナキストが、オレたち、つかれました、もうこんなおしゃべりはたくさんだっていって、ムリやりおわらしちまったのである。でも、この偶然の出来事にのっかったというか、利用したのが、ボルシェビキだ。もう敵対勢力もいないことだし、やりたいほうだい。アナキスト、ありがとねってことで、一月一〇日、ソヴィエト社会主義共和国をたちあげている。国家としてのソヴィエトだ。

ちょっとこれだけだと、アナキストがボルシェビキに利用されましたっていうだけのはなしになっちまうので、なんで、かれらが憲法制定会議に反対していたのかについてもふれておこう。

同志諸君、言辞を信用するな！　行動だけを信用せよ！

憲法制定会議も党も指導者も信用するな。己れ自身と革命のみを信頼せよ。諸君自身だけが――すなわち、君たちの地方の大衆から自然に盛り上った組織、党のではなくて労働者の組織、それから地域の直接的、自然的な連合――君たちだけが、新しい生活の建設者であり、主人となれるのだ。憲法制定会議も中央政府も党も党の指導者もなれはしないのだ[5]！

これは一九一七年一一月一八日に、『ゴロス・トゥルダ』っていう、アナルコ・サンディカリズムの機関紙にかかれたものだ。アナキストにとって、革命ってのは民衆が自分たちの生活を自分たちでなんとかしはじめるってことだ。そうしながら、どんどんどん、ああやっても生きられる、こうやっても生きられると、自分で、自分たちで、あたらしい生活の方法をみつけだしていく。でも、クロポトキンがいっていたように、ほとんどの革命家はそ

4　ヴォーリン『1917年・裏切られた革命――ロシア・アナキスト』野田茂徳、野田千香子訳、現代評論社、一九七一年、一一六頁。

5　前掲書、一一三頁。

んなふうにおもっちゃいない。革命ってのは、あらたに憲法制定権力（Constitutional Power）をつくりだすことだとおもっている。国のかなめである憲法をおったてて、司法でも立法でも行政でも、その制度に権限をあたえてくれる根源的な力をつくりだすことだとおもっているのだ。

この憲法制定権力というのは、構成的権力とも訳されるのだが、これだいたい、ふたつの意味があるっていわれているわけだ。[6] 構成された権力と、構成する権力だ。構成された権力ってのは、ネガティブな意味でつかわれていて、いままでの国のありかたはふるくなってしまった、その統治形態は形骸《けいがい》化してしまった、みんなの利益にそぐわなくなってしまった、みんなの意志から乖離《かいり》してしまった、みんなから受動的にしかうけとめられなくなってしまった、権力が腐っちまったんだと。

で、それじゃダメだから、いちどしきりなおして、みんなが自分たちの意志にのっとっているとおもえるような、主体的にうけとめられるような、いきいきとした権力をつくりましょう、あたらしい秩序をうちたてましょうっていわれるようになる。それが構成する権力だ。そんでもって、革命家がウザいのは、みんな自分たちこそがその構成する権力の担い手なんだとおもいこんでいるってことだ。社会革命党が憲法制定会議でやろうとしていたのもそういうことだし、それをぶっつぶして、国をおったてちまったボルシェビキだってそうだ。そこに真の民主主義のためにとか、真の共産主義のためにとか、やたらめったら美辞麗句がはりつけられているのが、またいやらしい。はっきりいっておこう。よりよい権力？　ヘドがでるぜ、チャッハハ！

しかもこれ、いいかたをかえれば、オレ、マジ、権力者っていってるだけなのってわかるだろうか。あたらしい権力がたちあがっちまっているんだから。アナキストが、憲法制定会議なんて、構成的権力なんて、くだらねえんだよ、いらねえんだよっていっていたポイントはそこにある。たとえば、かりに労働者のための秩序ができて、あらゆる人びとに仕事をあたえましょう、はたらきにみあった賃金をだしましょうみたいになったとしても、そこにはかならず支配がうまれてしまうだろうと。ほんとにはたらきたくなくて、家でゴロゴロしているやつがいたら、きっとボルシェビキにたたき殺されるだろうし、小説や詩、音楽だって労働意欲をたかめるやつじゃなきゃダメだとか、てめえら役にたたねえ歌をうたってんじゃねえよとかいわれそうだし、都会を捨てて狩猟採集や自給自足でやっているひとも、遅れているだの、未開だのいわれてさげすまれるだろう。

6　構成的権力については、不可視委員会「やつらは統治を背負わせようとする、われわれはその挑発にはのらない」（『われわれの友へ』HAPAX訳、夜光社、二〇一六年）を参照のこと。

この社会に秩序があるかぎり、かならず、ひとはこう生きるべきだとか、こいつはつかえる、つかえないとか、そういう善悪の基準ができちまう。だから、さっきのジェレズニャコフなんかは、オレたちはそんなもんをつくるために闘ったんじゃねえぞっておもって、憲法制定会議をぶっつぶしちまったわけだし、かといって、ボルシェビキにも信頼をおいていなかった。かれらは、たんじゅんにこうおもっていたのだ。たとえだれであれ、革命の力を権力にすげかえるやつらはゆるさねえ、たたきのめせ。憲法はいらない、権力はいらない。ついでに世界もいらないんだ。おしゃべりはもうたくさんだ。全員暴走、秩序紊乱《びんらん》。まあそれができなくて、けっきょくボコボコにされちまうわけだが、それはこれからゆっくりみていくことにしよう。

ああ、革命はおわりもうした
粛清、粛清でございます、アーメン！

一九一八年三月三日、ソ連はドイツやオーストリア・ハンガリー帝国との講和をむすんだ。ブレスト・リトフスク条約だ。ボルシェビキは、とにかく休戦がしたかった。でも、この代償はおおきくて、それまでロシアの領土だったフィンランド、エストニア、ラトヴィア、リトアニア、ポーランド、ウクライナ、カフカスの一部を手ばなすことになった。むろん、ひとがすんでいる場所を勝手にゆずりわたすとかわたさないとか、てめえら、なにいっててんだよってことで、国内で批判がたかまる。しかも巨額の賠償金をはらわされることになったので、経済もムチャクチャだ。

さらにさらにだ。おいうちをかけるように、五月になるとシベリアで捕虜にしていたチェコスロバキア軍が反乱をおこし、これをすくうんだとかいって、日本とアメリカが攻めこんできた。いまもむかしもキタナイやつらだ。しかもこれに呼応して、旧ロシア帝国の将軍たちが反乱をおこしはじめた。コルチャーク、デニーキン、セミョーノフ、ヴランゲリなど、すげえつよいやつらだ。こいつらは総称して、白軍とよばれている。これはなんとかしてふせがなきゃいけねえ。トロツキーをトップに赤軍を創設。これで、国の防衛にあたることになった。

でも、ここからがやばい。国が戦争でたいへんだからと、六月になって、ボルシェビキは戦時共産主義っていう方針をとった。これがまたひどいもんで、まずあらゆる企業を国有化し、国のいうことをきかせるわけだ。必要なものだけをつくらせるようにしていく。で、軍事物資とか、つくってくんなきゃこまるわけだから、もうはたらけねえとか、サボっちまえとかいうやつらがでるのがゆるせないわけだ。労働規律を徹底させ、ストライキをおこしたら、さいあく銃殺刑にする。こわすぎだ。はたらかないやつらがいたら、しめしがつかないからみせしめだ。そんでもって、食うもんがなきゃ闘えんぞってことで、農村からいつでもいくらでも強制徴発していい、食糧をうばいとっちまってかまわないっていう掟《おきて》もつくっちまった。これも、こばめば銃殺だ。どひゃあ。

もちろん、そんなことをやっていたら、ブースカいう連中がでてくるわけだ。で、レーニンがフル活用したのが秘密警察、チェカ（非常委員会）。あいつら、お国に文句をいってますぜってのがわかったら、いや、そういううわさがあったり、ちょっとでもあやしいっておもったら、とっつかまえて銃殺する。口実なんてのは、あとででっちあげればいい。何人かみせしめでやっちまえば、みんなこわくてなんにもできなくなる。ボルシェビキは、このチェカをつかって、民衆をしたがわせたのだ。やってることは、かんぜんに恐怖政治。こういってもいいだろうか。レーニンはテロリスト。

まあまあ、これで食糧をうばって、うばって、うばいまくり、それを戦地におくっていったのだが、都市ではメシが食えなくて、飢えている民衆がたくさんいた。どうしたらいいか。お国はなんにもしてくれない。ならばということで、たちあがったのがゴロツキたちだ。自分たちで勝手に、闇市的なものをたちあげていく。闇ルートで農村から食糧をゲットし、それを都市でさばけるようにしたのだ。たいしたもんである。でも、これをしったボルシェビキ、大激怒だ。あの山賊どもをぶっつぶせといって、おもだった道路にポリ公を配置した。

検問を徹底させ、物資をはこぶトラックをかんぜんにおさえこんじまった。没収につぐ没収。ハイハイ、民衆は飢えてもガマンですと。闇ルート、壊滅だ。

じゃあ、アナキストはどうしていたのか。もののみごとに、ぶっつぶされている。まず、一〇月革命の時点で、軍隊にはいっているアナキストたちは、ボルシェビキやべえぞっておもったわけだ。で、革命軍のなかでも、モスクワで大活躍したドヴィンスキー連隊ってのがあって、これがアナキストの部隊だった。指揮官はグラチョフ。かれはいざボルシェビキがわるさをはじめたら、どっからでも武装蜂起《ほうき》してたたかえるようにしなくちゃいけないとおもい、いくつかの工場にライフル銃や弾薬をおくっておいた。でも、これがボルシェビキにバレちまう。ある日、政府に軍事上の相談があるからといってよびだされ、いってみたら銃殺だ。いちおう公式発表じゃ、まだ銃のあつかいかたをしらない新兵が、誤射しちゃったみたいになっているが、どうもヒットマンに暗殺されたらしい。ありがとう、死んでください、アナキスト。昇天だい！

もちろん、これにとどまらない。言論弾圧もすごいもんで、一〇月革命後、ボルシェビキは自分たちを批判してくるアナキストをとっちめにかかる。やれ、アナキストは山賊だ、やれ、あいつら犯罪者だ、やれ、反革命的なことをやっているっていうキャンペーンをはって攻撃をしかけてきた。そして、むかえた一九一八年四月一一日の夜。この日、モスクワにあったアナキストのアジト、二六ヵ所がチェカに襲撃された。最大拠点だったアナキスト連盟の本部もやられていて、これにアナキストは応戦。すさまじい銃撃戦のすえ、チェカをふくめて数十名が死亡、数百名のアナキストが逮捕された。

もう印刷もできないし、講演会をひらこうとおもってものきなみつぶされちまう。アナキストの出版物もつぎからつぎへととりしまられていって、さいごは発禁レベルじゃない、逮捕されてぶっ殺された。もう政府批判もできやしねえ。ならばといって、ヴォーリンやアルシノフといったアナキストたちがウクライナを拠点にしながら、『ナバト（警鐘）』っていう機関紙をだしていたのだが、かれらもこれからみていくマフノ運動の敗北後、のきなみやられてしまう。なにもいえねえ。ウキィ。

なにかものいおうものならば、チェカにつかまってぶっ殺される。たいていはでっちあげでつかまって、裁判もなしに、極寒の地に流刑になるか、それともその場でうち殺されるか、どっちにしても殺されるのだ。もうどれだけやられたのかもわからない。殺、殺、殺、粛清だ。どうもトルストイ主義者といって、マジでいい人たちっていうのだろうか、平和主義者で、自分についたノミさえも殺さないような人たちまでつかまって処刑されたんだそうだ。アナキストがロシアから一掃されていく。

ちなみに、それをみてトロツキーはこういったんだという。ついに、あのクズどもを鉄のホウキではきだしてやったぜ、ヘッヘッヘと。ごくろうさん。じつはその後、トロツキーはまったくおなじことばで、スターリンに粛清されてしまうのだが、まあ、滑稽《こっけい》だぜとか、ひとの悪口をいうのはやめておこう。ヘッヘッヘ。ついでにもうひとつだけ。一〇月革命後、亡命先から、クロポトキンがロシアにもどってきた。あのクロちゃんである。でも、このありさまをみて、かれはこういったんだという。ああ、革命はおわりもうした。粛清、粛清でございます。アーメン！

ツァラトゥストラはこういった
みんな警察がキライ

でも、まだだ。まだおわっちゃいない。食糧の徴発があまりにきびしかったので、ボルシエビキにたいする農民反乱があいついだ。いちばんおっきかったのは、一九二〇年、タンボフ県の農民反乱で、元社会革命党の闘士、アントーノフってのが農民をひきいて、ボルシェビキの赤軍にゲリラ戦をしかけた。人数も五万人くらいいたし、けっこうがんばったのだが、さいごは赤軍がほんきをだしてくる。トハチェフスキーっていう超極悪人がやってきて、殺《や》られちまったのだ。

このとき、毒ガスが使用されて、男も女も子どもも老人も、ムッチャクチャに虐殺されている。赤軍に占領された村々では、ひどい迫害がなされていて、「おまえ名前は？」ってきかれて、こたえなかったら、その場で射殺していいみたいになっていたらしい。だれがゲリラ兵かわからないからってことだが、敵ならなにしてもいいんですかってはなしである。チクショウ！　しかし考えてみると、それから一〇〇年後、いまの戦争でも、おやおや、あのへんにテロリストがいるらしいですよってなったら、民家でもなんでもかまわず、空爆でぶっ殺しまくっているわけで、ある意味じゃ、あらゆる戦争がボルシェビキ化したっていってもいいのかもしれない。チクショウ！

しかし、そんななかでだ。ウクライナで赤軍ともたたかい、かといって、旧体制にひきもどそうとする白軍につくわけでもなく、どっちも死ねっていって、たたかっていたやつらがいた。ネストル・マフノひきいるパルチザンだ。これ日本じゃ信じられないかもしれないが、マフノはかんぜんにアナキスト、でもすごいことに、いまじゃウクライナの国民的英雄みたいになっている。じっさい、わたしが、まだ二〇代だったころのことだ。たまたま大学のゼミに、ウクライナ出身の留学生がいたので、まあしらないだろうとおもいつつ、「じつはオレ、マフノってアナキストが好きなんだけど、しってる？」ってきいてみたら、「うおおお、栗ちゃん、あたりまえじゃん。ウクライナでキライなやつなんていねえよ」っていって、興奮しながら、両手で握手されて、そのあとすげえ仲良くなったのをおぼえている。ちなみに、その留学生はアナキストでも左翼でもなんでもなくて、どっちかというと右よりのひとなのだが、それでもそんなかんじなのだ。こっからは、そのマフノについて紹介していきたいとおもう。マフノ水滸伝《すいこでん》のはじまり、はじまりだ。

一八八九年、ネストル・マフノはウクライナ南東部のグリャイポーレってとこでうまれた。お父さんのイワン・マフノは元農奴。一八六一年、農奴解放令がでたあとは、カネもちの馬の世話係としてはたらいていたのだが、体をこわし、わかくして亡くなっちまう。そんなわけで、マフノの家はドビンボーだ。一四歳、小学校を卒業したマフノは、さいしょ牧童っていって、放牧用の家畜を世話していたのだが、そのあと、染色工場の雑用係としてやとわれる。こっからが急展開。一六歳のとき、近所の鋳物工場にいた友だちにさそわれて、そこの工場でやっていた演劇サークルにはいる。居心地がよかったのか、仕事もこっちの工場にうつしている。

で、その演劇サークルから、わるい友だちができていくのだ。貧しい農夫同盟ってとこにさそわれて、そこにでいりする。これがアナキストのチンピラ集団みたいなもんで、カネもちを襲撃し、うばいとれるものはうばいとり、マジでわるいやつらはぶっ殺すんだと、そういうやからたちだった。それまで、ロシアじゃナロードニキがさかんで、インテリが農村にはいってきて、よしっ、カネもちをぶっ殺せとかいっていたのだが、もうそういうレベルじゃない。ふつうに田舎のチンピラたちが、おなじことをやりはじめたのだ。そりゃそうで、すでに一九〇五年、ロシアじゃ、いちど革命がおこっていた。それが若者たちの心に火をつけたのだ。やれる、やれる、もっとやれる、なんでもやれる、なんにでもなれる。よーしっ。チンピラ上等、掠奪《りゃくだつ》よし。

このとき、リーダーだったのがアントニっていう若者で、どうもニーチェが好きだったらしく、あだ名はツァラトゥストラ。マフノはこのアントニから、アナキズムについての考えかたをまなんだらしい。アントニは、ロシア各地のアナキストと連絡をとり、アナキズムの文献といっしょに、爆弾やピストルをゲットしてきた。このチンピラ集団、けっこう求心力をもっていて、メンバーは五〇人ほど。シンパもふくめれば、二〇〇人くらいはいたんだという。一九〇六年から活動開始。カネもちをおそっては、銀塊を掠奪した。とうぜんマフノもこれに参加。かつての自分の雇い主なんかも、おそっていたんだそうだ。その後、警察とのドンパチがはじまって、おっ、そっちがその気だったらということで、グリャイポーレの警察署長をぶっ殺した。

おのれ、山賊どもといって、後任の新署長がスパイをはなち、貧しい農夫同盟にしのびこませたが、すぐにバレて血祭りにあげられる。へヘッ。だが、それでも警察は手をゆるめなかった。むしろ躍起になってアナキストの弾圧にのりだした。その結果、一九〇八年八月には、アントニともうひとりのリーダー、セメニュタをのぞいて、全メンバーがつかまってしまった。アチャチャッ。マフノもとっつかまっている。このあと、セメニュタはいちど逃げおおせたものの、二年後、警察においつめられて自殺。でも、その直前に、憎《に》っくき新署長を暗殺しているから、まあたいしたもんだ。ヤバイ！　アントニはアルゼンチンに亡命し、そっからウルグアイにわたって、革命運動に参加した。ウヒョオ、かっこいい。ツァラトゥストラはこういった。みんな警察がキライ。

で、マフノはというと、いちど絞首刑の判決をうけるが、まだ未成年だったので、無期懲役に減刑された。あぶねえ、あぶねえ。とはいえ、無期懲役だ。ああ、オレの人生はおわったとおもっていたら九年後、一九一七年の二月革命だ。これでマフノは政治犯として釈放される。春三月、ひさびさに地元、グリャイポーレにもどってみると、なんか権力者にたちむかったヒーローがかえってきたぞということで、やたらめったらチヤホヤされた。そう、マフノは、一夜にして地元の名士になったのだ。

こりゃいけるぞ。マフノはすぐに地元のチンピラをあつめて、もとい、アナキストをあつめて、農民同盟ってのをたちあげた。いまここで、農村コミューンをつくってやるぜ。そういって、マフノはグリャイポーレのすべての地主から土地と財産をまきあげて、それを土地なし農民や、帰還兵、そして仕事がなくてフラフラしていたチンピラたちにわけあたえた。

共同農地をつくって、そこではたらきたいやつははたらけるようにして、それじゃイヤだってやつには、土地と家畜、耕作機をわけあたえ、自分の農地をもてるようにしてやった。けっこうちゃんとしている。

マフノは、そういうのを近隣地区もまきこんでやっていった。あっ、ちなみに、まだこの時点では、そこまであらっぽいことはしていないのだけれど、反発する地主でもいようものなら、すぐにそこに駆けつけて、「てめえ電柱につるすぞ」といっておどしていたんだそうだ。あきらかに、わかいころの経験がいきている。格言をくりかえしておこう。ツァラトゥストラはこういった。みんな警察がキライ。盗《と》っちまいな。掠、掠、掠、されど掠だ。いくぜ、山賊アナキズム、オーレイ！

モスクワのクロちゃん

しかし、一九一八年三月、ブレスト・リトフスク条約がむすばれると、ウクライナにドイツ軍とオーストリア軍がせめてくる。そのあとおしをうけて、地主とカネもち、ブルジョアのみかた、ヘトマン・スコロパツキーが政権についた。とんだ保守政権だ。軍事力にものをいわせて、うばわれた地主の土地をつぎつぎと奪還していく。四月には、マフノがいたグリャイポーレにもその手がおよんだ。

マフノは軍をひきいてたたかったが、いかんせん兵力がちがう。負けて、負けて、負けまくった。とにかく逃げろ。村々にかくまってもらうが、地主たちの憎悪が、すべてマフノにむけられる。オレたちの財産をかすめとった、あの悪魔、マフノの首をあげろ。そういって、ドイツ、ウクライナ軍によるマフノ狩りがはじまった。

でも、まずしい農民たちが、必死にマフノをかくまう。マフノはなかなかつかまらない。だったらといって、ドイツ、ウクライナ軍はマフノの実家を襲撃。火をはなって、焼きはらった。本人がいないならと、そこにいたマフノの兄ちゃん、エメリヤンをとっつかまえて、銃殺している。ヒャッハッハ、悪魔の家族を血祭りにあげてやったぜと。そうやって、マフノをおびきだそうとしたのだ。うおおお、アンちゃん!!!　いまにみてろ。ぜったいかたきをとってやる。殺ス、殺ス、マジ殺ス。そうおもいながら、マフノは逃げて、逃げて、逃げまくった。なんとか仲間をふやすことはできないものか。六月、マフノはモスクワまでやってきた。

だれかたすけてください、たすけてください。アナキストはみなきょうだい、きっとだれかがたすけてくれる。ワラにもすがるおもいで、モスクワの友人をたよった。でも、時期がわるかった。さっきもいったように、この二か月まえ、モスクワのアナキストたちはボルシェビキにアジトを襲撃され、みうごきがとれなくなっていたのだ。みんな、つかれきっている。マフノはあうひとあうひと、ウクライナのために手をかしてくれといったが、いい返事がかえってこない。なんだよ、このヘタレインテリどもが、ムダに勉強ばっかりしやがって、たよりにならねえ！　ゴメンネ。

そんなことがあって、ガックシしていたマフノさん。でも、そんなかれにすげえはなしがまいこんだ。レーニンにあってみないかと。おおっ、マジっすか。もちろん、モスクワでアナキストがなにをされてきたのかはしっていたのだが、でも、かのレーニンがどんなやつなのか、ぜひともみてみたい。さっそくモスクワの中心部、クレムリンまでいってみた。宮殿がいっぱいある観光地みたいなところなのだが、そのなかの、ある建物にとおされて、レーニンがやってきた。さいしょはやさしくはなしかけてくる。いろいろと、ウクライナの情勢についてたずねられた。きみはどんなことをやってるんだいときかれたので、農民といっしょに武器を手にとって、地主や貴族とたたかっているんですとこたえたら、レーニンはあざわらうかのように、でもきみたちはアナキズムに感染しているんだろう、反革命なんだろうっていってきた。

なんだこいつ、やる気なのか。負けじとマフノも、へぇえ、そうですかい、でもねえ、ウクライナの赤軍はよわっちくて役にたたないんすよ、ザコなんですわ、まいりましたね、アッハッハみたいなことをいってみた。これで気をわるくしたレーニン。だいたい、おまえモスクワになにしにきたんだとたずねてくる。そりゃ、アナキストの友人とコンタクトをとるためだとこたえると、レーニンはまたしたり顔でこういってくる。このまえ、アナキストのゴロツキどもをぶっつぶしてやったぜと。クソっ、このやろう。マフノが、なんでそんなことをしたんだとたずねると、レーニンはこういったんだという。あいつら、ギャングだからね、浄化しちゃったよ、ヒャッハッハと。殺ス、殺ス、マジ殺ス。こうして、ふたりの面会はおわりをむかえた。まあ、どっちも大人げないが、やっぱり権力をにぎっているぶん、レーニンのわるさがにじみでている。

ああ、都会はもううんざりだ。かえりてえ。そんなことをいいながら、街をあるいていたら、友だちのアルシノフが、おまえ、かえるまえに、せっかくだからクロポトキンのじいさんにあってみたらどうかとすすめてきた。あのクロちゃんだ。ううん、よしっ。とりあえず、いってみることにした。ドアをたたくと、クロちゃんがでてきて家にあげてくれた。すげえ礼儀ただしくせっしてくれて、こっちのはなしをうん、うんといいながらきいてくれる。超いいひとだ。でも、ウクライナの革命運動について、なにかアドバイスをくれないかというと、クロちゃんはこう即答した。「ことわる」。ええっ!?　なんでだときくと、この問題はあんたや、あんたのなかまをキケンにさらすことになる、だから、あんたたちの決意で、あんたたちがおもったことをやんなきゃダメなんだよと。おまえがやれ、おまえがやれ、おまえが舵《かじ》をとれ。さらにつづけて、クロちゃんはこういった。

親愛なる同志、闘争には感傷は許されない、ということを忘れてはいけませんよ。犠牲的精神、目標へ向かって突き進む固い意志と決意が何物にも打ち克つのです……。[7]

やべえ、いいことばだ。ありがとう、クロちゃん！　そうだ、そうなんだ。闘争に感傷はゆるされない。地主、ブルジョア、侵略軍、そして主人づらしたブタやろうども。殺せ、殺せ、ブッ殺せ。やるならいましかねえ、いつだっていましかねえ。毎分毎秒、死ぬ気でいくぜ。こうして、マフノはウクライナへともどっていった。

水におちた犬はうて
マフノ、三〇人で三〇〇〇人を討つ

さて一九一八年六月、マフノはグリャイポーレにまいもどった。村人のまえにたち、公然と演説をぶった。てめえら、あの侵略者どもをおいだすぞ、あのいばりくさった地主どもに目にものみせてやれ。いくぜ、パルチザン。うおおお、マフノがやる気だ。このうわさが近隣の村々にしれわたる。続々と、腕っぷしのいい若者があつまってきた。もともとマフノのもとには、親友、マルチェンコを筆頭に、地元のアナキストなかまが八〇人くらいいたのだが、そこにだんだんとわかい農民兵もくわわってくる。正確な人数はわからないが、さいしょは数百人というところだろう。

かれらは、ふだん農村ではたらいているが、いざマフノがうごこうとするとサッと結集し、敵を殺戮《さつりく》して、ことをおえるとすぐにチリヂリになって農民にもどっていった。これすごいもんで、かりにドイツ軍やウクライナ当局が大軍をひきつれ、とっちめにきたとしても、みんなふつうにはたらいているから、だれをとっちめていいのかわからないのだ。あっ、そうそう。さっきパルチザンってことばをつかったが、これは非正規兵っていう意味だ。ふだんは農民。いわゆる国家の正規兵とはちがうわけだ。

で、これよわそうにきこえるかもしれないが、そうじゃない。正規兵にとっては予期せぬたたかいかたをしかけてくるわけだから、得体がしれない、つよいのだ。いくら大軍をひきいてきても、だれが兵士かわからない。だからつかまえられない、逃げられる。これはつよ

7　ピョートル・アルシノフ『マフノ運動史　1918 - 1921——ウクライナの反乱・革命の死と希望』郡山堂前訳、社会評論社、二〇〇三年、三一九頁。

みだ。しかも、マフノはそのつよみを最大限いかすために、きほん、夜中に敵をおそった。闇にまぎれて行動すれば、生きのこった敵兵がいても、農民の顔が特定されない。匿名性を武器にせよ。バレずにうごけ、パルチザン！

ちなみに、マフノ軍の鉄則はただひとつ。農民の敵をせん滅することだ。これは誇張していっているんじゃない、マジでみな殺しだ。マフノはグリャイポーレ近辺にかぎらず、もう東西南北、ウクライナ全土に馬をはしらせ、地主のブラックリストみたいのをつくっていって、こいつはひでえやつだ、主人ぶってんぞってのがいたら、その屋敷を襲撃。みな殺しにして、風のようにさっていった。はやいのだ。ひとつの村をおそったら、翌日は一キロはなれた村をやっていて、気づけばもう何十キロもさきにゆくえをくらましている。しかもとちゅうで、村人をこまらせている守備兵やドイツ軍がいるってきいたら、すかさずそこにおもむいて、やっぱりみな殺しにしてさっていく。

なんだ、あいつは。ドイツ、オーストリア軍がほんきをだして、つぎつぎと大隊を派遣してくるが、ムダなこと。マフノ軍はうごきがはやすぎて、ぜったいにとらえられない。どうもマフノはひとつの村をおそうとき、さきに逃走ルートを確保しておいて、しかもつねに馬が全速力ではしれるようにと、その道、道に、替えの馬を用意しておいたらしい。それで、ふつうの騎兵隊じゃ考えられないようなスピードで移動していたのだ。わざわざ日本史になぞらえる必要なんてないかもしれないが、こういうの大好きなのでいっておくと、山崎《やまざき》の合戦のときの秀吉《ひでよし》軍みたいだ。中国大返し。風がかたりかけます、はやい、はやすぎる。逃げるが勝ちだね、ウッキィ！

　もちろん、マフノがすごかったのは逃げ足のはやさだけじゃない。神出鬼没の戦術もあった。ドイツ、オーストリア軍は、なんどもマフノ捕獲部隊をくりだしてきたが、マフノはそのたびに、そいつらを血祭りにあげていた。もちろん正面きってたたかっていたわけじゃない。武器も兵力もまさる敵とまともにたたかったって、ぜったいに勝てないのだから。だから、どうしたのかというと、まず敵兵がきて、あそこにマフノがいるんじゃないかといって村をおそってきたとする。そうしたら、みんなで農民のかっこうをして、どうぞどうぞといって、笑顔でなかにとおしたりするわけだ。で、あれ、ここにはいないかと敵兵がゆだんしたスキをみて、あらかじめ土のなかにかくしておいた銃をとりだし、うしろから、デンデンデーンッとメッタうちにしてしまう。圧勝だ。

　それから、こんなこともあった。これもマフノ捕獲部隊がおくられてきたときのことだ。マフノは精鋭の何人かといっしょに敵の軍服をきこみ、ちゃっかり敵兵のなかにしのびこんだ。それで、いやあ、マフノって憎たらしいやつっすね、どんな顔をしているんでしょうかねみたいなことをいったりして、なかよくなったりするわけだ。で、機をみて、内側から銃をぶっぱなし、一瞬でみな殺しにしてしまう。圧勝だ。

こういうのをくりかえしているうちに、あいつ、マジヤベエぞってことで、おなじくウクライナ南東部でパルチザンをやっていた輩《やから》たちが、マフノのもとにはせさんじてきた。ベルジャンスクってとこでやっていたクリレンコ、そして、ジブリフキでやっていたシチューシ、それにペトレンコの部隊だ。かれらがどういう連中だったかというと、いってみりゃ、ゴロツキだ、好漢である。いっしょに飲もうぜ、よお兄弟！

とはいえ、まだまだ兵力は貧弱、どうしたものか。そんなことをおもっていたとき、マフノに転機がおとずれた。世にいうジブリフキのたたかいだ。九月三〇日、ウクライナの地主たちが決起する。あの大悪党、マフノを血祭りにあげろ。あいつだけはゆるせねえ。そういって義勇兵をつのり、ドイツ、オーストリア軍といっしょに、三〇〇〇人ほどでマフノの捕獲にかかった。

マフノ、ヤバイ、マジピンチ。だって、それまでのドイツ、オーストリア軍とちがって、富農とはいえ、地の利にくわしいやつらが敵兵にくわわったんだから。しかもやたらと士気がたかい。ゆだんしていたのか、マフノは、ジブリフキで三〇人ほどの小部隊でいたところ、あっさりと敵兵に包囲されちまう。いったん森に逃げこんだが、どこもかしこもまわりは敵だらけだ。逃げ場がない。もうダメだ、慌てたなかまがマフノをみると、なんかやたらとおちついている。そして、なんかブツブツとつぶやいているのだ。ヘッヘッヘ。負ける気がしねえ。よーしっ、かちこんでやるぜと。マフノはやる気満々だ。そんなすがたをみて、シビレちまったんだろう。そばにいたシチューシがこういった。

> これからはお前が俺たち全員のバチコだ、俺たちはお前といっしょに反乱の隊列で死ぬことを誓う。[8]

このバチコっていうのは、ウクライナのことばで、「尊敬する父上さま」みたいな意味だ。ゴッドファーザーみたいなかんじっていえばわかるだろうか。以後、マフノはみんなからバチコ、バチコってよばれるようになった。ちなみに、それまでマフノは体がちっちゃくてすばしっこかったから、チビ助とかサルってよばれていたらしい。それとくらべたら、たいしたかわりようだ。おとっつぁーん。ウキャッ！

そんなわけで、みんなの士気がたかまって、死ぬ気で敵におそいかかった。敵の野営地に奇襲をしかけたのだ。正面からは二十数人でマフノがつっこみ、側面からは五、六人でシチ

8　前掲書、五六頁。

ユーシがつっこんだ。突撃をしかけながら、マフノはドーンッ、ドーンッと銃をぶっぱなし、ケモノのように雄叫《おたけ》びをあげた。ウーラーッ！ウーラーッ！　するとどうしたことか、不意をつかれた敵兵はパニックにおちいり、大軍にせめられていると錯覚してしまった。銃、弾薬、機関銃に、軍馬、食糧、すべてをすてて逃げまどう。

うおおっ、こりゃいけるぜ。こういうときは、敵におちつくいとまをあたえちゃいけない。水に落ちた犬はうて。みな殺しだ。マフノは、逃げまどう敵兵たちをようしゃなく追撃し、斬って、斬って、斬りまくった。マフノ、三〇人で三〇〇〇人を討つ。圧勝だ。この一報は、またたくまにウクライナ全土にしれわたり、バチコといっしょにたたかいてえっていって、続々となかまがふえていった。こっからさき、マフノは数千人の部隊をうごかせるようになっていく。ウーラー、バッチこい！

シャラクセエ、黙れこのオタンコナス
てめえの腹をかっさばき、肝をえぐりだして食っちまうぞ

一九一八年一〇月から一一月にかけて、マフノ軍はウクライナのスコロパツキー政権に総攻撃をしかけた。よわい、よわすぎる。連戦連勝だ。もともと、三〇万人ちかくのドイツ、オーストリア軍にまもられていたのだが、なんかどっちも士気がひくい。じつはこのころ、ドイツじゃ革命の気運がたかまっていて、翌年にはスパルタクス団とかが蜂起するわけだし、オーストリア・ハンガリー帝国にいたっては、国内のいろんな民族が独立していって、さいごには国家が滅んでいる。ザマアネエ。

そんなわけでもう、どっちもウクライナどころじゃなくなった。一二月には、両軍ともに撤退している。これでまずいとおもったのが、スコロパツキー政権だ。マフノだとか貧乏人だとか、野蛮人みたいなやつらにたたき殺されるのはまっぴらごめん。そうおもったのか、たいした抵抗もせずに、サッサと国外に逃げだしてしまった。そう、勝っちゃったのだ。バンザイ！

でも、そこでサッと力をのばしたのが、ペトリューラだ。このひと、ウクライナの民族主義者でいくさ上手。で、そんなやつが、みなさん、ウクライナ人の、ウクライナ人による、ウクライナ人のための、平等な社会をつくっていきましょうみたいなことをいっていたわけだ。ざんねんながら、いまもむかしも、こういう中身のないことばってのがウケちまう。一九一八年末の時点で、ペトリューラは一〇万人以上の軍隊をひきいるようになっていた。ペトリューラはマフノにたいして、自分たちの軍門にくだれといってくる。マフノはそれをきいて大笑いだ。シャラクセエ、黙れこのオタンコナス！　てめえの腹をかっさばき、肝をえぐりだして食っちまうぞと。

だいたい、ウクライナ人の平等とかいっているが、こいつらぜったい、土地ももっていないような貧農のことや、仕事もなくてフラフラしているゴロツキのことなんか考えちゃいないだろう。それに、やれウクライナ人だ、やれ民族主義だっていっているけど、じゃあ、ウクライナでくらしているほかの少数民族はどうなんのか。したがえ、さもなくば殺せ？　えげつない支配じゃねえか。じっさい、ペトリューラは反ユダヤ主義者としてもしられていて、ユダヤ人の大量虐殺をやっている。ムチャクチャだ。畜生外道はゆるせねえ。マフノはたたかいにいどんだ。

やるなら、敵の拠点をおとしてやるぜ。このとき、ペトリューラ軍の主力部隊がいたのが、エカチェリノスラフ。ここはドニエプル川にはさまれていて、難攻不落の要塞みたいになっていた。じゃあ、マフノがどうしたのかというと、得意技のおみまいだ。精鋭たちといっしょに敵兵の軍服をきこみ、貨物列車にのって、スッとエカチェリノスラフのなかにのりこんでいった。列車からおりるなり、マフノたちはいっせいに銃をぶっぱなす。デンデンデーンッ。不意をつかれた敵兵は、すぐに退散。一瞬で、難攻不落の街をおとしちまった。うおお、すげえ。バンザイ、バンザイ、バンバンザイ！

でも、まあこれでうれしくて、うかれちまったんだろう。どうも守備兵が警備をおこたっちまったらしくて、すぐにペトリューラ軍に攻めこまれ、街を奪還されてしまった。ファック、ファック、ドンマイ。マフノは命からがら逃げだした。もちろん、逃げ足ははやいからつかまらない。じゃあじゃあ、ゆっくりお相手いたしましょうくらいにおもっていたら、ボルシェビキの赤軍もやってきたので、とりあえず、あの悪人はいっしょにぶっつぶしましょうということで、手をむすんだ。それで交戦をつづけていたら、ひと月、ふた月とたたないうちに、ペトリューラ軍が内部崩壊しはじめた。どうもペトリューラにしたがっていた農民兵たちが、こいつ、オレたちのみかたじゃないぞってことに気づいちまったらしい。一〇万人いた軍隊がバラッバラになり、一九一九年のはじめには二万人くらいになっていた。もう脅威じゃない。あとは赤軍、おまかせします。

しかしこれでおわんないのがウクライナだ。やっと一息つけるかとおもったら、こんどは南東部からロシア旧体制の復活をめざす白軍がせめてきた。デニーキンの軍隊だ。ちょうどこのころ、シベリア出兵でやられて、ボルシェビキ政権がガタガタだったというのもあったんだろう。この白軍、やたらといきおいがあった。軍勢だけいっても、この年の五月には一〇万人にもなっていたっていわれているから、まあすごかったわけだ。しかも、デニーキンもまた、パルチザンにたけていたから、マフノたちとしては、さらにその裏をかくような戦術を駆使しなくちゃ勝てなくなっていたのだ。ヤベエ、マフノ、マジピンチ。

そんなこともあって、グリャイポーレでは、どうしたらいいか作戦会議がひらかれた。このあたりは、マフノのおかげもあって、すでに解放区になっていて、地主からうばいとった農地をみんなでたがやすってだけじゃなく、村ごとにコミューンがたちあがっていた。あっ、ほんとに自由コミューンとか、労働者コミューンとかいう名前がつけられていて、あるところじゃ、それがだれなのかもしらずに、ローザ・ルクセンブルク・コミューンって名づけられていたとこもあったそうだ。テンションがあがる。

で、このコミューンじゃ、だれがどこをたがやして、どうたすけあっていくのがいいかってことから、どうやって自分たちの身をまもっていけばいいのかってことまではなしあわれていて、そのうえで、解放区全体の連絡会がひらかれて、どうするのかがきめられていたんだそうだ。ちなみに、この会議できまったことは、ふたつだ。ひとつは、なにがなんでもマフノをたすけろ。村々からわかい兵をつのって、グリャイポーレにおくりこむんだと。もうひとつは、食ってくってことと、軍事が緊急の課題になっているから、村々の代表者と、兵士からなる革命的ソヴィエトをたちあげるってことだ。なんかすげえマジメである。あえていっておけば、これが真のソヴィエトなんですってとこだろう。しかしおかげでマフノは、一万、二万人のパルチザンをうごかすことができるようになった。これでなんとかたたかえる。殺るぜ、白軍!

逃げろ、逃げろ、逃げろ
トンズラ、すなわち攻撃だ、逃げろ！

ここからはもう激闘につぐ激闘だ。なんどもやられそうになったが、敵の猛攻をしのいで、しのいで、ちょっとだけ討ってでて、すこしずつ敵兵をよわらせていった。このとき、大活躍したのがタチャンカだ。これ、マフノが発明したっていわれていて、馬車に重機関銃をのっけたというものだ。前方には二、三頭の馬と、そのたづなをにぎる御者がのっていて、後方には機関銃をぶっぱなす兵士がのっている。これがまた画期的で、もともと重機関銃ってのは、すげえ威力を発揮していたのだけれど、欠点があって、おもくてもちはこぶのがたいへんだったわけだ。いちど敵兵に襲撃されて、機関銃の場所までこられちゃったら、逃げることもできずにやられてしまう。

タチャンカはこれを猛スピードで移動できるようにしちゃったのである。もちろん、重機関銃がうしろについているから、うしろにしかうてない。ちょっと不便なんじゃないかとおもってしまいそうだが、そうじゃない。これなら敵兵よりもはやくうごいて、まちぶせしてうちまくることもできるし、なにより、マフノの必殺技は敵陣に奇襲をしかけ、殺せるだけ殺してトンズラだ。食糧や武器弾薬をうばえるだけうばいとって、それをもってトンズラすることもある。

で、うばったら全速力でトンズラするのだが、そりゃ敵兵におわれ、つかまっちまったり、うしろからうたれて死んじまうことだってあったわけだ。でも、そこにタチャンカがはいってきたら、はなしはちがう。形勢逆転だ。だって、敵兵が猛スピードでおってきたら、逃げながら重機関銃をダダダダッとぶっぱなすのだから。これには、どんなに精兵の騎兵隊だってやられちまう。三十六計、逃げるにしかず。逃げろ、逃げろ、逃げろ。トンズラ、すなわち攻撃だ。逃げろ！

そんなかんじでたたかいながら、マフノは赤軍と手をむすび、白軍をやっつけようとした。一九一九年七月、デニーキンが主力部隊をモスクワにむけ、ボルシェビキがピンチとなると、よっしゃオレにまかせろといって、マフノが白軍の背後をつく。これで総くずれとなった白軍は、赤軍にボコボコにされる。よーしっ、ここからマフノたちも総攻撃だ。さいごの決戦となったのが、九月二五日から二六日にかけてのこと。二五日、マフノは全軍をひきいて、ペレゴノフカまでやってきた。で、ちょっと休憩とおもってある村に滞在していたら、そのかんに、あたり一帯を白軍にかこまれてしまった。アアッ、ヤベエ。弱体化したとはいえ、まだ兵力も武器弾薬も、ぜんぜん白軍にはおよばない。みんなが慌ててマフノをみると、またひらきなおっているわけだ。ヘッヘッヘ、負ける気がしねえと。

で、この日の夜、マフノはみんなにこう指示をだした。全員、機関銃をもて。敵がせめこんできたら、死ぬ気でうって、うって、うちまくるんだと。そういうと、マフノはスッとすがたをくらました。そして翌日、午前三時、デニーキン軍が総攻撃をしかけてくる。なんどもしてやられてきたマフノ軍への怒りってのもあったんだろう、超つよい。みんな必死に抵抗するが、かなわない。ちょっとずつ後退し、おいつめられていった。もうダメだ、オレたちはいまここで全滅するんだ。

そうおもっていたら、なんかとおくのほうから、ウーラーッ、ウーラーッってケモノみたいな雄叫びがきこえてきた。うおおお、まさか！　まさか！　そう、マフノである。マフノは前日の夜から精鋭をひきつれて、ふかい窪地《くぼち》に身をひそめていたのだ。で、デニーキン軍がマフノをおいこんだとおもい、前方だけに目がいったその瞬間に、その外側からパッとせめこんできたのだ。マフノが猛スピードでつっこんできて、サーベルで斬って、斬って、斬りまくった。おどろいたデニーキン軍が、またもや総くずれ。

いける、いける、いまならいける。白兵戦だ。もうダメだとおもっていた兵士たちも、サーベルをぬいて斬りかかる。斬って、斬って、斬りまくった。デニーキン軍はチリヂリになって敗走し、それも逃がすまいと、マフノ軍はひたすらせめる。圧勝だ。もうこんなやつらとたたかいたくないっておもったんだろう、デニーキンはウクライナからさっていった。やっとこさで、白軍をおっぱらった。でもバンザイ三唱ってよりも、つかれたってのが本音だったとおもう。もうへとへとだ。

よわきをたすけ、つよきをくじき、
身をよせるものあらば、貴賤をとわず、すくいの手をさしのべる
主人づらしたやつらは、みな殺しだ

このあとマフノ軍にはチフスがまんえんし、マフノもぶったおれて生死の境をさまよっている。なんとか復帰。でも、そんなスキをついて、ウクライナでいっきに勢力をのばしたのが、ボルシェビキだ。マフノの拠点、グリャイポーレこそ解放区のまんまだったが、ほかの地域はボルシェビキの支配下にはいっていった。ちなみに、ことばだけでいうとボルシェビキは、マフノに似ていたわけだ。地主の土地をとりあげて、みんなに分配しましょうと。でも、それでなにをしたのかというと、いちばん収穫高のいい土地は国有化して、国の収益にしてしまう。そのうえで、戦時共産主義が導入されたわけだ。これでウクライナの農村でも、バンバン食糧の徴発がやられるようになった。

ウクライナの農民たちがブチキレて、ガンガン反乱がおきる。ボルシェビキはこれを鎮圧。というか反乱なんかおこっていなくても、赤軍は村々を訪問してまわり、ちょっと反抗的なやつがいたらとっつかまえて、こいつ反革命ですっていって、みせしめにぶっ殺していったのだ。さらにさらにだ。この愚民どもがピイピイいってくるのは、グリャイポーレみたいな自由の象徴があるからだ。じゃあじゃあ、その希望をうばいとっちまえってことで、マフノ暗殺にのりだした。マフノはこれに気づいて、返り討ち。ギャア!!! 血祭りだ。こっから、マフノ軍とボルシェビキのあいだで、血みどろの殺しあいがはじまった。おやおや、そろそろ戦争かい。そうおもっていたら、一九二〇年夏、ふたたび白軍がやってきた。デニーキンのあとをついだウランゲリだ。

これがまたつよかった。ちっ、しかたがねえ。マフノは、いやいやながらも、もういちど赤軍と手をむすび、ウランゲリ軍とのたたかいにいどんだ。たたかって、たたかって、またたたかって、さいごはクリミア半島の奥までせめこんで、一一月までにウランゲリ軍の掃討に成功した。おわったー。全力をだしきって、もうへとへとだ。気力体力の限界です。じゃあじゃあ、故郷にかえろうか。そうおもったやさきのことだ。なんか後方についていた赤軍がせめこんでくる。ええっ、マジかよ……。うらぎりだ。すでにズタボロだったマフノ軍、この不意うちで、さらにズタボロになった。

このとき同盟をむすんでいたわけだから、赤軍といっしょにうごいていたマフノのなかまもいたのだが、みんないっせいにつかまって、その場で銃殺されている。グリャイポーレのアナキストなかまで、超つよかったカレトニクもだましうちでぶっ殺されているし、マフノの兄ちゃんふたりも、ここでつかまって処刑されている。オオマイ、シャテイ、アニキ！マフノはなかまをかきあつめて赤軍とのたたかいにいどんだが、生きのこっていたのは、わずか三〇〇〇名。これにたいして、赤軍はグングンといきおいづいていって、総勢一三万名にもたっしていた。それでもマフノはゲリラ戦を展開し、なんども赤軍をうちやぶったが、いかんせん毎日、一万人以上の敵とたたかわなくちゃいけなかった。さすがに限度がある。つぎからつぎへと弟分がやられていった。一九二一年一月には、ずっといっしょにやってきた同郷のマルチェンコが戦死。三月には、ジブリフキでなかまになったシチューシがやられちまった。昇天、昇天、昇天だ。あばよ！

　マフノは必死にたたかいながら、逃げて、逃げて、逃げまくった。でも、赤軍は手をゆるめない。首だ、首だ、マフノの首をあげろ。総力をあげて、マフノ捕獲作戦がくまれていく。マフノがさけんだ。自由に生きるか、たたかいに死ぬか、どっちかだ。なんぼのもんじゃい、クソッタレの人生。全身全霊、ウーラーッ！　しかし、ついについについにだ。八月二二日、マフノが銃弾にたおれた。弾丸が右後頭部にあたり、そのまま右のホホを貫通した。意識がもうろうとする。なかまたちが、マフノをタチャンカにのせて必死に逃げた。二六日、盟友、ペトレンコが戦死。あの世でまってろ、好《ハオ》きょうだい。チクショウ！　ああ、もうダメだ。生きのこっていた七〇〇名は、マフノをつれてドニエストル川をわたり、命からがらルーマニアに亡命していった。

さてはて、マフノ水滸伝は、これでおわりをむかえる。その後、マフノはパリに亡命し、一九三四年に肺結核で亡くなっている。晩年はひっそりと、でも毎日、同郷のなかまが部屋に遊びにきてくれて、たのしくすごしていたようだ。ちなみに、いっしょに亡命したアナキスト、ヴォーリンからは、マフノはたたかいのさなか、裁判なしでボルシェビキを射殺していたっていわれて、糾弾されたりもしたのだが、きまってマフノはこうこたえた。シャラクセエ、黙れこのオタンコナス！　てめえの腹をかっさばき、肝をえぐりだして食っちまうぞ。ヒャッハー！

でもまあ、それにしてもがんばりました、がんばりましたよっていっていいんじゃないかとおもう。義をもって賊におちろ。よわきをたすけ、つよきをくじき、身をよせるものあらば、貴賤《きせん》をとわず、すくいの手をさしのべる。主人づらしたやつらは、みな殺しだ。山賊、負け組、アナキズム。好漢、ゴロツキ、オタンコナス。バンザイ、バンザイ、バンバンザイ。気力体力、限界だ。全身全霊、シャラクセエ！

あらゆる支配にファックユー、てめえの掟にアッカンベー
アナーキー、アナーキー、パルチザン！

しかし、それにしてもだ。マフノがここまでつよかったのはなんでなのか。結論からいってしまうと、パルチザンだ。非正規軍のたたかいかたに徹していたから、つよかったのだ。こん棒をもったサルの群れ。もともと、人間はサルをなめきっていた。あいつらオレたちよりも劣っている、なんにもできねえようと。そんなサルたちが、とつぜんおそいかかってくる。ピョンピョン、ピョンピョン。ウキャッ、ウキャッ。それこそ文明人からしたら、未熟だ、野蛮だっていわれてきたそのうごきを武器にして、たたかいをいどんでくる。すると人間は人間とのたたかいしか知らないから、不意をつかれてやられてしまうのだ。銃があろうと、刀があろうと、サルのこん棒にゃかなわねえ。

これがパルチザンのたたかいかただ。権力者から、てめえらはクソなんだ、サルなんだよっていわれてきたんだとしたら、そのクソザルどもがふざけんじゃねえっていって決起する。そういうとき、パルチザンってのは、真正面からぶつかるんじゃなくて、上等だぜ、上等だぜと負のレッテルにひらきなおり、クソザルなりのたたかいかたをしかけるってことだ。そうやって、たたかいの土俵をズラしちまう。スッテンコロリ、スッテンコロリ。掟やぶりの

泥まみれ。なんぼのもんじゃい、なんぼのもんじゃい。たかだかオレ、されどオレ。権力者がまったく予想もできないようなそのうごき。それはなにものにもとらわれない、このオレになっているってことだ。あらゆる支配にファックユー。てめえの掟にアッカンベー。アナーキー、アナーキー、パルチザン！

ほんでもって、ここでパルチザンがおもしろいのは、権力者から「このサルどもが！」ってコキおろされてきたその生きかたが武器になっているってことだ。みずからの抑圧された存在状況を武器にせよ。それは、人間とサルだったらサルなりの、主人と奴隷だったら奴隷なりの、男と女だったら女なりの、健常者と障害者だったら障害者なりの、文明人と野蛮人だったら野蛮人なりの、市民と犯罪者だったら犯罪者なりの、社会人とゴロツキだったらゴロツキなりの、それぞれなりのたたかいかたがあるってことだ。武器はだれにでもどこにでも、どんな生活のなかにもいくらでもある。このことをすっげえわかりやすくかいているのが、評論家の平岡正明《ひらおかまさあき》だ。

武器を外的なもの、その時代の技術を殺人用に外化したものと考える人々は権力の側につく。武器を、人間の防御の延長と考え、道具の転化かあるいは道具の延長と考えるものは民衆である。かなたでは武器は武器倉からとりだされ、武器の操作を習熟することが技術であるが、こちらでは、武器は道具からひきだされ、武器をつくりだすことが技術である。

武器をその時代の到達した殺人技術の頂点と考えるものは、火器、探知機、動力等の目録上の武器としてしか知らず、最終兵器の登場とともに、武器はけっきょくたったひとつのものとなり、それと同時に闘争のイメージがひとつとなり、観念化される。武器を道具からとりだすものは、社会的総体を潜在的な武器と考え、武器は無数である。武器は、かなたでは兵器であり、こちらでは兇器である。権力は階級弾圧の必要において社会的生活の一片に触れているために、かろうじて武器のイメージを空無化してしまうことから免かれているが、ようするに弾圧装置の域を出ない。これに反してわれわれの側では、武器の問題は組織論の問題である。[9]

権力者にとって、武器のイメージはただひとつ。殺人兵器をもって、さからうやつらをたたきのめし、自分にしたがわせることだ。そのための修練をつみ、プロになると警察とか、軍隊とかよばれる。でも、民衆はちがう。そりゃそうで、ふだん殺人を目的にして生きているやつなんてほとんどいないし、ひとをしたがわせたいっておもっているやつだって、そういないだろう。だから、民衆が生活をおびやかされ、蜂起するときってのは、ふだん自分たちが身近につかっている道具を武器にかえるわけだ。

これまで、奴隷のようにコキつかわれてきた農民たちが、とつぜんスキ、クワを、地主のあたまにふりおろすかもしれないし、ながらく主人づらした男どもにいいようにあつかわれてきた女たちが、イミシンに包丁をとぎはじめるかもしれない。あるいは始終、酔っぱらっていたゴロツキどもが、そのビール瓶をどうつかうのかだってわからない。アタマヲカチワレ。狂気、兇器《きょうき》、侠気。カミナリにうたれたかのように、ほんとに一瞬のひらめきで、あらゆる道具が兇器にかわる。ナゲロ、フレ、ツケ、ブンマワセ。武器は無数だ。いつでもやれる。ヒャッハー。

平岡はこのはなしをさらに、勝新太郎《かつしんたろう》の「座頭市」につなげてかたっている。これがまたいいので、ちょっくら紹介しておこう。

以上のいっさいがドメクラ斬りにかかっている。——「あっしはメクラでござんすから、逃げることができやしません。それで向かってくるものを斬ってしまうよ

9　平岡正明「座頭市オゥ・ゴー・ゴー」『犯罪あるいは革命に関する諸章』大和書房、一九七三年、一七五頁。

り助からぬのでござんす。」と座頭市は言った。

さむらいは刀を青眼にかまえるか、上段にふりかざす。刀は腕の延長であり、敵に向かってつきだされているか、敵に向かってふり下ろされようとしている。市は仕込杖で身をつつむように立ち、刀は敵に向けられているが、切先が自分に向けられており、そのままでは自分を斬ってしまうように逆手にもち、顎をひき、あさっての方角を「幻視」し、脚をひらき、腰をおとした自護体で待つ。したがって仕込杖は眼である。こうして双方はにらみあった。

御存知！　プシュウー。ピチュー。スパッ。プツリ。「あっ、座頭市だ！」いっちょうあがり。拍手。歓声。――いいねえ座頭市は、そりのない刀は鞘におさまり、杖になり、もうひとつの使用価値になる。いかすなあ。

ああ、映画がみたくなってきた。市っつあーん！　どうだろう、ここでいわれていること、わかるだろうか。さいしょの一文がすべてをものがたっている。「あっしはメクラでござんすから、逃げることができやしません。それで向かってくるものを斬ってしまうより助からぬのでござんす」。主人公の市っつあんは、目がみえない、障害者だ。このクソみたいな世のなかじゃ、ひでえあつかいをうけている。でも、いざわるいやつらに殺されそうになったなら、市っつあんは自分の身をまもるために、みずからの障害を武器にかえちまうわけだ。防御、すなわち攻撃だ。

そんでもって、でてくるのが逆手斬り。ふつう武士は両手で刀をもって、上からふりおろしたり、それをふせぐために水平にふったりする。カチンコチンとやるわけだ。でも、市っつあんは、目がみえないからそんなことできやしない。じゃあ、どうやって防御するのかというと、相手が刀をふるまえに斬り殺すしかないわけだ。相手のうごきをかんじたら、すかさずフトコロにもぐりこみ、スッと逆手で斬っちまう。

これ逆手ってのがだいじで、ふつうとは刀のふりかたがちがうから、カチンコチンと刀がかみあうことがないわけだ。一撃必殺。プシュウー、ピチュー、スパッ、プツリ。ちかづいて刀をふれば、かならずどっちかが死ぬことになる。で、うごきのはやい市っつあんが、ぜったいに勝つってすんぽうだ。しかも市っつあんは按摩《あんま》だから、人間の急所を熟知している。ほんの一ヵ所でもいい、スパッとそこをきりさけば、たちまち相手は死んじまう。まさしく無敵。

なにがいいたかったのかというと、これがパルチザンだってことだ。みずからの抑圧され

10　前掲書、一七六頁。

た存在状況を武器にせよ。健常者と対等にやりあって、対等な権利をもとめるとか、そういうことじゃない。まったく異次元の、非対称なたたかいをしかけるのだ。みずからの障害にひらきなおり、その身体を素のまんまあばれさせる。すると、目がみえなきゃみえないで、もう呼吸とかのレベルで相手のうごきを察知して、すさまじいスピードでうごいちゃったりするわけだ。健常者は、その得体のしれないうごきにスッテンコロリ。瞬殺だ。しかもこういうのってすごいもんで、それまでオレは健常者よりも劣っているんだっておもわされてきたひとでも、いざやってみれば、自分でもおもってもみなかったような力をふるっちまっていることに気づかされるわけだ。

しらずしらずのうちに、それまで常識だっておもってきた健常者と障害者の区分とか、優劣の区分とか、そういうのをポンッとつきぬけて、得体のしれないなにかになっちまう。おまえら、この社会の落ちこぼれなんだよっていわれてきたんだとしたら、ほんとにそこに徹して徹して、落ちて落ちて、落ちまくって、この社会の底をぶちぬいちまって、なんにもとらわれない身体を手にするのだ。

マフノだったら、それはドロボウの身体だっていってもいいだろうか。パパの手、ママの手、やっぱり手がでる万引き野郎。マフノは農村出身ながらも、土地もなくてプラップラしていて、ドビンボー。そんでもって、一〇代のころにやっていたのがドロボウだった。うばって逃げて、おってきたらブッ殺す。あきらかに、このときつちかった技術がパルチザンにいかされている。

じっさい、マフノの特技は敵の食糧や武器をうばいとって、すさまじいスピードで逃げることだった。逃走ルートのつくりかたも、逃げるための馬のおきかたも、すべては、かれの強力な武器だ。匿名性をいかすっていって、闇にまぎれて顔がバレないようにうごいたり、敵の軍服をきて、シレッと敵兵のなかにまぎれこんじまうのだって、ドロボウのアイデアだ。それにタチャンカだって、馬車に重機関銃をつんで、逃げながら追っ手にぶっぱなしていたわけで、かんぜんにマフィアである。

もちろんドロボウだって、それが仕事みたいになっていたら、コガネをかせいで社会生活をするってだけになっちまう。オシゴトゴクロウサマデス。それだと二流市民っていうのだろうか、この社会の落ちこぼれ感がぬぐえないだろう。でも、ほんにドロボウに徹してみれば、この手が、この仕事道具が、この社会への兇器にかわる。そりゃそうで、この社会からトンズラして山賊みたいになったり、どうしたらこっちの流儀で、社会ポリスどもをたたきつぶせるのかって考えるようになるのだから。トンズラだ。

そういう意味じゃ、もともと山賊アナキズムやアナルコ匪賊《ひぞく》ってのは、ボルシェビキがアナキストをディスることばとしてつかわれていたのだが、ここまでくるともう、こっちからいい意味でつかっちまっていいんじゃないかとおもう。「あっしはドロボウでござんすから、逃げることしかできやしません。向かってくるものは撃ってしまうより助からぬのでござんす」。トンズラ、すなわち攻撃だ。逃げろ！　デンデンデーンッ。一撃必殺。どえれえやつがあらわれた。いくぜ、山賊アナキズム。権力を、だしぬくことしか興味はないね。掟やぶりの泥まみれ。ひねりだそうぜ、パルチザンシップ。なんぼのもんじゃい、なんぼのもんじゃい、たかだかオレ、されどオレ。オーレイ！

フリーダム！

そんなマフノたちも、一九二一年夏までにやられちまった。そのかん、ロシア国内では、おっきな反乱がおこっていた。すでにタンボフ県の農民反乱についてはふれたが、もうひとつでかいのがあって、それがクロンシュタット水兵の反乱だ。クロンシュタットは、ペトログラードから西方三二キロのところにあって、首都防衛をまかされていた重要な軍港都市だ。当時、ロシア最強といわれていたバルチック艦隊の拠点だったことでもしられている。その水兵たちには、革命をやってやろうぜっていう輩たちがいっぱいいて、一〇月革命のときには、いちはやくペトログラードにかけつけて、ボルシェビキの権力奪取を手助けした。すべての権力をソヴィエトへ！

でも、フタをあけてみれば戦時共産主義だ。クロンシュタット水兵たちは、そのほとんどが農村出身だったのだが、ひさびさに休暇をもらって、地元にかえってみれば、食糧徴発で家族が飢え死にしそうになっている。しかも、それで不満をもらそうものならば、チェカにとっつかまって即処刑だという。マジっすか。そんな現状をしって、水兵たちはがく然としてしまう。オレたちは、いったいなんのためにたたかってきたんだと。

じゃあ、都市はどうなっているんだ。さすがに安定してんのかとおもって、ペトログラードにいってみれば、やっぱり食糧難で苦しんでいて、せっかく自発的にできつつあった闇市も、ボルシェビキが検問を強化して、物資の運搬をとめてしまった。工場じゃサボったら、てめえら殺すよっていって、労働者のうしろに監視員がはりついている。なんだよこれ、旧帝政よりひでえじゃねえか。ただの恐怖政治だ。

そんなわけで、クロンシュタット水兵たちはボルシェビキに批判的な声明をだした。内容はしごくまっとうなことだ。言論の自由をみとめろ。食糧徴発をやめろ。工場を監視するのをやめろ。道路の検問をやめろ。ソヴィエトにボルシェビキはいらないんだ、真のソヴィエトをとりもどせと。当時、ロシアにいたアナキストたちがおなじことをいっていて、しかもこの声明を世界につたえたのが、エマ・ゴールドマンやバークマンといったアナキストだったので、クロンシュタットの反乱は、アナキストがやっていたようにもいわれるが、そうじゃない。もちろんアナキストの水兵もいたのだが、この時点でイキのいいアナキストは死んでいる。たとえば、憲法制定会議をぶっつぶしたあのジェレズニャコフなんかは、いちはやく白軍とのたたかいで死んじまっているわけだ。

だから、アナキストがしかけたとか、そういうことじゃなくて、もともとボルシェビキを支持していたマジメな水兵たちが、こりゃちがうぞ、これじゃあたらしい奴隷制ができただけだぞっていって、反旗をひるがえしたのだ。で、プロレタリアート独裁だかなんだかしらねえが、正義をふりかざし、上からあれやれ、これやれと命令するのはもうやめよう。民衆のことは民衆がきめる、自分たちできめる。真のソヴィエトをつくれ。といっていたら、結果的にいっていることが、アナキストっぽくなっていたのだ。

しかししかし、そんなマジメな水兵たちにむけて、ボルシェビキは赤軍をさしむけてきた。トロツキーの命令をうけて、あのトハチェフスキーが五万名もの兵をひきいてやってきたのだ。文句があるなら、殺しましょうと。たいするクロンシュタット水兵は、一万五〇〇〇名。三月八日、赤軍は鬼のように大砲をうちこんできたが、さすが要塞。ほとんど被害はでなかった。敵が攻めこんでこようものなら、ドンパチうって殺しまくる。あれれ、こりゃいけんじゃねえのか、とおもっていたが、さすがの兵力差だ。二週間ほどねばったが、ついに要塞は陥落した。

でも、被害がおおきかったのは赤軍のほうだ。だいたい一万名の死傷者がでたといわれている。これにたいして、クロンシュタットのほうは死者六〇〇名、負傷者一〇〇〇名、捕虜は二五〇〇名、ほかおよそ八〇〇〇名がフィンランドに亡命している。[11] もちろん、ひとりでも死んでいいことなんてないのだが、それでもクロンシュタット水兵がどんだけつよかったのかわかるだろう。ちなみに、死者のおおくはつかまったときに、その場で虐殺されたといわれている。捕虜になった人たちのあつかいもひどくて、数百名が即銃殺。監獄にいれられた人たちも、なにかと理由をつけて、つぎつぎと処刑されていったんだそうだ。革命家は革命を殺す。

はてさて、こうしてロシアの革命反乱は鎮圧された。モスクワのクロちゃんは、一〇月革命のあとに、ああ、革命はおわりもうしたっていっていたが、まあもうすこしながくとって、このクロンシュタットとマフノがやられたときってのが、ほんとうの意味で、革命がおわったときなんじゃないかとおもう。しかもこれおっかないのは、ロシアの革命の芽がつまれたっていうだけじゃない。世界中のあらゆる革命の芽がつまれたってことでもあることだ。だって、このあとロシア革命は、よきにつけあしきにつけ、革命の成功例としてかたられるよ

11　P・アヴリッチ『クロンシュタット1921』（菅原崇光訳、現代思潮新社、二〇〇八年）を参照のこと。

うになっちまうのだから。

その後、革命といったら、いやおうなくみんな国家権力の奪取をイメージするようになってしまう。正義のためなら、多少の犠牲はいとわない。正義のためなら、独裁もいとわない。正義のためなら、粛清もいとわない。正義のためなら、多大な犠牲もいとわない。オミゴト、恐怖政治のいっちょあがり。それをクールにこなせるのが、真の革命家なのでございます。パチパチパチ、ひっこめ！　これじゃ、はじめから革命が死んじまってるようなもんだろう。そこにゃ、民衆がいやしねえ。みわたすかぎり主人と奴隷。ボルシェビキがおしえてくれたこと。革命はどうやっちゃいけないのか。新秩序の創造？　権力の再構成？　はっきりいっておこう。そんなもん、いらねえんだよ！

どうしたらいいか。マフノがおしえてくれた。革命の大業に、あらかじめやっちゃいけないことなんてない。というか、なんにもしばられずに、生きられるようにしていくのが革命なんだ。だからもし、あれもダメ、これもダメって、主人づらしていってくる連中がいるならば、どんな手をつかってでも、ぶちのめさなくちゃいけない。ひねりだそうぜ、パルチザンシップ。武器を！　道具から武器をとりだせ！　そして、勝利せよ！　こん棒をもったサルの群れ。サルがこん棒をもつということは、なにものにもとらわれずに生きるってのとおなじことだ。

お母さん、革命はとおくへさりました。革命はとおい砂漠の国だけです。ひとたび砂漠をあるいてみれば、右も左もありゃしねえ。どこにいるかもわからねえ。めまいがするぜ、クラックラ。目的、方角ふっとんだ。あらゆる秩序がふっとんだ。かつて、バクーニンはこういった。「破壊への情熱は、同時に創造への情熱なのだ！」[12]。革命とは破壊的創造である。破壊のあとに、あたらしい秩序をつくるんじゃない。破壊すること、それ自体が創造なんだ。なんにもない、なんでもない、なんでもできる、なんにでもなれる。もうなんにもとらわれない。あらゆる秩序を砂漠にしよう。それでなにがほしいのか？　きまっているぜ。フリーダム！

12　バクーニン「ドイツにおける反動」『バクーニン著作集　1』左近毅訳、白水社、一九七三年、四三頁。

第五章　ゼロ憲法を宣言する

民主主義は統治の原理そのものである

さいきん、めっきり機会がへったのだが、大学卒業後、よく社会人の友だちと飲みにいっていた。だいたい気のいいやつらなのだが、たまにヘキエキさせられたのが、つかれた自慢みたいなのがはじまったときだ。いやあ、ムダな会議がおおくてこまるよとか、いやあ、会議の時間がムダにながいんだよとか、いやあ、だれそれが足をひっぱるようなことばかりいってこまるんだよとかね。そんで、その会議がほんとうにイヤだったらいいのだが、いつも違和感をかんじていたのは、イヤそうなそぶりはみせているものの、なんかそれをうれしそうにしゃべっていたということだ。しょうじき、週に六日、部屋にひきこもっていたわたしにとっては、会議どころか、つかれることすらあんまりなかったので、なんで友だちがそんなふうだったのか、よくわからなかったのだが、ここんとこずっと会議について考えていて、ちょっとわかってきた。

おそらく、こうなんだとおもう。たとえその会議が形骸《けいがい》化していたとしても、クソみたいなもんだったとしても、腐っても会議というか、自分がなんらかのかたちで、会社の意思決定に参加できているのがうれしいのである、会社の権力にふれられているのがきもちいいのである。会議をひらいて、これこれこういうことをやりましょう、みんなで意見をだしあって、みんなでいいねってみとめたことをやりましょう。それで、みんなにみとめられたら、なんだかきまったことがぜったいにただしいっておもえてきて、ほんとうはその会社以外の人たちにとっては、とてつもなくひでえことだったとしても、自信をもってやれてしまう。ああ、いいことをした、きもちいいと。逆に、会議をとおしていないことをやったりすると、どんなにいいことをやっていても、それは透明性に欠けるとか、民主的じゃないとか、クソミソにいわれてしまうのだ。

で、それがあたりまえになってくると、会議でとおりそうにないことは、はじめからいわなくなってしまうし、そういうことはやらなくなってしまう。その会議が社長のトップダウンでやられているにせよ、多数決にせよ、全員一致にせよ、どんな意思決定をするのかにかかわらず、みんながやりたいことを自主規制してしまう、そういう権力がはたらいているのだ。まわりの目が気になって、いいねっていわれることしかできやしない。しかも、会議がおっかないのは、そこに参加していると、自分も権力をかたちづくっている一員なんだ、この組織の主役のひとりなんだっておもえてきて、いつしか決定にしたがうことによろこびをおぼえてしまうってことだ。だいたい、グチをいうってのは、どっかしらで権力に期待をしているからだろう。会議のムダを改善して、よりよい権力を構成しよう、権力の民主化をはかれってね。ヘドがでるぜ、ウッ！

でも、それでもみなさんに問いかけてみたいのは、どこか心の片隅でもいい、ムダな会議がいらないんじゃなくて、会議自体がいらないんだ、ムダなんだっておもっているひとは、意外とおおいんじゃないかってことだ。いやいや、そんなわけねえだろうって怒っちゃうひともいるかもしれないので、ここはひとつ、中高生のころをおもいだしてみよう。だれもがツンツンしていたあのころだ。たとえば、文化祭なんかがあったりして、たいして仲もよくないのに、クラスみんなでひとつの出し物をやらなきゃいけないっていわれたりする。で、学級委員だか、文化祭委員だかがまえにでてきて、はなしあいをさせられるわけだ。どうだろう。すげえウザかったのっておぼえていないだろうか。なんにもしたくなんてないのに、そういう、なにもしたくないっていう意見をとおすんでも、みんなを説得しなくちゃいけない。民主主義のケイコだ、ウンコ!

じゃあこういうとき、だいじなのはなにかというと、はなしあいにでないということだ。しゃべらない。だって、その出し物がイヤだっていうのでも、なにもしたくないっていうのでも、なにかをしゃべったとたんに、意思決定のプロセスにまきこまれてしまうのだから。とにかくはなすな、バックレろ。もしまちがって会議にでちゃったとしたら、とりあえずその場は、下をむいてウンウンとうなずいておいて、なにがなんでもバックレるしかない。というか、そういうことしか考えない。

　みんなでひとつのことをやりましょう？　しちめんどくせえ。そりゃ演劇をやりたいコはやりたいんだろうし、バンドをやっているコはやりたいんだろう。モテたい！　お化け屋敷でもメイド喫茶でも、なんでもやりゃあいい。でもだったらこの指とまれで、やりたいやつらでやればいい。わあ、たのしい。なのになんで、みんなでひとつのことをやらなきゃいけないのか。それって、わかいうちから他人の命令にしたがう訓練をしているだけというか、会議の権力をすりこもうとしているだけなんじゃないだろうか。だったら、こっちだって考えがある。とにかくはなすな、バックレろ。だいじなことは、シレッとやれ。トンズラこそ最大の武器。自分、無口であります。

　そんでもってだ。これ、おなじことが文字どおりの政治にもいえるんじゃないかってことだ。なんで、みんながみんな、選挙にいこうっておもわされてしまうのか。それは腐っても議会というか、一票を投じることで、自分が国家の意思決定に参加しているっておもえちまうからだ。ほんとは票を投じることで、おまえの意志なんて何千万分の一にすぎねえんだよ、おまえはだれとでも交換可能な一票っていう数量にすぎねえんだよっていわれているだけなのに、それに多数決なんだから、はじめからカネとメディアへの影響力をもった強者が勝つだけで、意思決定なんてそいつらがきめているだけなのに、そんだけコケにされているのに、それでもありがたがってしまうのだ。安保法制でも共謀罪でも、どんなにひどい法律だったとしても、安倍晋三《あべしんぞう》が選挙で勝って、それを議会っていうバカでかい会議でとおしちまえば、それはもう民主主義だ。したがわないことが、ワルいことだとおもわされる。イヤなら、おまえ権力をとって法律をかえてからいえよ、会議でとおしてからいえよと。権力自体がイヤなのにね。

もちろん、それじゃさすがにマズイよ、非民主的だよっていって、もっとみんなの意志を政治に反映しましょうって人たちもいる。広場の運動だとか、路上の民主主義だとかっていっていた人たちだ。じつは日本じゃそこまでいっていなくて、安保法制反対だっていって、デモにひとがあつまっても、けっきょくそれを選挙に動員するんだといっておわっちまったのだが、海外だとだいたい議会は多数決で強者のものだから、オレたちは路上にあつまって、数万人、数十万人でみんなでやりたいことをきめるんだ、よっしゃ、直接民主主義だ、それができるってことを、いまこの場でしめしてやろう、人民の意志をしめすんだっていってていたのだ。で、じっさいにいろんな工夫をして、それができちゃうのはすごいことなんだけど、それでどうなったのかっていうと、文化祭のときとおなじなわけだ。もっと民主的に、もっと民主的に、全員一致だっていえばいうほど、みんなできめたこと以外、できなくなってしまう。

たとえば、おら、デモで車を燃やしてえっておもっていても、ぜったいに全員のコンセンサスなんてとれないわけだ。はなしあいにくわわった時点で、ひっこめざるをえないし、だいたいデモをやるにしても、みんながいいねといって、とおる意見ってのはきまっているわけだ。このくらい熱意をこめて、このくらいはげしくやって、でもこのくらいメディアうけしなくちゃいけないから、このくらいピースフルにやりましょうと。いつの世にも、そうやってはなしをまとめるのが得意なやつがいて、みんなをしきるわけだ。みんなでみんなのことをきめたんだから、おまえもおまえの意志で賛成したんだからといって、そのひとの命令にしたがわされるのだ。それが真の民主主義だっていわれてね。

ちなみに、本書でなんどか引用してきた不可視委員会は、民主主義についてこんなふうにいっている。

選挙には民主主義的といえるものはなにもない。王というのはながらく投票で選ばれるのがならわしだったし、あれこれの国民投票《プレビシット》によるささやかな愉しみをしらない専制君主のほうがまれだった。選挙が民主主義的であるのは、人々に統治への参加を保証するからではなく、ささやかながら選出にたずさわったという幻想をもたせて、統治へのある種の同意をとりつけるからである。「民主主義とは、ありとあらゆる国家形態にとっての真理である」と書きしるしたマルクスはまちがっていた。民主主義とはありとあらゆる統治形態にとっての真理なのである。統治する者と統治される者の同一性とは、羊の群れが羊飼いの集団となり、羊飼いが羊の群れへと溶解する極限点のことであり、自由が服従と一致し、人口が主権と一致する極限点のことである。統治者は被統治者に吸収され、被統治者は統治者に吸収される。[1]

とまあ、そういうことだ。君主政は非民主的だから議会政にかえましょう、でもまだ、それじゃ民主的じゃないとこがあるから、直接民主政でいきましょう、いやいや、直接民主政っていっても、旧態依然としたやりかたじゃはなしあえる人数にかぎりがあるから、こんなふうに工夫すれば、会議をスマートにすすめられるぞとか、おっ、事前に練習でもしておけば、全員一致のコンセンサスってもっといけんじゃんとか、インターネットをつかえばこうやって意見を集約できますよとか、これからは液体民主主義の時代だとか、そんなふうにいわれてきたわけだが、それってどうなのよ、その民主主義そのものが、いちばんやっかいな統治のしくみなんじゃないですか、支配の極致なんじゃないですかと、そういっているのだ。統治者と被統治者が一致している。自由と服従が一致している。おまえ会議にでて合意したんだから、自分できめたんだから、みんなできめたことにしたがえよと。メチャクチャだ。民主主義は統治の原理そのものである。マジウゼエ！

それから、もうひとついっておきたいのは、これさっきの章（第四章二四八頁）でふれた「構成的権力」とおなじだっていうことだ。ひとはいつもふるくさい「構成された権力」にたいして、あたらしい「構成する権力」をたちあげようとしてしまうが、それって、よりよい権力を、よりやっかいな権力をたちあげようとしているってことだ。そりゃただでさえ、ふるくさい権力にかかわっていても、ムダな会議にでていても、よろこんじゃうひとがいるくらいなんだから、あたらしい権力をたちあげようとしているときってのは、みんなもっといきいきとしてしまうんだろう。もっと民主的な権力を構成しましょう、もっと民主的に、もっと民主的に。ああ、もううんざり！

わたしたちは、どうやったら権力をつくらせないことができるのだろうか、権力を構成させないことができるのだろうか。権力の脱構成。やるべきことは、中高生の文化祭からかわっちゃいない。とにかくはなすな、バックレろ。トンズラこそが最大の武器。民主主義はいらない、あらゆる権力がいらないんだ。会議はいらない、統治されないものになれ。ほんとうにやりたいことがあるならば、ヨシッ、ヨーシッていうやつらとノリでやっちまえばいい。だいじなことは、シレッとやれ。

1　不可視委員会『われわれの友へ』HAPAX訳、夜光社、二〇一六年、六八～六九頁。

さて、ここでひとつ、権力の脱構成について考えていくために、第一章でもとりあげた狩猟採集民の知恵をもういちどハイシャクしておきたい。ご紹介してみたいのは、フランスの人類学者、ピエール・クラストルだ。クラストルは一九三四年うまれ。アナキズムっぽい視点から、南アメリカの狩猟採集民を研究し、一九七〇年代に活躍していたひとで、このひとすごいよ、天才じゃんみたいにいわれていたのだが、ざんねんながら交通事故にあって、四三歳のわかさで死んでしまった。そんなひとなのだが、このクラストルに『国家に抗する社会』という著作があって、これがまた名著である。

じゃあ、どんなことがかかれているのかというと、タイトルのとおりだ。狩猟採集民の社会には、国家がうまれてこないようにするための機能がそなわっている、そうならないようにするための工夫がなされているというのである。ここでいう国家ってなにかというと、強制力をともなった人間関係のことだ。ひととひととのあいだに、支配服従の関係をもたらすものだといってもいいだろう。

一般的に、わたしたちはこの国家のなかで生きることが文明的だといわれていて、狩猟採集民というのは、それ以前の生活をしている、富も地位も名誉も、その存在すらしらなかった未開社会を生きているんだといわれている。でも、クラストルはそうじゃなくて、狩猟採集民はひとがひとを支配するのはおかしい、そんな社会を生きるのはまっぴらごめんだといって、意識的に国家がうまれないように努力をしているんだといっている。それが「国家に抗する社会」ということだ。

もうちょっと具体的にいっておくと、たとえば、南アメリカの狩猟採集民の部族には、それぞれ首長がいる。もちろん、その首長ってのは部族のボスなわけだが、でもなんでもかんでも、みんなに命令してムリやりしたがわせているのかっていうと、そうじゃない。首長にはある使命があたえられている。それは、部族のだれかにもとめられたら、かならず私財をなげうって、食事でもなんでもだして、もてなさなくちゃいけないということだ。そりゃボスなんだから、いつでもなんでも、みんなに奉仕できなきゃダメでしょう、食わせろ、もてなせ、あたりまえと。だから、だいたい部族の有力者が首長になるのだが、なったらなったで、私財をつかいはたして有力じゃなくなってしまう。そうやって、これみよがしの権力者がうまれないようにしているのだ。

それからもうひとつ、首長には、みんなの意見をきいてまわるっていう役割があたえられている。戦争をやっているときは例外としても、そうじゃないときは、なるたけ全員一致で、部族全体の方針をきめなきゃいけない。そのためには、自分やひとにぎりの有力者の意見をムリやりとおすわけにはいかない。だって、そんなことをしたら、大もめにもめておわってしまうのだから。首長の権威はズタボロだ。だからそうならないようにするためにも、首長は自分の意見はいわずに、むしろ調整役に徹しなくちゃいけない。みんなをリラックスさせ、あとあと不満がのこらないように、おもったことをぜんぶいわせ、対立でもあれば、知恵をしぼってそれを調整しなくちゃいけない。そういう意味じゃ、みんな首長になったら、財をうしない、我をとおせなくなって、他人に強制力をはたらかせることができなくなってしまうのだ。まあまあ、そうやって部族のなかに、支配が、国家がめばえないようにしているのである。

しかも、そういう部族の政治というのだろうか、首長制のありかただけじゃなくて、日常生活のなかにも、権力がしょうじないように工夫がこらされていて、たとえば、パラグアイのグアヤキ族ってところでは、狩人は自分がとってきた獲物はもらえないっていうしくみになっている。ヘンな競争がおこらないようにね。だれだれの腕がいちばんすぐれているからエラいんだ、そいつに感謝しなきゃいけないんだ、そいつにしたがわなくちゃいけないんだってならないようにしているのだ。あたりまえのように、みんなに平等に獲物がくばられる。こりゃうめえ。

そんでもって、きほん狩人は男たちで、女たちは宿営地でまっているのだが、それでも女たちが男たちに気をつかったり、感謝したりすることはない。だって、女たちは森で狩りなんてしないわけで、そんなもん退屈な重労働くらいにしかおもえないんだから、むしろ宿営地でカゴをあんだり、子育てをしたり、メシをつくったりするほうが、繊細でたいへんな仕事にしかおもえないんだから。男なんてなんぼのもんじゃい。てなわけで、男たちはだれからもホメられない。腕がすぐれていて、いくら獲物をとっても平等に分配されちまうわけだし、たとえかの女に「きょうオレ、がんばったんだ」といっても、「たいしたことやってねえくせに、えらそうにしてんじゃねえよ」っていわれて、一蹴《いっしゅう》されちまうわけだ。きばれ、きばれ、きばりやんせ。やっせんぼ！

それで男たちがどうなるのかというと、パンパーンッだ。パンパーンッと、あたまがぶっとんじまう。クソ、クソ、クソ、平等、平等ってうるせえんだよと。で、どうすんのかというと、夜な夜な、うたうわけだ。いっしょにじゃない、一人ひとりがバラッバラにうたうのだ。そして宿営地のいたるところから、とつぜん得体のしれない悲鳴みたいな歌声がきこえてくる。チョ、チョ、チョ、チョ、チョ!!!　大勢いるのに、なぜかみんな合唱することもなく、ひとりで歌をうたっている。

歌の主題は、基本的に、歌い手が自らに向ける誇張された讃辞である。その語《ディス》り《クール》の内容は、事実、全く個人的なもので、一切が第一人称で語られる。男の語ることは、狩人としての勲功、すなわち自らが遭遇した獣、自らが受けた傷、矢を放つ際の巧みさに尽きる。際限なく繰り返されるライトモチーフは、ほとんど固定観念のように声高に述べられる。チョ・ロン・ブレテテ、チョ・ロン・ジボンディ、チョ・ロン・イマ・ワチュ、イマ・チジャ cho rö bretete, cho rö jyvoudy, cho rö yma wachu, yma chija すなわち「俺は偉大な狩人だ、俺はいつも俺の矢で殺す、俺は生まれながらに強い、生まれながらにして昂奮し攻撃的なのだ。」そして、自らの栄誉がどれほど非の打ちどころがないか印象付けるかのようにしばしばチョ・チョ・チョ cho, cho, cho「俺は、俺は、俺は」という語をひきのばし、句に区切りを入れるのだ。[2]

男たちは、夜な夜な、オレ、オレ、オレ、オレ、オレ、オレ、オレっていってうたっているっていうのである。ひとりじゃない、みんながだ。みんなが合唱じゃなく、独唱で、おんなじように、オレ、すげえっ、オレ、すげえようってうたっているのである。イカれている、マジでイカれている。でも、このイカれっぷりがなにを意味しているのかっていうと、社会もクソも関係ねえ、だいじなのは、オレがオレの偉大さをかんじとることだ、それだけなんだといっているのだ。

もちろん、こんだけ平等な社会でくらしていれば、どんなに狩りがヘタッピだって食うにはこまらないし、それこそ近所の人たちに笑顔で接していれば、いいひとねっていわれるだろう。でも、狩人がもとめているのは、そういうことじゃない。あえていっておくと、獲物にみあった報酬をもらうことでも、まわりの評価や名声をえることでもない。そうじゃなくて、むかしはちっちゃな獲物を一匹とるのが精いっぱいだったのに、いまじゃこんなにでかいのをヤレルようになった。弓を手にとっただけで、力があふれてくる。オレ、すげえっ。オレ、すげえよう。その力のたかまりを自分でかんじとりたいのだ。そんなおもいをこの社会がうけいれてくれないならば、夜のあいだだけでもいい。ひとり声をあげて、自分の力をかみしめるしかない。

2　ピエール・クラストル『国家に抗する社会』渡辺公三訳、水声社、一九八七年、一三六〜一三七頁。

人間は社会的動物であり、社会は個体の総計には還元されない。個人の累加という社会ならざるものと、社会を規定する体系との差異は、人間を結びつける交換と互酬性のうちに見出される。この陳腐な言明の中に、その反対命題が姿を現わすということを示すのでなければ、わざわざこれを喚起するにも及ばないだろう。すなわち、もし人間が「病める動物」であるとすれば、それは人間が単に「政治的動物」であるだけではないからであり、不安の中で、人間の裡に棲〔引用者注・棲〕む大いなる欲望が懐胎されるからなのだ。それは、運命としてかろうじて受容される必然性、人間を支配する必然性から逃れ、交換の拘束を斥けるという欲望、人間の条件から解放されようとして自らの社会存在を拒否する欲望である。というのも、人間は、自分が〈社会という領域〉の現実に貫かれ委ねられていることを知っているからこそ、この現実に還元されたくないという欲望、現実から逃れたいという郷愁をもつのだから。何人かの野蛮人の歌でも、注意深く耳を傾ければ、それが歌そ《ル・シャ》のもの《ン・ジェネラル》であり、そこに普遍的な夢、あるがままの自己から脱しようという夢が眠ざめているのを知ることができる。[3]

ながながと引用してしまったが、ここでクラストルは、狩人たちの孤独な歌の意味をかたっている。狩人たちは、森のなかでだれにきかせるわけでもなく、ただ自分にいいきかせるようにうたっている。それはなんでなのかというと、この社会を離脱したいとおもっているからだ。この社会では、狩りはどうやっても、交換可能なものとしてあつかわれてしまう。

たとえば、どれだけ獲物をとれたかによって優劣をつけられて、それで報酬をもらうといったようにね。狩人がモノではかりにかけられる。あるいは、たとえグアヤキ族みたいに、みんなおなじように評価され、みんなおなじだけ獲物を分配されるんだとしても、それはそれで、おまえらみんないっしょなんだ、とりかえがきくんだぞっていわれているのとおなじことだ。やっぱり狩りが交換可能になっている。

で、狩人はおもうわけだ。逃げだしたい。べつにみんなといっしょにいるのがイヤなんじゃない、でもこの社会がイヤなのだ、おまえは交換可能なんだっていわれるのがイヤなのだ。毎日、狩りのよしあしをめぐってまわりときそわされ、ダメだったらおまえはクズだといわれて生きる。それはしんどいことだし、だからといって、みんないっしょだから、おまえだけハネあがったことするんじゃねえぞっていわれて生きるのもいきぐるしい、たまんない。だから、どんなに自由が担保された社会だって、どんなに平等が担保された社会だってイヤなものはイヤなのだ。問題は自由か平等かっていうことじゃない。そうじゃなくて、自分がやっていることが、この社会ではかりにかけられて、おまえはよいだのわるいだの、ああしろだのこうしろだのといわれるのがイヤなのだ。もうなにもかもがどうでもいい。この社会

3　前掲書、一五三頁。

を拒否しよう。トンズラ、トンズラ、トンズラだ、この社会からのトンズラだ、この支配からの卒業だ。エクソダス！

狩人たちは、それをひたすら孤独にうたいつづけることによって、ただただ自分で自分に自分の力を誇示することによって、やってのけようとした。ほかのだれでもない、このオレは偉大なんだ、このオレはこんな力をもっているんだ、オレは、オレはってのをうたいあげ、それを身体で表現しようとしていたのだ。きっといま、わたしたちがやるべきこともおんなじことなんじゃないかとおもう。狩人の歌がなりひびく。うたえ、うたえ、うたっちまえ。チョ、チョ、チョ、チョ、チョ、チョ!!! そうだ、この民主主義社会からトンズラしよう。政治はくたばれ。国家に抗する社会、その社会すらいらないんだ。オレ、すげえ。オレ、すげえよう。絶対孤独だ。きばれ、きばれ、きばりやんせ。孤独の歌をうたえ、やっせんぼ[4]！

グスタフ・ランダウアー

とまあ、いろいろとかいてきたが、なにをいいたかったのかというと、権力とやりあうときは、ガチでとっくみあっちゃダメだということだ。わかりやすい支配服従の関係をしいられそうになったとき、それにあらがうのはだいじだけど、それとがっぷり四つにくんで、権力を民主的なものにしましょう、そういう社会をたちあげましょうっていっていると、どうしてもその社会自体が権力になってしまう。全員、自発的服従みたいなね。だから、そうならないようにするためにも、いつでもトンズラする準備をしておこう、権力と非対称になる準備をしておこう、孤独の歌をうたえるようにしておこうと、そういうことだ。そして、この点をもっともつきつめて考えていたのが、ドイツのアナキスト、グスタフ・ランダウアーである。

ランダウアーは、一八七〇年うまれ。[5]ドイツ南西部、カールスルーエ近郊の街でうまれた。ユダヤ人の一家で、お父さんは靴屋をいとなんでいて、まあまあ裕福なほうだったんだそうだ。ハイデルベルク大学に進学し、そのあとベルリン大学、シュトラスブルク大学と転々として、さいごはまたベルリン大学にもどっている。大学時代はニーチェにハマりまくって、それこそもうむさぼりよんでいた。そんでもって、このベルリン大学のときに、自由民衆舞台っていう劇団にはいって、労働者文化運動みたいのをやっていて、そこでアナキズムや社

4　このへんのクラストル理解については、HAPAX「初メテノ音、未ダ来ラズ——絶対的な孤独への道標」（『別冊 ele-king　初音ミク10周年』Pヴァイン、二〇一七年）を参考にした。

5　ランダウアーの生涯については、グスタフ・ランダウアー『レボルツィオーン——再生の歴史哲学』（大窪一志訳、同時代社、二〇〇四年）の「訳者解説」を参考にした。

会主義の友人たちがたくさんできたわけだ。こりゃおもしれえぞといって、クロポトキンやプルードンの本なんかも、ガンガンよんでいく。でも、さいしょからアナキストでいくぞってかんじじゃなくて、ひろく社会主義の友人たちといっしょにやれることをやっていくんだっておもっていたみたいだ。一八九〇年には、ドイツ社会民主党（SPD）にはいっている。

だけど、SPDにはいってすぐにランダウアーは党指導部に嫌気がさしてしまう。左派っぽいことをいっているけれど、これじゃ権力をにぎったやつらが上から命令をくだして、末端のものたちをしたがわせているだけじゃん、ただの支配体制じゃんと。しかも、党指導部は議会で議席をふやすことばかり考えていて、いざ労働者や失業者たちが決起しようとすると、それ非合法だからやめろとか、オレたちの票がへるからやめろとかいってとめにはいってくるわけだ。コンチクショウ。これだから大人ってやつは。カネか、地位か、名誉かよ。このころSPD内部では、若手の「青年派」ってグループができていて、党内で反中央闘争をやっていた。でも、そいつらは早々にポイポイッと除名され、いなくなってしまう。ランダウアーは、その青年派に属してはいなかったので、除名はされなかったものの、だんだんとSPDからはとおざかっていく。

じゃあじゃあということで、ランダウアーは、その除名されたやつらといっしょに、週刊『社会主義者』っていう雑誌をたちあげて、文章をかきはじめた。で、このグループのメンバーが、だんだんとアナキストを名のるようになっていく。この雑誌、けっきょく仲間うちでもめたり、あんまり売れなかったりで、数年で廃刊においこまれてしまうのだが、それでもランダウアー主筆でがんばっていたようだ。ちなみに、このころのランダウアーはニーチェの影響がすげえつよかったので、左翼ニーチェ主義者っていわれていたんだという。とにかく、ランダウアーはちょくちょく逮捕されたりしながらも、クロポトキン『相互扶助論』の翻訳をやったり、アナキズムの入門書みたいのをかいて、その思想をガンガン紹介していった。それから、文学が好きで、オスカー・ワイルドやシェイクスピアについてのエッセイをかいたり、自分でも小説をかいたりしていて、そのタイトルがまたかっこいい。『死の伝道者』、そして『生きたまま死んで』だ。いやあ、よんでみたいね。だれかドイツ語のできるかた、訳してくだせえ。おねげえいたします！

で、一九〇三年には、中世のキリスト教神学者で、神秘主義者としても有名なマイスター・エックハルトの論集を編纂《へんさん》していて、それにあわせて、『懐疑と神秘主義』っていう著作もだしている。このあと、ランダウアーは革命のはなしをするとき、よく「離脱」ってことばをつかったりするのだが、このあたりなんかは、おもいきりエックハルトの影響だっていっていいんじゃないかとおもう。もしかしたら、「えっ、神秘主義とかいっちゃっていいんですか、なんかヤバくないっすか？」ってひともいるかもしれないので、あえてこんなふうにいっておこう。ヤバくて上等、いいもわるいもございませんと。というか、わたしなんかからすると、宗教のちがいこそあるけれども、なんかエックハルトって、鎌倉時代のお坊さん、一遍《いっぺん》上人と同時代のひとで、しかもマジでおんなじようなことをいっているので、親近感しかかんじない[6]。

たとえば、いつの世でも、ひとはどんだけモノを所有できるかで、その優劣がはかられている。でも、それはあんまりいきぐるしい。武士の世だと、所領をまもったり、増やしたりするために、親戚《しんせき》同士で殺しあったりしなきゃいけないのだ。もしも、それがイヤだったら、この世を離脱するしかない、現世を捨てろ、捨てろ、捨てろ、捨てろ、出家だいっていうのだが、たとえ出家したとしても、お寺にはいってこんだけ修行したからエラいとか、こうやって念仏をとなえたからエラいっていわれてしまう。これも所有だ。だから、そこからぬけだすためには、その捨てる心すら捨てなくちゃいけない。一遍はそういうのだが、エックハルトも、おなじようなことをいっている。離脱は、離脱を離脱してこそ離脱であると。とまあ、そんなかんじなのだが、このはなしをウダウダやっていると、ながくなってしまうので、はなしをさきにすすめることにしよう。

一九〇八年、ランダウアーは社会主義同盟ってのをたちあげている。その宣伝にうってでるためだろう。雑誌の『社会主義者』も復刊させている。じゃあじゃあ、この同盟がなにをやっていたのか。くわしいことはよくわからないが、ランダウアーが「社会主義同盟の一二箇条」ってのをかいているので、それでチョビッとわかる。かれの思想の骨格もみえてくるので、ひとつふたつ紹介しておこう。たとえば第四条。ここにはこうかかれている。われわれは社会主義同盟である、われわれはアナーキーであると。全員自立、あらゆる支配をなくしましょう。

それから第五条なんかじゃ、オレたちがめざすのは、プロレタリアの政治でも階級闘争でもない、そんなの国家や資本主義の産物でしかないんだ、捨てちまえってかかれている。そりゃそうで、プロレタリア独裁とかいっていたら、国家による支配をより露骨にやるようになってしまうわけだし、よっしゃ階級闘争だっていって、いくら労働組合がおおきくなったとしても、労働者がコガネを手にして、自動車を買えるようになったり、マイホームをゲットできるようになったりするだけで、カネ、カネ、カネと、カネに翻弄されて、それなしじゃ生きていけねえっておもわされることにかわりはないわけだ。むしろ、カネにどっぷり浸《つ》かってしまって、ドツボにハマってどっぴんしゃ。それで自由になったのかい、それで自由

6　一遍上人については、拙著『死してなお踊れ――一遍上人伝』（河出書房新社、二〇一七年）をどうぞ！

になったのかよ！

じゃあ、どうしたらいいかっていうと、カネの強制力をたちきるためには、労働者であることを捨てようとするしかない、「労働」自体から離脱しよう、トンズラだと。[7] もちろん、それじゃ食っていけなくなっちまうから、それでも生きていけるように、なるたけ自給自足でやっていけるようにしましょう、そういう場所をみつけましょう、なけりゃつくりましょう、農業でも手工業でも、みんなで協力できるしくみをつくりましょう、内地植民運動だと、そんなことがかかれている。

ランダウアーと仲間たちが、そういうのをやっていこうぜってよびかけて、それでベルリンやミュンヘンに「共同体」（ゲマインシャフト）って名のるグループができていった。これ、フランス語でいったら、コミューンってことになるだろうか。こういうのが、スイスのチューリッヒやルツェルン、ベルンなんかにもできていたんだそうだ。しかもその活動がうまくいったのかどうかはべつとして、メンバーが一〇〇〇人くらいいたんだというのだから、いやはや、たいしたもんだ。

まあまあ、そういうことをやっていて、気づけば、第一次世界大戦だ。一九一七年にはロシア革命がおこって、ドイツ敗戦も濃厚になってきて、なんでこんなことやらされてきたんだと、兵士や民衆のあいだで不満が爆発し、革命の波がやってくるのだが、このころランダウアーがなにをやっていたのかというと、ドイツ南西部、シュヴァーベン地方のクルムバッハっていう田舎町で、ひっそりと生活をしていた。どうもパートナーの女性が病気だったらしい。一九一八年二月に亡くなっている。

それで悲嘆にくれていたら、SPD時代の友人だったクルト・アイスナーから、お声がかかった。おいおい、ランダウアーさん、のんきに田舎ぐらしなんかしてる場合じゃねえよ。もっか風雲、急をつげております。革命、革命、革命、革命だ。バイエルン地方、ミュンヘンで革命をおこしますよ。こいよ、こいよ、おいらのうちまで。そんなふうにさそわれて、ランダウアーはおもい腰をあげた。考えてみりゃ、もうオレにうしなうものなんてなんにもない、いっちょ死ぬ気でやってやりますかと。いざ、ミュンヘン！　こうして、ランダウアーはミュンヘンの革命運動にとびこんでいくのだが、ここからまたちょっくらあるので、いったんとめて、ランダウアーの思想をご紹介してみたいとおもう。

7　もちろん、ここでランダウアーがいっていることを「階級闘争」とよぶ人たちだっている。たとえば、李珍景『不穏なるものたちの存在論』（影本剛訳、インパクト出版会、二〇一五年）。ここで珍景は、階級闘争とは脱‐階級化の運動のことだっていっている。おんなじことだ。

いくぜ、戦闘的退却主義
負ける気しかしねえ、チョレイ!

じゃあ、どんなことをいっていたのか。ランダウアーの主著には、『レボルツィオーン』(一九〇七年)、『社会主義への呼びかけ』(一九一一年)の二冊があるのだが、すげえありがたいことにどっちも日本語訳があるので、この二冊を中心に紹介してみよう。まず、あたりまえかもしれないが、ランダウアーは国家はいらねえっていうわけだ。ひととひととのあいだに、支配をもちこんじゃいけない。ぶっこわしましょうと。それこそ、シュティルナーやバクーニン、クロポトキンがいってきたように、ひととひととのあいだには、アナーキーがあればいい。アナーキーってのは「無支配」って意味なのだが、ようするに、みんながみんな、よお、きょうだいっていって、つきあっていきゃあいいんだっていっているのだ。友だちに支配なんてありゃしない。あったら、ダチでもなんでもありゃしない。ラジカル友だち主義。ひとが生きていくのに、支配なんていりやしない。きょうだいがいればじゅうぶんだ。国家はもうおしまいだ、いいよ!

ここまでは、ランダウアーもそうだねっていうのだが、でもねというのだ。国家なんていらない、国家を廃絶せよ、廃絶、廃絶っていっていると、なんかどっかで国家を意識してしまって、国家という制度をなくしたあとじゃなければ、ひとは自由になれないっておもわされちまうんじゃないか、それだと国家なんていらねえよっておもっていても、いやおうなくがっぷり四つで、国家ととっくみあうことになっちまうんじゃないかといっているのだ。いちど国民運動をまきおこして、旧体制をぶったおさなければ、なにもかわらない、そんでもって、みんなで国家はいらないっていって、合意しなければ、国家はなくならないんだと。いちど国家権力を奪取して、そのあとゆっくりと国家を死滅させていきましょう？　なんかレーニンみたいだ。

ランダウアーが文章をかいていたときは、まだロシア革命はおこっていなかったわけだが、でも革命のイメージがフランス革命しかなかったら、そりゃそうなっちまう。結果はサイアクだ。たとえば、フランス革命後、どうなったのかというと、ひでえ国家をぶっつぶせっていって、みんながたちあがって国王もぶっ殺したのだが、まわりにはまだたくさんの国家があって、あの革命政権をぶっつぶせっていって、よってたかってフランスに攻めこんできた。そっから身をまもるためにはしかたがない、いまは緊急事態だからっていって、ジャコバン派が独裁をしいた。自由、平等はあとでねといって。でも、それでいままでよりもはるかに、抑圧的な国家ができあがっちまったわけだ。そのあと、自由や平等がかえりみられることはぜったいにない。しかも逆にそれじゃダメだ、ぜったいに独裁はしかないぞっていっていたら、パリ・コミューンのときみたいに、まわりに攻めこまれ、ボコボコにされて、血の海にされちまったりするわけだ。

だからねと、ランダウアーはいうのだ。もうフランス革命を革命のモデルにするのはやめましょう。そもそも国家がなくなったあとじゃないと、ひとは自由になれないってのはどうなんでしょうと。むしろ、そういうことをいう人たちってのは、いまの国家のあとに、あたらしい理想社会みたいのを想定していて、それだとけっきょく、どんなにキレイなことばで彩られていても、どんなに平等に設計されていても、その社会のなかで、あれはダメ、これはダメと、なにかしらの尺度がたってしまって、ひとはそれに強制される。あたらしい支配がうまれてしまうのだ。だから、そろそろ発想をきりかえてみませんか、ひとは国家にたたかいをいどんだその瞬間に、国家とたたかっているそのときに、すでに自由になっているんだ、それがいちばんだいじなことなんだと。

ランダウアーは、このことを一六世紀フランスの思想家、ラ・ボエシの『自発的隷従論』をひきながら説明している。あっ、ラ・ボエシはモンテーニュと親友だったひとで、早熟の天才っていうんだろうか。この『自発的隷従論』も一六歳とか、一八歳でかいたといわれている。で、まだまだこれからっていうときにペストにかかって、三三歳で死んじまったというひとだ。アーメン。じゃあ、どういうことをいっていたのかというと、まず国家のとらえかたをはっきりとかえたわけだ。もちろん国家ってのは、ふつうにいわれているように、議会とか裁判所とか軍隊とか警察とか、そういう制度のことでもあるのだが、権力がいちばん強力に作用しているのはそこじゃない。人間関係だ、ひととひととのあいだに存在している支配関係そのものなんだといっているのだ。

これ、ざっくりと主人と奴隷のことだよっていえばわかりやすいだろうか。主人が奴隷にムチをうって、はたらけ、はたらけっていって、無償奉仕をさせて、ムリくり税を徴収してきたのとおなじように、君主が臣民にむかって、てめえらオレのためにはたらきやがれ、ホレ、奉仕しろ、ホレ、税をはらいやがれっていうわけだ。そりゃ、さいしょはみんなしたがわないから、警察や軍隊を出動させて、もじどおりムチうっていたわけだが、それだけじゃ社会はまわらない。たいがい、人数でいったら臣民のほうが圧倒的におおいわけで、ほんきでさからわれたら、君主だってひとたまりもない。だから、そうさせないためにも、臣民がすすんで君主にしたがうようにしなくちゃいけない。それがあたりまえなんだ、よろこばしいことなんだっておもわせなくちゃいけないというのである。自発的隷従だ、そういう習慣がつくられているんだと。

したがって、自発的隷従の第一の原因は、習慣である。だからこそ、どれほど手に負えないじゃじゃ馬も、はじめは轡を噛んでいても、そのうちその轡を楽しむようになる。少し前までは鞍をのせられたら暴れていたのに、いまや馬具で身を飾り、鎧をかぶってたいそう得意げで、偉そうにしているのだ。

さきの人々〔生まれながらにして首に軛をつけられている人々〕は、自分たちはずっと隷従してきたし、父祖たちもまたそのように生きてきたと言う。彼らは、自分たちが悪を辛抱するように定められていると考えており、これまでの例によってそのように信じこまされている。こうして彼らは、みずからの手で、長い時間をかけて、自分たちに暴虐をはたらく者の支配を基礎づけているのだ。[8]

大杉栄《おおすぎさかえ》だったら、こういうのを「奴隷根性」っていうのだが、奴隷ってのは主人にしたがうのがあたりまえになってくると、なぜかムチをうたれても、ああ、ご主人さま、ありがとうございますと、おもうようになってしまう。しかもムチをうたれているだけ、オレはほかの奴隷よりもご主人さまにみられているんだと、得意げになってしまう。もっとムチをうたれたい、もっとご奉仕してあげたい、もっともっと、ああ、ご主人さま。ちょっと変態プレイっぽいけど、まあまあそういうものだ。君主と臣民のはなしでいえば、バカみたいにたかい税をはらえっていわれても、ハハァっていってしたがって、税をおさめて君主にホメられて、それで得意げになって、わたくしは有用な納税者なのです、善良な市民なのですっていってよろこんでいるのが、そういうことだ。もっとムチをうたれたい、もっと税をおさめたい、もっともっと、ああ、ご主人さま。チョレイ！

じゃあ、この隷属状態をぬけだすにはどうしたらいいか。ラ・ボエシは、こういっている。ただ君主の首をとろうとしてもダメなんだ、それだと、あたらしいカエサルがうまれるだけだからと。じっさい、君主をたおすために、軍の実権をにぎろうとか、やれ宮殿の占拠だ、やれ議会の占拠だとかっていっていたら、そのひとはその国でいちばんの権力者になっているわけで、そりゃ君主とおなじになっちまうだろう。それに、カエサルにつきしたがうおおくの民衆ってのも、バカでかい宮殿や議会をおさえるとかいっても、そんなの自分たちとは縁どおい、別世界のはなしにしかおもえないわけで、こりゃもうカエサルのいうことをきくしかない、命令にしたがいましょうってなっちまうわけだ。けっきょく、国家とたたかうとかいいながら、また奴隷根性を発揮してしまう。

だから、国家とたたかうというのは、そういうことじゃなくて、自発的隷従をたちきると

8　エティエンヌ・ド・ラ・ボエシ『自発的隷従論』西谷修監修、山上浩嗣訳、ちくま学芸文庫、二〇一三年、四三〜四四頁。

いうことだ。これ、なんだかむずかしそうにもおもえるが、そうじゃない。だって、みずからすすんでしたがっちまっているんだから、みずからすすんでしたがわなけりゃいいのである。自由をえるためには、ただそれを欲しさえすればいい。もしかしたら、えっ、それでいいんですかっていわれてしまうかもしれないが、いいんです。ラ・ボエシは国家を火にたとえて、こんなふうにいっている。

たしかに、火は小さな火花から発して大きくなり、ますます強くなっていく。薪があればあるだけ、どんどん燃やそうとする。しかし、それを消そうと水をかけるまでもなく、たんにそれ以上薪をくべないでおけば、火はもはや燃やすものもなくなり、自然に小さくなって勢いも失われ、ついには消えてしまう。これと同様に、圧政者が、略奪し、増長し、ますます暴れまわり、破壊するようになればなるほど、人々は多くを与えるようになり、隷従の度合いもはなはだしくなる。そうなればまた圧政者は力をもち、どんどん強く元気になることで、すべてをむちゃくちゃにし、破壊しつくしてしまうのだ。しかし、彼らになにも与えず、まったく従うことをしなければ、戦わずとも、攻めかからずとも、彼らは裸同然、敗北したも同然であり、もはや無にひとしいものとなる。あたかも、根に水分や養分を与えなければ、枝が枯れて死んでしまうようなものだ。[9]

権力者の炎が燃えさかるのは、つぎからつぎへと、自発的隷従っていう薪がくべられるからだ。じゃあどうやったら火がきえるのかというと、かんたんだ。薪をあたえなけりゃいい。テメエの薪をもちさって、シレッと逃げてしまえばいい。そうすりゃ、たたかうまでもなく、権力の炎はきえてしまうことだろうと。よく敵に勝つものは、与《とも》にせずってことだ。国家とたたかうということは、国家を相手にしないということだ、逃げろ。もし税をはらいたくないならば、もうバックレるしかない。むかしだったら、農民たちが年貢を拒否して、国家から離脱していくことを逃散《ちょうさん》といった。あるいは、こんな君主のために戦争になんていきたかねえっておもったら、やっぱり逃げるしかない。兵役の拒否。じっさいロシア革命だって、これでおっぱじまったわけだ。トンズラ、トンズラ、トンズラだ。トンズラこそが最大の武器である。

国家ってのが、ひとを支配の原理で生きさせているんだとしたら、そっから死ぬ気でバックレよう。国家からはみえない異次元の生きかたをはじめるんだ、国家とは非対称の関係に

9 前掲書、一九〜二〇頁。

うつるんだ。ランダウアーは、こういった。ひとは国家にたたかいをいどんだその瞬間に、たたかっているそのときに、自由になっている。テメエの薪をもちさって、逃げて、逃げて、逃げまくれ。もちろん、国家はそういう人たちのうごきを盗みだとか、犯罪だとかっていってくるだろう。だったら、こっちだっていってやる。気にするな。見切り発車でぶっとばせ。いくぜ、戦闘的退却主義。負ける気しかしねえ、チョレイ！

民衆はまだ存在していないのだ

とまあ、そんなかんじだ。国家とガチにならない、非対称なたたかいかたをしていきましょう、非対称な生きかたをしていきましょう。ご主人さまがいなくても生きていける、ご主人さまが用意してくれたインフラなんてなくても生きていけると。これまで、そうやって生きるのがあたりまえだとか、よいことだとか、有用なことだとかいわれていたことから逃げだしてしまって、まったくべつの論理で生きはじめる。戦闘的退却主義だ。そう考えてみると、ランダウアーはバクーニンがいっていた創造的破壊のイメージをくみかえたっていってもいいだろうか。いまある社会を破壊したあとに、理想的な社会を創造するんじゃない。それじゃ、あたらしい支配がうまれるだけだ。そうじゃなくて、いまある社会を破壊すること、そこから逃げだしていくこと、それ自体がだいじなんだ、それ自体が創造なんだと。破壊とは、あたらしい生の形式が発明されるということだ。

ランダウアーは、ここからみずからの革命思想を展開している。あっ、そうそう。さっき、『レボルツィオーン』っていう著作があるっていったが、レボルツィオーンというのは、レボリューションのことで、ドイツ語で革命っていう意味だ。ここでキーワードになってくるのが、「精神」と「民衆」。ちょいと説明してまいりましょう。いまどこにいっても、ひととひとのつながりは、国家によって支配の檻《おり》のなかにとじこめられている。ご主人さまの役にたちたい。「国民」として、「臣民」として有用であるかどうか、それでひとの価値がはかられる。どれだけ税をおさめられるのか、どれだけ農作物をとれるのか、どれだけカネをかせげるのか、それだけでひとのよしあしがはかられるのだ。

でも、これでいくと、とんでもねえ領主からとんでもねえ年貢を課されたとしても、しかたがねえよう、もっとがんばってもっとホメられようよってなっちまうし、ほんとうはカネにならねえクソみたいな詩でもかいていたくても、そんなことやっちゃいけねえっておもわされてしまうわけだ。だけど、ひとにはいやいや、いまのこの世界がおかしいんじゃねえか、なんでこんなに税をとられるのか、逃げちゃえとか、闇にまぎれて領主の館を燃やしちまえとか、カネになろうがなるまいが、どうせいちどの人生だ、クソでもなんでもやっちまえとか、そんなおもいがどっかしらにあるわけだ。あれもしたい、これもしたい、あれもできる、これもできると。

もちろん、なにがやりたいのかなんて、ひとによってまちまちなのだが、この世界をトンズラしてえっておもいはおなじなわけで、しかもなんとなくまわりに似たようなことを考えているやつらがいるってのはわかるわけだ。キョロキョロみまわしながら、ああ、おまえもか、おまえもかと。それで、だれかがウリャアとやりはじめると、ドーンッと火がついて、オレも、オレもといっせいにみんながうごきはじめる。それが一揆《いっき》や暴動っていうかたちをとることもあれば、逃散ってかたちをとることもあるだろうし、いっせいに仕事をやめて好きなことをやりはじめることもあるだろう。

しかもひとがふえればふえるほど、わる知恵にわる知恵をかさねて、あそこでああやって軍や警察をとめておけば、こんだけあばれたいほうだいやれるぞとか、領主の館のあそこをおそっておけば、借金の証文も燃やせるし、金銀物品もうばえるぞとか、ほんとはべつの農地に逃げることしか考えちゃいなかったけど、それじゃまたあたらしい領主にコキつかわれるだけだから山に逃げこもう、そうすりゃなんとかなるぞ、焼き畑でも狩猟採集でもやれば、だれにもしばられずに生きていけるぜとかってのがわかってくるわけだ。

そんなふうに、これまでありえないっておもわれていたり、ムダだっていわれていたような、ひとの潜在的なおもいを駆りたてて、パンパーンッと爆発させてしまうのが「精神」だ。

これ、ドイツ語だとガイスト（Geist）っていうのだが、ことばの意味からすると人間の生をいきいきとさせるっていうことらしい。自分のことを予想もしていなかった未知の世界におくりこんでくれる力のことだっていってもいいだろうか。それで、うおおお、こりゃいけるぜ、やれるぜっていって、身近な友人たちや、まだみぬ、これからであう友人たちといっしょに、ヘンチクリンなことをやらかしていく。自分の、自分たちのあたらしい生をかたちづくっていく、そうして自分も未知のなにかに変わっていく。ランダウアーは、それが「民衆」だといっているのだ。

ちなみに、この民衆というのは、ドイツ語のフォルク（Volk）、英語でいうとフォークで、「民族」とも訳されるものだ。フォークロア、フォークソングのフォークである。起源をおなじくするというか、おなじ歴史や伝統を共有している存在っていわれている。どこそこの国のだれそれ、どこそこの会社のだれそれと、バラバラな肩書きを背負わされ、それをアイデンティティにしてしまう以前の、共同存在。名づけようのないなにものか。その集団的匿名性こそがフォークなのだ。そして、ランダウアーがおもしろいのは、それはいま実在しているわけじゃないよっていっていることだ。なんでかというと、民衆ってのは、現にあるこの世界を離脱して、あたらしい得体のしれないなにかになろうとしている人たちのことだからだ。権力への抵抗ということでいえば、一揆をおこしたり、義賊になったりね。いつの世にも、そういう連中ってのはあらわれているのだが、国家の歴史にうもれてわすれさられちまっている。

だから、ふだんはそういう民衆の歴史ってのは、歴史としては、過去としては共有されていないのだが、でも、いざ自分が「うりゃあ、トンズラじゃあ」っていって行動をおこして、あたらしい生を手にしたら、民衆になってみたら、とつぜん過去の、記憶にあるはずのない記憶がスッとよみがえってくるわけだ。それこそフォークロアで語りつがれてきたような伝説や民話が歴史に変わる。それをいまここで生きなおす。わたしたちは石川五《いしかわご》右《え》衛門《もん》だったんだ、ロビンフッドだったんだ、水滸伝《すいこでん》の李逵《りき》だったんだ、魯智深《ろちしん》だったんだと。その歴史を共有し、生きなおせばなおすほど、名づけようのないものになっていく。集団的匿名性を獲得していく。ランダウアーはこんなふうにいっている。

> 民衆《フォルク》、全民衆《フォルク》、我らあらゆる民衆《フォルク》への希望を、私たちは絶対に捨ててはなりません。確かに今はまだ民衆《フォルク》は存在していません。精神で結ばれた人びとである民衆《フォルク》がいるべき場所には、国家と貨幣が居座っています。その一方で、個人はバラバラに分解されたままとり残されているのです。

個々人が、先行する人びとが、精神的なるものを「民衆《フォルク》」で満たし、「民衆《フォルク》」の原型が創造的な人びとの間に息づき、それが彼らの心、身体、手から現実になってはじめて、再び生まれ出でるのです。[10]

民衆とは、民族とは、いまわたしたちが行動をおこすことではじめてうみだされる、再構築されるものだ。民衆はパフォーマティブだよ。過去はいつだって生成されている。あたらしい民衆は、すでに存在していた。ごきげんよう。

まとめておこう。ふだん、わたしたちはみんな、国家や資本主義の支配を生きさせられている。「国民」や「市民」であることを強いられている。そこじゃかならず、ひとがカネだの、モノだの、有限な世界ではかりにかけられていて、こいつはつかえるだの、つかえないだのいわれている。じゃあ、だいじなのはなにかというと、その世界でつみかさねてきた生きかたを、国民の「国」を、市民の「市」を、ポイポイッて捨てさっちまうということだ、トンズラしちまうということだ。そっから死ぬ気で逃げだして、これからどうなるのかわかんないような、なにものかになろうとするということだ。無名になれ。識別不可能性をつか

10　グスタフ・ランダウアー『自治 - 協同社会宣言――社会主義への呼びかけ』寺尾佐樹子訳、同時代社、二〇一五年、一八六頁。

みとれ。純然たる民になってゆきたい。暗闇にむかって走りだす。有限性のくびきをたちきって、ひとを無限の可能性にひらいてゆく。それが精神というものだ、それをやってのけるのが民衆っていうものだ。はてさて、そこからみえてくる風景はいったいどんなものだろうか。絶景かな、絶景かな。石川や浜の真砂《まさご》は尽きるとも、世に盗人《ぬすびと》の種は尽きまじ。

革命とは魔界転生である なんどでも、なんどでも化けてみやがれ

もしかしたら、有限とか無限とかいっていると、ハァなにいってんのと、おもうひともいるかもしれない。なのでもうちょっとだけ、このへんのことにふれておこう。ランダウアーの論文に、「トポスとユートピア」ってのがある。[11]トポスというのは、ギリシア語で「場所」っていう意味なのだが、まあまあ、いまここにあるものっていうことだ。いまこの社会であたりまえとされていることであったり、その秩序そのものだったりする。これにたいして、ユートピアというのは、「非 - 場所」っていう意味だ。この社会じゃ、いまだ存在していないもの、ありえないっていわれているもの、これからなんにでもなりうるもの、けっしてなんにもとらわれないもののことである。

いってみれば、トポスってのがカネでもなんでも、なにか有限なモノをつかって、これが

いい、わるいっていう尺度をたてて、社会の秩序をかたちづくっているんだとしたら、ユートピアってのは、そこからはみだして、わたしたちをなんにもとらわれない無限なものにむかってひらいていくものだ。そんでもって、ランダウアーは、このトポスとユートピアで歴史をさかのぼってみると、おもしれえことがいえるよっていっている。いまこの世のなかをみてみると、ひとむかしまえにユートピアだ、ありえないっていわれていたもの、すくなくともその一部が現実化することでなりたっているよねと。もちろんこれ、いいことばかりじゃなくて、そのユートピアが実現して、トポスになると、権力者にいいようにしてやられて、ひでえ世のなかがつくられちまったりするのだが、まあまあ、それはそうとして、まちがってないんじゃないかとおもう。

しかもこれ、いくら過去をさかのぼってもおなじことがいえるわけだ。人類史を七〇〇万年でもさかのぼってみれば、そのまえにはサルのユートピアがあったかもしれないし、そのまえには魚の、バクテリアのユートピアがあったかもしれない。ええーっていわれるかもしれないが、じっさい、人類の先祖はバクテリアで、しかもバクテリアってのは、ほかのバク

11　グスタフ・ランダウアー「トポスとユートピア」（『レボルツィオーン――再生の歴史哲学』大窪一志訳、同時代社、二〇〇四年）所収。

テリアを捕食して栄養分をとって生きていたわけだが、そんなかに消化不良をおこしたやつがいて、そいつの体のなかに消化できなかったバクテリアの機能がのこっちまったりするわけだ。それで気づいたら、自分の身体が得体のしれないバケモノみたいになっちまっている。そんでもって、そいつがたまたまのちのちまで生きのこったりする。これって、そのときのバクテリアからしたら、機能不全をおこしているだけであり、生のありかたとしてはありえないことだったのだけれど、でもその結果、人間みたいのができていたわけだ。うっ、腹がいてえ。ヒャッホー、ユートピアだ。

もっといえば、そのまえには宇宙の塵《ちり》のユートピアがあったんだろうし、そのまえにはさらにそうではないものがあったんだろう。わたしたちがふだん、こうやって生きていくのがあたりまえだ、これがすぐれているんだっていっているこの有限な世界は、いつだってその常識じゃとらえきれないもの、ありえないもの、ムダだとか失敗だとかっていわれているものの、いまだなにものでもないもの、これからなんにでもなりうるものの、運動のひとつの結果でしかない。しかもそこにははじまりもなけりゃ、おわりもないわけだ。無限にさかのぼれる、無限につづいていく。だから、禅問答みたいないいかたになっちまうが、人類の起源というのだろうか、はじまりのはじまり、その根っこにあたるものはなにか、それ自体が原因であるような自己原因はなんなのかというと、ありえないもの、なにものでもないもの、これからなにものでもありうるもの、起源じゃないものが起源だっていうことだ。あっ、そうそう。せっかくなので強調しておくと、アナキズムの「アナーキー」っていうのは、語源からすると「支配がない」ってことなのだが、もうひとつ「起源がない」って意味もある。だから、こういってもいいだろうか。人類の起源は無起源だ。アナーキー。

じゃあじゃあということで、ひるがえってみると、人類の歴史ってのは、その起源のくりかえしなわけだ。だって、なんどもなんども、なんにもとらわれない無起源の力があらわれているんだから。いつだって、あたらしい生のはじまりをいきている。じゃあ、それってあたらしいことをくりかえしているだけなのか、わたしたちにはなんの歴史も、伝統もないのかっていうと、そうじゃない。

ランダウアーは、ワインの醸造を例にあげていて、ワインってのは酵母がだいじだ、酵母が発酵してワインになって、その酵母をつかってまたあたらしいワインをつくるんだといっている。[12]こんとき、もちろん酵母はあたらしくなっているのだが、そのなかには過去の酵母の記憶もつまっている。これ、人類だっておなじことだ。バクテリアが消化不良をおこしたその記憶。権力者にてめえは腐っている、この極悪人めっていわれて、ぶっ殺された五右衛

12　前掲書、一六頁を参考にした。

門たち。そういう記憶が細胞レベルでのこっていて、いまここで、あたらしい生が発酵したそのときによみがえってくる。未来とは過去への前進にほかならない。それがフォルクだ、民衆だ。その起源をおなじくする共同存在を生きるということだ。精神とは酵母であり、ユートピアは発酵なのだ。そんな酒を飲みつづけてゆきたい。この酔い心地だけは。

だから、ランダウアーにとって、革命ってなんですかいというと、ユートピアなわけだ。たんなる理想郷のことじゃない。既存のトポスから、あたらしいトポスに移行するときの、その途上にあるものっていっていいだろうか。これまで、なんだそれ、わけわかんないぜ、ありえないぜっていわれていたものが、とつじょとして力をもって、この世界の殻をつきやぶっていく。そのグワッていう力のうねりそのものが、ユートピアだ、革命というものだ。いつだって、無起源の力はいまここにある。その力を手にとって、未知のものになりつづけてゆきたい。

ちょっと語源のはなしばかりしてしまって恐縮だが、よく考えてみりゃ、もともと革命(revolution)ってのは、「revolve」からきているわけだ。回転するとか、ひっくりかえるとか、再生するっていう意味なのだが、すこし似たことばの進化(evolution)は、「evolve」からきていて、まっすぐに進んで化けるってことなので、「re-volve」というのは、もどって化けるとか、再び化けることだっていってもいいだろう。かせげ、かせげ、かせげ、はやく、

はやく、はやくと、一直線に加速することを強いられているこの世界。そんな世界をつきぬけて、くるっとまわってふたたび無起源の起源にもどるということ、あたらしい生をいきるということ、ありえないものになるということ、得体のしれないなにかに化けるということ。革命とは魔界転生である。なんどでも、なんどでも化けてみやがれ。エロイムエッサイム、われはもとめうったえたり。エロイムエッサイム、われはもとめうったえたり。この世界をトンズラしてゆけ。

国民を捨てろ、階級を捨てろ、自分を捨てろ 捨てたその自分さえ捨ててしまえ

しかし、ランダウアーは近代にはいってから、この精神の力がおさえこまれちまっているといっている。なんでかというと、ひとつはフランス革命の影響だ。近代国家をつくるのが革命だっておもわれちまっているからだ。オレたちもう「臣民」じゃないぞ、「国民」だっていってうかれちまっているんだろうか。ほんとはただの納税動物、ひとにぎりのカネもちがやりたいほうだいやるために、税金をしぼりとられているだけなのに、なんか民主主義の名のもとに、みんなおなじ国民だよとかいわれたら、そうだよねっていって、すすんでしたがってしまうのだ。それができるかどうかで、善良な国民なのかどうか、みんなはかりにか

けられる。やりたくないといったら、みんなのメイワク、非国民。よりよい納税、よりよい国民。ろくでなしを駆逐して、ああ、ご主人さま、はたらきましょう、はらいましょう。自発的隷従だ。ドヒャア!

それからもうひとつ、やばいのが資本主義の「階級」だ。カネだ、カネだよ、カネ、カネ、カネだと、いくらかせげるのか、ひとがカネで優劣のはかりにかけられる。きほん資本家階級は、工場でモノをつくらせ、たくさんかせいで、カネをくださるご主人さまで、労働者階級は、そのカネで生きさせてもらっている奴隷である。だから、ほんとうはコキつかわれて、ふみにじられて、泣かされているだけなのに、奴隷たちはご主人さまのおかげで生きていられるんだ、なんでもいうことをきかなきゃいけないんだ、もっとはたらけ、もっとご奉仕しろっておもわされてしまう。

しかも、ランダウアーが危惧《きぐ》しているのは、それって奴隷労働だから、やっちゃダメだよっていう良心的な人たちも、たいがい階級の論理にとらわれてしまいがちだということだ。オレたち、労働者は貧乏人とさげすまれ、ムダに搾取されている、コケにされている、でもほんとうはオレたちなしじゃ、工場ひとつうごきやしねえ。オレたちはこんなにはたらいているんだ、オレたちはこの社会の主人公なんだ。もっと自信をもて、労働者階級としてのほこりをもつんだと。

そしてさらにさらにだ。このはなしをあとおしするかのように、当時のマルクス主義者たちは、こういっていたわけだ。資本主義は進歩の最先端をいっている。未開社会よりも古代奴隷制よりもはるかに進歩しているのだ。科学技術も進歩して、工場の機械化もすすんで、生産力もたかまっている。たくさんモノがつくれるようになった。じゃあ、なんでみんながゆたかじゃないのかっていうと、権力をにぎっているのが、暴利をむさぼる資本家階級だからだ。じっさいに工場をうごかしていて、先端技術を担っている、いわば進歩の担い手である労働者階級が、この社会の主人公になっていないからだと。

そんでもってさいしょは、資本主義が発達すればするほど、労働者の役割ももっと重要になって、力を増すはずだから、いまはツライけどたえましょう、待機だ、がんばってはたらいて生産力をたかめましょう、はたらけ、はたらけ、未来のためにといっていて、でも、それじゃなんにもかわらないどころか、ますます貧乏人の生活がくるしくなっていったから、いやもうたえらんねえぞ、強引にでも未来をたぐりよせろ、オレたち共産党が未来をさきどりするから、オレたちの指導のもとにうごけばいい、まずは権力奪取だ、労働者階級の権力をたちあげろ、独裁、独裁、そしたらあとはオレたちがうまく経済をまわして、平等にカネをくばってやるよと。ボルシェビキ！

まあまあ、そんなわけだが、ランダウアーはそれじゃダメなんだといっているのだ。自分が労働者階級であることにほこりをもてとかいっても、そしたら、よりよい労働者になれ、もっとはたらけ、もっとはたらけ、できなきゃおまえクズやろうと、そんなはなしになっちまうし、待機させられるにせよ、たたかわされるにせよ、よりよい未来のために、よりよい未来のためにっていって、党のためにはたらかされるわけだ。つかえなければ、不穏分子、殺《ヤ》ッチマイナと。それが、われわれ労働者階級の使命であるとかいってね、チャッハハ。おっと、わらっちゃいけねえか。というわけで、「階級」にこだわっていると、けっきょくその有用性にしばられてしまう。しかも自分のアイデンティティにほこりをもとうとしているぶん、自発的隷従のどあいがつよくなってしまうのだ。あたしゃ、りっぱな奴隷なんです、みなさんみとめておくれよと。たちがわりい。

　そんじゃ、どうしたらいいかっていうと、ランダウアーはこういうわけだ。たいせつなのは、国民や階級って役割を捨てることなんだ、そこからトンズラすることなんだと。だって、国家とガチでやりあっちまうのとおなじことで、国民の現状をどうにかしようとか、労働者の境遇をどうにかしようとかいっていたら、そりゃよりよい国民とか、よりよい労働者ってこたえしかでてこないわけだ。よりよくなれ、よりよくなれ。ぜったいに、あたらしい有用性がたちあがっちまう。で、よりよい未来のために、いまはガマンして、がんばってはたらきましょうといって、自分の身体がガッチガチに未来に拘束されてしまうのだ。ひとが時間の奴隷にされる。だからランダウアーはこういうのだ。

　現在と未来の間に隔たりがあるなど、もはや私たちは思っていません。私たちは知っています。「ここが新天地でなかったら、新天地などどこにもない」ことを。今この瞬間に行動しないなら、もう絶対に行動することなどないのです。[13]

　いやあ、ランダウアー、イカれてるね。サイコーだぜ！　オレたちに未来なんてない。だいたい未来のためにガマンだとかいっていたら、このさきずっとガマンになるんだ。やりたいことはいますぐにやれ。いまこの瞬間に行動しないなら、もうぜったいに行動することなんてない。いましかない。いまこのときが永遠にくり返されるとおもって生きるのだ。やるならいましかねえ、いつだっていましかねえ。ここが新天地じゃなかったら、新天地なんてどこにもない。いまこそ！

　いやいや、こんなひどい状況じゃ、いまこそとかいってもムリですよ、もっと時間をかけ

13　グスタフ・ランダウアー『自治‐協同社会宣言――社会主義への呼びかけ』寺尾佐樹子訳、同時代社、二〇一五年、一九〇頁。

ましょうよというひともいるかもしれない。でも、ランダウアーは頑としてきかない。いえいえ、できるんですよと。だって、ユートピアはいつだっていまここに潜んでいるんだから、新天地はいまここにあるんだから。そいつはつかえるとかつかえないとか、そいつは損だとか得だとか、そんな有限な世界ではとらえきれない、つねに未知のなにかに、なにものでもないなにかになっていくような無限の力がともにあるんだから。ほれっ、かんじるでしょう、フォースと共にあれ。ひとはいつだって、あたらしい生をいきるようにうながされている。なんどでも、なんどでも化けてみやがれと。

　それでもできないというならば、それはカネでもなんでも、それがなけりゃ生きていけないっておもわされているからだ、ほんとはつらいだけなのに、それをためこんでいくことが生きがいだっておもわされてしまっているからだ。将来のために。もっといえば、いちどそこから離脱しても、やれ、社会主義のためとか、やれ、よりよい将来のためとかいって、その離脱の有用性にからめとられて、がんじがらめにされちまっているからだ。だったら、その離脱の心さえ捨ててしまうしかない。身を捨つる捨つる心を捨てつれば、おもいなき世に墨染めの袖《そで》。国民を捨てろ、階級を捨てろ、自分を捨てろ。捨てたその自分さえ捨ててしまえ。離脱は、離脱を離脱してこそ離脱である。エクソダス！

脳天壊了《ノーテンファイラ》、脳天壊了
統治をせおうな、ファイラ！

そうはいっても離脱をするには、なにかしらきっかけが必要だ。ランダウアーは、それが「大地」なんだといっている。けっしてだれのものでもない、だれのものにもならない、でもうんと愛着をもって住まう場所のことだっていってわかるだろうか。そんな「大地」と関わりをもつ。大地におのれをきざみつけ、大地をもっておのれをかたる。おのれをまっさらな大地にさらけだし、ゼロから、あたらしい生をいきなおすのだ。そういう意味じゃ、大地に住まうってのは、たえず新天地をもとめつづけるってことなのかもしれない。

もともと山川草木、地べたの石ころだって、鳥のさえずりだって、虫の鳴き声だって、それがなんなのかだれにもわからない。それが役にたつのかどうかだってわからない。でも、石ころによびかけられるようにして、それをひろいあげ、ぶん投げてみれば、それだけですばしっこいケモノをとれるようになっていたりする。オレ、すげえ！　あるいは、鳥や虫によびかけられるようにして、マネしてチョ、チョ、チョ、チョ、チョと鳴いてみれば、それが求愛表現になっていたりする。オレ、すげえ！　未知のなにかにふれて、自分も未知のなにかに、得体のしれないなにかに化けているのだ。

しかし、むかしから国家の支配者ってのは、ここはオレさまの所領なんだとかいって、その土地をムリやり所有してきたわけだ。この土地がオレさまにとって、どんだけ役にたつのか、それをコメがどれだけとれるのかで判断しよう。土地の価値を数量化して、あとはどんだけはたらけるのかで、人間を優劣のはかりにかけるだけだ。そうやって、国家はひとをかこいこんできた。いちどそこにかこいこまれ、奴隷みたいに生きてしまうと、なんだか国家につかえるっていってもらえなきゃ、生きていけないかのようにおもわされてしまう。だけど、山でもいい、海でもいい、湿地帯でもいい、それこそ荒野みたいなとこだっていい。だれのものでもない大地があるぞ、新天地があるぞ、そこに住めるぞ、生きていけるぞってわかったら、そのひとの人生はもうぜんぜんちがうわけだ。いけるよ、逃げろ、トンズラだ。ボクの精神がうごきだす。

もう、おまえはつかえないやつだっていわれてもかまわない。ダメでもクソでも上等だ。損も得も関係ないね。堕《お》ちるとこまで堕ちちまえ。魔界転生じゃあ。てなわけで、山にでも逃げこめば、地中にイモなんかをうえて、移動しながらくらすこともできるわけだし、そうそう国家の追っ手にはつかまらないし、食糧だって土のなかにあるから収奪されない。あるいは、いざ追っ手がやってきたとしても、山や湿地帯の地形をいかせば、三〇人、四〇人くらいしかいなくても、数千、数万の部隊をたおせちゃったりする。それまで、奴隷として国家に飼いならされていたときには、おもってもいなかったようなことが、ふつうにできるようになっちゃっているのだ。あたらしい生のイメージをつかみとれ。それが新天地をめざすということだ、大地に住まうということだ、民衆として生きるということだ。辺境最深部にむかって退却せよ。ドロンでごわす。

でもこれ、ランダウアーがいうには、近代にはいってやりにくくなっている。近代国家ってのは、その国土を管理することにやたらと力をいれているからだ。あらゆる土地をカネのなる木にかえましょう。それ以外の使用はみとめませんと。シャラクセエ。じゃあどうしたらいいのかというと、当初、ランダウアーはジードルングっていう運動にひかれていた。これ、内地植民運動といわれるもので、この国土のなかに、もういちど大地をつくりだすぞっていうものだ。いや、ランダウアーや友人のアナキストたちが、そういうイメージをもってうごいていたといってもいいかもしれない。

じっさいどうなったのかというと、ワイマール期になって、ほんとに実現することになったのだが、郊外に労働者むけの集合住宅をつくるってかんじになっちまったんだそうだ。カネのない労働者だっていいところに住みたいでしょう、都心にスラム街があったら不衛生でしょう、だから社会政策としてジードルングをやりましょうと。そうすりゃ都心がスッキリするから、そこにオフィスでもなんでもつくれるし、交通網さえととのえれば、労働者もはたらきやすくなるでしょうと。もともと、「植民」ってのが、民を植えるってことだから、そりゃそうなのだが、けっきょく、よりよい国土づくりのための、よりよいカネもうけのための都市計画みたいになっちまったのだ。よっ、再開発！

だから、ランダウアーはいざジードルングがかたちになってきたときには、そこに参加していなかった。それで、仲間からも孤立しちまったみたいだが、まあしかたがないだろう。だって、方向性がちがうんだから。じゃあ、ランダウアーはどんなジードルングのイメージをもっていたのか。本人はいっていないのだが、あえていっておけば、どんなに近代にはいってからだって、だれもつかっていないような山だって、荒野だってあったわけで、むかしの逃散農民みたいに、そういうところに住みこんでいくっていうこともありえただろうし、それだけじゃなくて、かりに都会で生活していたとしても、国家とは非対称な生きかたをしていっちまえばいいわけだ。

たとえば、スクウォッティングみたいに、空き家や廃墟にかってに住みこんで、それがビルだったり、一軒家だったりしたら、集団で住みこんで共同生活することだってできるだろうし、廃工場でもあれば、そこをつかってかってにヘンチクリンなもんをつくったり、そこの敷地をつかって家畜をかったり、食い物をつくったりもできるだろう。あるいは、そういうんじゃなくても、なんかスラムっていうとわるいイメージがあるけれど、自分たちでバラックでもたてて、電気も水道もねえっておもったら、かってに水道管とか電線をひいてきて、タダでつかっちまえばいいだろう。

しかも、まわりにそういう盗人でもなんでもクソみたいなやつらがメタクソいるなっておもったら、ふだんは市民の顔をしている人たちだって、かってに闇市的なルートをたちあげて、いろんなかたちで収穫してきたもんを売っぱらったり、安く手にはいるようにすればいいわけだ。そこに露天商でもならんで、バッタもんの品々がならんだり、屋台でもあれば、もう完ぺきだ。ともあれ、これがなんなのかというと、国家や資本とはまったくべつの論理で生きはじめるってことだ、そういう領土をつくっちまうってことだ。ちなみに、ここでだいじなのは、なるたけ国家に把握されないということである。非公然のままでいい、不可視のままでいい、シレッとやれ。

そりゃそうで、どんなに義をもってやっていても、どんなに法の抜け穴をさがしだして、ギリギリ合法か、ちょっとこえるくらいのラインでやれることをやっていたとしても、それが公然化するとやられちまうわけだ。ざんねんながら、警察にねらいうちにされたら、たいていはぶっつぶされる。たとえば、日本の闇市でいえば、いちばんすごかったときってのは、敗戦直後だったわけだ。しかもこのとき、闇市ってのは日本のヤクザがしきっていたところだけじゃなくて、台湾系の闇市とか、朝鮮系の闇市とか、そういうのが群雄割拠していた。

で、台湾系の人たちは砂糖とか食糧を手配するルートをもっていたり、武装もしていて超つよかったのだが、でもあまりにいきおいがあったので目立っちまった。で、日本の警察とヤクザが手をくんで襲撃だ。キタネエナ、日本人。こうなると、もうどんなにつよくても勝てやしねえ。メッタクソにやられちまった。

しかもかりになんだけど、もしこの攻撃から闇市をまもりきったとしても、そんなにドンパチばっかしやっていたら、だれものびのびくらすことなんてできやしないし、それどころかヤクザと警察をうわまわる兵隊をそろえるしかねえっていって、気づいたら、おっかない権力がたちあがっちまっていたりするわけだ。みんながみんな、国家のミニチュアになっちまう。権力に襲撃されたら、どうしてもそうなりがちなのだが、そいつらとガチでやりあっているうちに、しらずしらずのうちに相手の土俵にのっかっちまうのだ。だから、だいじなのは権力から不可視であること。たとえ権力に攻撃されても、そいつらとは非対称なたたかいかたをしかけるということだ。きょうもあしたもパルチザン。逃げることしか考えない。トンズラこそが最大の武器。シティズンシップはもういらない。パルチザンシップを生きたいとおもう。

ちょいと脱線してしまったが、ランダウアーにもどろう。かれがいっていたのは、国土っていわれているこの土地に、権力とはまったくべつの論理で生きる領土をつくりだしちまおうってことだ。いまここに大地をつくれと。それができると、これまで国家にインフラをととのえてもらわなくちゃ生きていけないとか、資本家からカネをもらわなくちゃ生きていけないっておもわされていた自分がぶっこわれて、ああ、こんなもんで生きていけんじゃん、あれがあればもっといける、これがあればもっといける、あのひとがいれば、このひとがいれば、もっともっとと、いままでできなかったことが、あたりまえのようにガンガンできるようになっていく。

しかもこういうのって、だいたいコツがあるから、その技を共有して、それがどんどんいろんなひとに伝播《でんぱ》していけば、さいしょは予想もしていなかったような技がうまれていたりする。この闇市でうみだされた技が、あのスラムでいかされて、あの空き家でいかされてっていっているうちに、ぜんぜんその使用法がかわっていて、あたらしい技がうまれていたりするのだ。そして、それがしらないあいだに、またすげえ力になっていたりすると、まだ国土を生きていて、ひとに支配されて生きるのがあたりまえだとおもっていた人たちも、いやあ、それいいね、おらもそんな生きかたしてみてえよう、オレも！オレも！オレも！っていってひかれはじめるのだ。ランダウアーは、そこまでいくのが社会主義をやることなんだといっている。

社会主義を実践しようとする者は、いまだ予感の域を出ない未知の喜びと幸福感を抱きつつ、その仕事に臨まなければなりません。私たちがまず最初に学ばねばならないのは、労働、共同性、互いをいたわる心を持つ喜びです。そのすべてを忘れてしまった私たちですが、いまだに自分たちの内部では、そうしたものすべてを感じ取ることが可能です。

社会主義者が可能な限り資本主義市場から自身を隔離し、外の世界からしか手に入らないものと同じ価値だけを移出する国内入植地は、そのための取り組みの第一歩に過ぎません。入植地は国中を照らし、同胞を失った人びとの群れはそれをきっと羨むことでしょう。贅沢品や力を行使するための手段を羨むのではなく、自足的な幸福感、共同体《ゲマインデ》の宮殿にいる喜びを羨むのです。[14]

国民を捨てろ、階級を捨てろ、自分を捨てろ、いまここで。離脱である。新天地をめざすということは、未知の出来事にであうのとおなじことだ、未知の自分にであうのとおなじことだ、未知の友にであうのとおなじことだ。なんどでも自分の有用性をこわしてみやがれ。脳天壊了《ノーテンファイラ》、脳天壊了。大地に関われば関わるほど、予期せぬ自分に変化していく。あたらしい共同の生が育まれていく。あれもできる、これもできる、なんでもできる、もっとできる。

オレ、すげえ。オレ、すげえよう。うれしい、たのしい、きもちいい。オレも！オレも！オレも！　それが社会主義を実践するってことだ、コミューンをつくるってことだ、コミューンを生きるってことだ、そのよろこびを表現するってことだ。インフラなしでもくらしてゆける。あらゆる権力はいらないんだ。統治をせおうな。

いくぜ、レーテ共和国
わたしはカオスが好きだ

そろそろ、ランダウアーの人生にもどろう。一九一八年一一月、ドイツ革命、勃発《ぼっぱつ》。第一次世界大戦で敗北につぐ敗北。それでもドイツ帝国は戦争をやめやしない。ふざけんじゃねえぞってことで、ドイツ大洋艦隊の水兵一〇〇〇名が反乱をおこした。もう戦争になんていきたかねえやっていって、出撃拒否。戦争をサボタージュしはじめたのである。で、逮捕されたやつらがいたので、そいつらを釈放しろといって、ドイツ北部、キール軍港の水兵たちが蜂起《ほうき》。これをうけて、街の労働者たちもたちあがり、レーテが結成された。あっ、レーテってのは、ロシアでいうソヴィエト、評議会のことだよ。このレーテのよびかけで、四万人

14　前掲書、一八七〜一八八頁。

もの兵士、労働者がうごいて、いっしゅんで街を占拠。うおおお、いけるぜってことで、ドイツ各地で続々とレーテが結成されていって、さらにさらに、ベルリンじゃ大規模なデモがよびかけられ、無数の群衆が街をうめつくした。こりゃヤベエっておもって、皇帝ヴィルヘルム二世はササっと退位して、オランダに亡命だ。ここに、ドイツ帝国はほろんだのである。ドイツ革命だ。

そんでもって、ベルリンでは社会民主党（SPD）右派のエーベルトが首相になって、ドイツ共和国をつくるのだが、でもこれじゃまだまだものたりない、もう議会を刷新してとかそういうことじゃなくて、このままレーテをベースにして、直球で、貧乏人が貧乏人のことをきめられるようにしていきましょうよっていう声がたかまった。それじゃいくぜっていって、うごいたのがローザ・ルクセンブルクとカール・リープクネヒトだ。かれらはもともとSPD左派だったのだが、スパルタクス団となのり、そのメンバーで共産党をつくった。で、このスパルタクス団が、一九一九年一月五日、やるならいましかねえっていって、武装蜂起したのである。

これにたいして、国防大臣のノスケはようしゃなく弾圧。でも、正規軍をつかったら、また反乱をおこされかねないので、非正規兵、ドイツ義勇軍ってのをつのってことにあたらせた。元軍人とか、国粋主義者とか、反ユダヤ主義者とか、反社会主義者とか、なんでもいいからうっぷんをはらしたい失業中の若者とか、そういうのをつのって、ホラッ、おまえらふだんウダツのあがらない生活をしているかもしれないけれども、ここで国賊どもをぶっ殺せばお国の英雄だよ、みんなにホメられるんだよ、あいつら国の害虫なんだから、いくらでもたたき殺していいんだよ、殺せ、殺せ、殺せっていって、最凶、最悪の殺戮《さつりく》集団をつくりあげたのだ。いってみりゃ、非正規兵、パルチザンのつよさをしった国家が、それを利用しはじめたのである。これでスパルタクス団はコテンパンにやられちまって、一月一五日、ローザとリープクネヒトも数百人の同志といっしょにとっつかまり、ぶっ殺されちまった。なぶり殺しだ、虐殺だ。

でも、そのかんにも、ドイツ各地にはレーテ運動がひろまっていて、とくにドイツ南部、バイエルンじゃ、一一月七日、二〇万人ものデモがまきおこり、国王は逃亡。翌日、ミュンヘン・レーテのあとおしもうけて、バイエルン共和国がおったてられた。このとき、首相にえらばれたのが、独立社会民主党のクルト・アイスナーだ。ランダウアーをよびにきたあのひとである。清廉潔白で、すげえ気骨あるひとだったらしい。だけど、これがまたうまくいかなくて、アイスナーはすでに体制内化していた社会民主党と連立政権をくんでいたのだが、こいつらがどうしようもないわけだ。レーテとかいっているバカどもは、ほうっておけよとか、そのためにも議会の権限をよわめちゃいけないとか、けっきょく経済はブルジョアさまのおかげでまわっているんだから、その利益はまもらなくちゃダメなんだとか、そういうことをブツブツいってくるわけだ。チンカスである。

しかもレーテのほうも、そんなこといわれるくらいなら議会なんていらねえんだよ、レーテだけでじゅうぶんだ、自分たちのことは自分たちでやれる、自分たちできめられるんだ、てめえら上からピイピイいってんじゃねえよっていって、アイスナーをつきあげた。で、ランダウアーは、このレーテの急先鋒《きゅうせんぽう》みたいになっていたわけだ。どっちからもつきあげをうけ、どっちからの支持もうしなったアイスナーは、一月、総選挙で大敗してしまい、辞任においこまれた。しかもだ、二月二一日、議会で辞任を表明しようとむかっていたところ、右翼青年、アントン・フォン・アルコたちに襲撃され、あたまをうちぬかれて殺されちまった。なにをやってもうまくいかねえ、チクショウ！

その後、バイエルンは社会民主党のホフマン政権になったが、政局は大混乱。だったら、いっちょやってやりますかということで、ランダウアーは劇作家のエルンスト・トラーとともに決起、レーテだけで独立だ。いくよ、アイスナー。労働者がゼネストを決行し、みんなで武器を手にとって、ホフマンをおっぱらう。で、四月七日、ミュンヘン・レーテ共和国を宣言した。その宣言文をランダウアーがかいている。そんでもって、人民委員会ってのをつくって、トラーがその議長になり、シルビオ・ゲゼルが財務担当の人民委員（大臣）、ランダウアーは教育・文化担当の人民委員になった。もしかしたら、ええっ、アナキストが大臣っていいんですかっていうひともいるかもしれないが、いいんです、どうでもいいんです。というか、このレーテはパリ・コミューンをイメージしていたっていわれているので、いわゆる大臣ってよりも、各地区のレーテが好きかってにうごいて、その連絡役をやりますよくらいにおもっていたんだろう。

しかし、それでもだ。ドーンッとレーテ共和国をおったてちまったら、パリ・コミューンのときみたいに、四方八方から攻めこまれて血祭りにあげられちまうんじゃないか、そうさせないためにも国家とガチにならないようにたたかっていく、ひとを支配からときはなっていく、バックレさせていくってのが、ランダウアーのいっていたことだったんじゃないのかと、そうツッコミをいれるひともいるかもしれない。でもね、でもねなんだ。ひとが支配からバックレていくためには、どうしてもどこかできっかけというか、気づきが必要になってくる。で、さいしょは不可視のコミューンで、内地植民運動で、ジードルングでいこう、国にもカネにもたよらずに、シレッと自分たちで生きていけちゃうってのをやってみせよう、そしたらそれをみて、オレも、わたしも、おいらもやれるぞってひとがあらわれてくるだろうと、そうおもっていたわけだ。でも、それがなんとなく都市開発みたいのにのみこまれていくのを、ランダウアーはかんじとった。

じゃあ、どうしたらいいかって考えたときにおもったわけだ。蜂起だろうと。ひとつてのはおもしろいもんで、これまでこのひとはすげえ権力を手にしているから、どんなにムカついてもしたがわざるをえないんだっておもっていても、一発でもいい、一発でもそいつをぶちのめしたならば、その瞬間に、あれっ、こいつらたいしたことねえぞ、こんなやつらにいばられる必要なんてねえじゃん、もっと好きかってにやってやるぜ、おもったように生きてやるぜっておもっちまうものだ。暴動や一揆がおきたときとかね。もちろん、それだけじゃない。それまでゴミみたいにあつかわれてきた貧乏人たちが、うりゃあといってたちあがって、レーテで独立しますってかってに宣言しちゃう。いちどこういうのができると、この時点で、ドイツ各地にレーテができていたわけで、あれっ、オレたちもいけんじゃねえか、オレも、オレもっておもうわけだ。じっさい、一九一九年の一月、ミュンヘンにはいったランダウアーは、こんなことをかいている。

ひとつだけ確かなことがある。それは、貧しいながらも自分たちにとって物事が順調に運び、私たちの魂が喜びに満たされるならば、他民族の貧しき者も地位ある者も、誰もが私たちの例に倣うということだ。善によって征服される以上に、この世に抗いがたいことは決してない。私たちは政治的に後進的な、傲慢で挑発的な隷属者だった。私たちにとって運命の必然でもあった災いは、みずからの主人に対して反旗を翻すよう私たちを鼓舞し、私たちを革命へと向かわせた。こうして私たちは、一撃で、私たちを襲ったまさにその一撃で、支配者の地位に就いたのである。私たちは社会主義へと向かわねばならない。自分自身を範とする以外、どうやって私たちはそこへ向かっていけるというのだろう。混沌はそこにある。新たな活気と動揺が出現しつつある。精神あるものが目覚める。魂はみずからを責任感へと誘い、手を行動へと誘う。革命が再生をもたらさんことを願おう。私たちが何にも増して求めているのは、未知、暗闇、深淵から登場する新しく無垢な人びとであるため、こうした再生者、刷新者、救済者が私たち民衆と共にあることを願おう。革命が持続、成長し、困難だが驚きに満ちた時代の中で、新たなる段階へと昇華されんことを願おう。[15]

ながながと引用してしまったが、ランダウアーのテンションがすげえあがってるのってわかるだろうか。第一次大戦でボコボコにされたり、そのあと敗戦国としてすさまじい賠償金

15　前掲書、一四〜一五頁。

をもとめられたりと、ドイツの民衆は、ひでえ災難におそわれたのではあるが、それが転じて、ドイツ革命がおこり、ミュンヘンじゃアイスナーが共和国をおったてた。民衆がたちあがり、一撃で、これまで主人づらしていた連中をぶったおし、オレの主人はオレだけだってことをしめしちまったのだ。精神がめざめる。これまで、あたりまえだとおもっていた秩序がくずれおちる。目のまえに混沌《こんとん》がひろがっている。上も下も右も左もありゃしねえ、どこにいってもなんにもねえ、カオスしかありゃしねえ。未知の生がはじまっていく、あたらしい生がはじまっていく。ひとがいちど死んでいく、空っぽになってあたらしい生をつかみとっていく。魔界転生、再生だ。革命がそこに民衆をいざなうならば、そこに民衆の魂がすこしでもわきたっているならば、やってやるしかねえ。オレも死を賭《と》してやってやる。いくぜ、レーテ共和国。わたしはカオスが好きだ。

生きたまま死ね

そんなかんじで、ランダウアーたちは、ミュンヘン・レーテ共和国を宣言してみたのだが、やってみたらすぐに孤立してしまう。ひどいもんで、それまで共産党の連中もいっしょにやってくれるとおもっていたのだが、いざフタをあけてみたら協力しないどころか、おまえらはエセレーテだみたいなことをいって、批判してきたのである。さすが共産党。これ、ランダウアーたちにとってはマジで不運で、ちょっとまえまでだったら、ローザ・ルクセンブルクがいたから、民衆よたちあがれっていっていて、ほんとに下から自発的に結成されたレーテ共和国がたちあがれば、たすけてくれたんだとおもう。でもざんねんながら、ローザはもうベルリンでぶっ殺されちまっている。

じゃあローザ亡きあと、ドイツ共産党がどうなっていったのかというと、ソ連からこいつを指導者にしろっていうのが派遣されてくる。レヴィーネだ。で、ソ連の命令にしたがえとか、その命令をうけているレヴィーネのいうことをきけとかいってくるのだ。上からの命令には絶対服従。まちがっても、愚民どものいうことなんてきいちゃいけない、下からの革命とか、自発的にどうこうとかクソくらえだ、だまらせろ。そうなっちまっているから、いざレーテ共和国がたちあがって、民衆が自分でものを考えて、自分でうごいているすがたをみて、おまえらはエセなんだとか、反動的なんだとかっていってディスりはじめたのだ。だって、みんな共産党の命令なんてききやしないんだから、いばれないんだから、しきれないんだから。よっ、共産党！

そんなわけで、レーテ共和国はさいしょから仲間われしているし、こいつらたいしたことねえぞっておもわれたんだろう。四月一三日、ミュンヘン守備隊を名のる軍人たちがクーデターをおこす。おっぱらわれたホフマンの入れ知恵である。でもこれでレーテがほんきをだす。なめんな、ただじゃやられねえぞと労働者、兵士たちが武器を手にとり、クーデターをぶっつぶした。そう、軍人たちの攻撃をふせいじゃったのである。やべえ、やるじゃねえか。しかしだ。こういうときに欲をかいてやらかすのが、共産党ってもんだ。レーテやるじゃんっておもったら、そこで覇権をにぎりたくなっちゃうのである。すげえもんで、レーテ軍をひきいていたトラーが、まだ敵兵とやりあっているうちに、レヴィーネが労働者の全体会議みたいのをよびかけて、かってにひらいちゃうのだ。で、みんなの意志できまりましたよっていって、レーテ第二共和国を宣言する。まえのレーテ共和国はなくなったことにされた。トラーは軍事部門にのこったものの、ランダウアーは放逐される。もうだれがなんのクーデターをおこしたのかわからない。いよっ、共産党!

まあ、ムカつくけれども、もともとランダウアーにとってはそんな役職はどうでもいい。すでに、ベルリンからはノスケひきいるドイツ義勇軍がミュンヘンをぶっつぶせっていって迫ってきているわけで、ひとりの民衆としていっしょにたたかうだけだ。でも、ちょっと共産党の方針がひどすぎた。なんか敵兵がせまっているからといって、よし、ゼネストだ、よし、職場放棄だ、みんな武装してまてっていう命令をだすのだが、これを強引にやった結果、みんな兵士になっちゃったから、一〇日もすると、まず食糧がなくなり、つぎに石炭がなくなりと、日常生活に支障をきたすようになったのだ。牛乳なんかはぜんぜんなくなっちまって、すこしでも飲めるようにと、レヴィーネが命じたのはチーズやバターをつくっちゃダメだということだ、やぶったらキビしく罰しますよと。こういうのをみて、ランダウアーはブチキレてしまう。おまえらなにをやってんだよ、なんでもかんでも上から統制すりゃいいってもんじゃねえぞ、自分たちの生活は自分たちでつくるんだ、民衆の声をきけと。そういう抗議文なんかをだしたのだが、共産党はきかない。だって、ロシアじゃうまくいったんだからって。へヘッ。

しかも、いざドイツ義勇軍がやってきたら、軍勢三万とかいるわけさ。たいするレーテ共和国は数千人。ぜったいに勝てない。ここにきて、ランダウアーとトラーの脳裏には、パリ・コミューンの惨劇がよぎった。おなじことをやらせちゃいけない。たすけなきゃ、ひとりでもたすけなきゃ。そうおもったふたりは、レヴィーネたちに停戦と講和をよびかける。オレたちは処刑されてもかまわねえけど、すこしでも生きのこれるやつらをふやしてやろうよと。でも共産党はききやしない。赤軍をつくって、徹底抗戦にのぞんじまった。だって、ロシアじゃうまくいったんだからって。デヘヘッ。

じゃあじゃあどうなったのか。とうぜん、完敗だ。完膚なきまでたたきのめされた。五月一日、ノスケとドイツ義勇軍はミュンヘンに進撃。翌日、二日には街を占領している。このとき義勇軍でつよかったのが、フランツ・フォン・エップひきいるエップ隊で、その隊員のなかに、あのエルンスト・レームもいた。エップものちにナチスの幹部になっているのだが、それこそ、レームってのはナチス突撃隊を育てあげたひとである。その後、レームはミュンヘンにのこり、義勇兵をふやしていって、一九二三年、ヒトラーがミュンヘン一揆をおこす土壌をつくっていく。まあまあ、そんなやつらなわけで義勇軍はただつよかっただけじゃない、こいつら共産主義者だ、アナキストだ、ユダヤ人だってわかったら、もう人間とはおもわない。捕虜もクソもありゃしねえ。殺せ、殺せ、殺してしまえ。なぶり殺しだ、虐殺だ。そんなわけで、ミュンヘンは血の海にそまった。

このたたかいで、レヴィーネはとらえられ、裁判にかけられて処刑。トラーもつかまったのだが、人徳があったんだろう、友人たちが世界的な嘆願運動をおこしてくれて、なんと禁《きん》錮《こ》刑五年ですんだ。ラッキー。その後、トラーは劇作家として活躍しつつ、ナチスを批判。一九三三年、ナチスが政権をとると、こりゃマズイっていって、アメリカに亡命。ふたたび劇作家として活躍するのだが、なんかおもうことがあったんだろう。一九三九年、マンハッタンのホテルの一室で首つり自殺をしている。あばよ！

じゃあ、われらがランダウアーはどうなったのかというと、五月一日、義勇軍が攻めてきたその日にとっつかまっている。そんでもって翌日、裁判にかけられることもなく、義勇兵たちによって虐殺された。このとき、いっしょにつかまっていたレーテの労働者が、ランダウアーがやられたときのようすを証言している。

「ランダウアーだ、ランダウアーだ」というどなり声と共に、バイエルン共〔引用者注・兵〕とヴュッテンベルグ兵の一隊がグスタフ・ランダウアーを連れて来ました。尋問室の廊下で将校がその捕虜の顔を殴りつけました。兵隊達は、その間どなっていました。「扇動家消えうせろ、殴り殺しちまえ！」、ランダウアーは料理室の中を通って中庭まで銃床でつき飛ばされました。ランダウアーは、兵隊達にこういいました。「私は扇動家ではない。君達自身は自分がどんなに扇動されているのかわかっているのか。」庭で一行はガーゲルン男爵に出合いました。バットの様な棍棒で彼はランダウアーに殴りかかりました。殴られてくずれおれましたが、再び起き上がり、彼は話し始めようとしました。軍曹が射撃し、一弾が彼の頭に命中しました。まだ呼吸していました。すると軍曹は言いました。「うなぎは生命が二つある。こいつは死なねえぞ。」

親衛連隊の軍曹がどなります。「奴の外套をとれ。」外套が脱がされました。ランダウアーはまだ生きていました。腹ばいに寝かされました。「下がれ、もう一度やり直しだ、」とどなって軍曹はランダウアーの背中を射ちます。しかしまだぴくぴく動いているので軍曹は足で踏みつけて息の根をとめました。それから、ランダウアーは略奪され、死体は洗濯場へほうり込まれました。[16]

いやあ、すげえ生々しい。いうまでもなく、なぶり殺しだ、虐殺だ。しかし、さいごのさいごまで、ランダウアーは敵兵にさけんだ。扇動されているのは、てめえらのほうだ、支配されているのは、てめえらのほうだ、支配されてもそれを支配ともおもわぬこの奴隷どもめ、チンカスどもめと。それでこん棒でバシバシとぶったたかれて、それでもまださけぼうとして、バンバン銃弾をぶちこまれて、それでもまださけぼうとして、こんどは腹ばいにされて、背中をバシバシとうたれて、それでもまだピクピクとうごいて、またうたれて絶命だ。やるな、ランダウアー。生きたまま死ね。

神を突破せよ、この世界を罷免してやれ
さけべ、アナーキー!

せっかくなんで、さいごにまとめておこう。ランダウアーがうったえたかったのは、なんだったのか。権力はいらない、つくらせない。権力を構成させるな、脱構成しろ。あらゆる権力はひとを支配の檻にとじこめる。いきぐるしい、逃げろ。でも逃げても、逃げてもおってくる。だから、そこからなんとしてでもトンズラする方法を考えていきましょう。ランダウアーがいいたかったのは、そういうことだ。だって、ひとは権力者にとってつかえるかどうかとか、つかえないかどうかとか、それだけで生きているわけじゃないし、いくらカネをかせげたとか、いくら税をはらえたとか、それだけで生きているわけじゃない。こいつは有用かどうかとか、損したとか得したとか、そんなことはどうでもいい。ひとはどうしてもやりたいことがあったなら、そんなことはおかまいなしにうごいてしまうものなんだから、うごいていいものなんだから。

そして、そうやってひとを駆りたてる力が精神だ、そうやってうごきはじめたやつらが民衆だ。いまこの社会で、これが生きることだっていわれているものをぶちぬいちまって、前例のない、未知の生きかたをやりはじめる。あるいは、これがただしいことなんだ、善悪の基準なんだ、優劣の尺度なんだ、神さまがさだめた秩序みたいなものなんだっていわれてきたものがあったとしたら、そいつをぶちぬいちまって、あたらしいカオスを生きはじめる。生きたまま死ね、神を突破せよ。それをなんどでもなんどでもやってやるってのが、再生っ

16　E・トラー「ドイツの青春」船戸満之訳『全集・現代世界文学の発見1　革命の烽火』學藝書林、一九六九年、二二五頁。

てもんだ、魔界転生ってもんだ、革命ってもんだ。

でも、いざこれをやろうとすると、むっちゃくちゃむずかしい。権力とガチでやりあっているると、しらずしらずのうちにこっちも権力になっちまうし、そこからバックレるために、権力とは非対称なたたかいかたをしていこう、パルチザンだ、シレッと支配によらない生きかたをしていこうっていっていても、それすら気づいたら、権力にくみこまれちまっているときだってある。たとえば、君主やブルジョア政府をたおそうとしていたら、ボルシェビキみたいに、もっとひどい権力をつくっちまってたってこともあるし、ドイツ革命後、レーテをぶっつぶしにかかったＳＰＤや、ミュンヘンでの共産党みたいになることだってある。あるいは、よっしゃ、内地植民運動だ、ジードルングだっていっていても、あれっ、これってただの再開発じゃん、けっきょくひとがカネに支配されているだけなんじゃねえのってことだってあるだろう。

それにパルチザンっていうんだったら、レーテだけじゃなくて、ドイツ義勇軍だって非正規兵だったわけだ。でもその力が国家に利用されたとき、とんでもないことがおきる。大量虐殺の合法化だ。もちろん、ふだんから権力者ってのは、お国にさからうやつらはいらないんだ、みんなの足をひっぱるやつらはいらないんだ、つかえないやつらはいらないんだっていってきたわけだけど、でもいちおう法律があるから、たてまえとしては裁判なしじゃ、ひとは殺しちゃいけませんっていってきたわけだ。

だけど、右派義勇軍はちがう。国家がいっていたことを、過剰なまでにやっちまうのだ。この義勇軍ってのは、日ごろハレものあつかいされている退役軍人とか、国粋主義者とか、反ユダヤ主義者とか、そういうやつらがあつまっていて、そいつらがちょうど仕事がなくて、ブースカいっていた若者たちを組織化していったのだ。いってみりゃあ、こいつらも社会のクズだ、つかえないやつらだったのである。でも、そうはいわれたくない、イヤだ、イヤだ、みんなにみとめてもらいたい。じゃあ、どうすんのかっていうと、国家の害虫をマジでぶっ殺して、オレはつかえるやつなんだってことをアピールしようとしたのだ。左翼とユダヤ人をぶっ殺せと。

もちろん、そんなのふだんやったら非合法だし、とっつかまるのだが、ノスケにひきいられ、レーテをぶっつぶしにかかっているあいだは、合法化されるのだ。殺せば殺すほど、ホメてもらえる、もっと殺せ、もっと殺せ、うおおお、ローザ・ルクセンブルクだ、ランダウアーだ、ヤレッ、ヤレッ、ヤッチマエ、イェーイ、悪魔どもをリンチしてぶっ殺したぞ、オレはヒーローだと。そんでもって、そういう力を一時的にじゃなくて、かんぜんに吸収して、正規兵みたいにしていったのが、ナチスだっていってもいいんじゃないかとおもう。ファシズム、いっちょあがり。

で、なのだが、こういうやつらにたいして、まっとうな国家でいきましょうよとか、まっとうな道徳をもちましょうよっていってもムダなんだってことだ。だって、このファシストどもはまっとうな国家のために、まっとうな道徳のために、ひとをバシバシとぶっ殺していたんだから。もうちょっといえば、それまで非正規だとか、非合法だとかいわれていた力をつかって、ふるくさくなった国家や道徳をぶっこわし、あらたに、よりよい国家を、よりよい道徳を、よりよい権力を構成していたわけだ。

そういう意味じゃ、ロシアでボルシェビキがたちあげた「プロレタリアの政治」だっておなじだし、都市のレベルになるけれども、再開発のロジックってんだろうか、どんなにひどい手をつかってでも、なぶり殺してでも、貧乏人をおいだして、ふるい街をぶっこわし、あたらしい街をつくりましょう、カネになる街をつくりましょう、よりよい都市を創造しましょうってのもおなじことだ。構成的権力である。こういうのに、それまでの国の常識をもちだして、そんなのまっとうじゃないよ、ダメだよっていっても、かなわない。ぜったいに、あたらしい権力の波にのみこまれる。だって、よりよいものをあたらしくつくったほうがいいでしょう、トライしたほうがいいでしょうっていわれたら、なんか解放感があるし、みんなそれにイカれちまうんだから。

てゆうか、ふるい権力をぶっこわして、あたらしい権力を創造すると、なんかやった感があるんだろう。きっと、いいことをやっている気にもなるんだとおもう。それまで、おまえらみたいなゴロツキはいらねえんだよ、いっていることもやっていることも犯罪的なんだよ、アブノーマルなんだよ、非正規なんだよっていわれてきたのに、あなたがたはすばらしい、この国の英雄です、がんばってくださいってホメられるようになるんだから、やっちゃいけない、例外だっていわれていた虐殺さえあたりまえになり、合法化されるんだから。非正規が正規化される。でも口をすっぱくしていっておかなくちゃいけないのは、それじゃダメなんだ、そういうときがいちばんアブナいんだってことだ。あたらしい権力がたちあがったときってのは、ぜったいに、よりひどい支配ができあがっちまっているんだから。マジでひとを廃棄するとかね。虐殺、排除、あめあられ。よりよい権力を創造しよう？　はっきりといっておこう。よりよいものは、クソったれ！

じゃあ、なにがだいじかっていうと、頑として、ランダウアーでゆけってことだ。戦闘的退却主義！　権力を構成させてはいけない。あらゆる権力からトンズラしよう。トンズラしたそのさきに権力はいらない。なんどでもなんどでもトンズラしてやれ。パルチザンをパルチザンしてやれ。非正規のむこう側はさらなる非正規だ。ゴロツキのむこう側はさらなるゴロツキだ。ダメのむこう側はさらにダメなんだ。堕ちた自分にひらきなおれ。権力はいらない。それがいつだってなんにもとらわれずに生きるということだ、なんどでもなんにでもなれる、そんな無限の力を手にするということだ、パルチザンシップを生きるということだ。カネにも権力にもインフラにも、なんにもしばられずに生きるということだ、それで生きていけるってことをしめすということだ。いまこのきょうだいたちといっしょに、あの未知のきょうだいたちといっしょに、大地をめざすってことだ、あたらしい生活をかたちづくっていくってことだ。

あらゆる権力を脱構成しよう。そういや、構成的権力って「憲法制定権力」と訳されるっていったっけね？　そんじゃ、あえてこういっておこうか。憲法なんていりゃしねえ、法律なんていりゃしねえ。なんか、ふるくなった憲法をぶっこわして、あたらしい憲法をつくるんだとか、逆に、いまの憲法はふるびてなんかいない、だからもっともっと憲法をいかして、この国をよりよいものにしていくんだっていうと、よさげにきこえるかもしれないが、やっていることはおなじことだ。権力のリニューアル。もっと民主的に、もっと民主的に。支配はたかまるばかりだ。

だいたい、憲法だいじ、ああ、憲法さまって、神さまでもおがんでんのかよ。よく考えてほしい。わたしたちが生きていくのに、法律も、法律の法律もいらねえんだよ。ひとはだれだって、こりゃやっちゃいけねえっておもったらやらねえし、どうしてもやりてえ、やらなきゃいけねえってことがあったら、なにがなんでもやるのである。そこに法律もへったくれもありゃしねえ。おまえがきめろ、おまえがきめろ、おまえが舵《かじ》をとれ。権力をつくりだしたいんじゃない、権力を制限したいんじゃない、権力から逃げだしたいんだ、権力にとらわれない生をかたちづくっていきたいんだ。だまされねえぞ、民主主義。したがわねえぞ、国家権力。この世界からのトンズラだ、神さまからのトンズラだ。さいごに、ランダウアーのこんなことばをひいておこう。

卑屈になることなく、何ものをも恐れず、斜に構えてもならない。諸民族の中にあっても、苦しみながら行動したヨブのように振る舞おうではないか。神と世界に仕えるために、神と世界から離脱しよう。[17]

あらゆる権力から離脱せよ。神と世界から離脱せよ。そして、さらにそのさきまで離脱してゆけ。目のまえには、カオスしかない。どこまでいってもまっくら闇だ。でも、それはもうなんにもとらわれない、なんにもしばられない、いつだってなんにだってなれる、そんな

17 グスタフ・ランダウアー『自治 - 協同社会宣言——社会主義への呼びかけ』寺尾佐樹子訳、同時代社、二〇一五年、一四頁。

力を手にしているということだ、あたらしい生をつかみとっているということだ、なんどでもやれ。神を突破せよ。この世界を罷免してやれ。ゼロ憲法を宣言する。さけべ、アナーキー！

おわりに

コメ、コメ、コメ、ハァッ！　コメ、コメ、コメッ！
コメ、コメ、コメッ！　だ、い、そ、お、ど、う、ハァッ！

えっ、なんだよそれって？　米騒動だよ、こめそうどう。今年（筆者注・二〇一八年）はなんつったって、米騒動一〇〇年、米騒動なんだ。一九一八年七月、富山ではじまった米騒動は、またたくまに全国に燃えひろがり、むっちゃくちゃな大暴動をまきおこしていった。一説によると、参加者数はのべ一〇〇〇万人。日本史上、最大の大暴動だ。マジヤベエ！とまあ、そんなどえらい騒動だったので、第一章でもとりあげた富山の団体が、これから半年かけて毎月、米騒動のイベントをうっていくんだという。いいかたをかえると、テーマが暴動。それで毎月イベントをうつのである。いやあ、イカれてるね。超ヤベエ！

で、この四月末、おととしうかがったご縁もあって、わたしもゲストでよんでいただくことになった。富山、ふたたび。でね、これがまたほんとにすばらしかったんだ。富山の人たちが、米騒動にかけるおもいを五〇分くらいのビデオにまとめていて、超キアイがはいっている。しかも、とちゅうででてきたのが、あの、米騒動ソングだ。「コメ、コメ、コメ、ハァッ！　コメ、コメ、コメッ！」である。おいら、ドギモをぬかれて、体がふるえちまったよ。サイコーだ。

こりゃ、負けてはいられない。わたしもキアイをいれて、全力でしゃべった。しゃべってきたのは山口県、宇部《うべ》炭鉱の米騒動だ。なんでここをえらんだのかというと、一〇〇年まえ、アナキストの大杉栄《おおすぎさかえ》が、ここいいよねっていっていたからだ。じつは大杉、全国でいちばんはげしかったといわれている大阪の米騒動に参加していて、テンション、アゲアゲで東京にもどってきたのだが、もどってくるなり、仲間たちにむかって、なんか山口と福岡だと、鉱夫が軍隊にむかってダイナマイトをなげたらしいぞ、ちょっとおもしろそうだから、しらべてみようぜっていっていたんだ。そりゃ、しらべるしかない。

あっ、じっさいには、宇部炭鉱じゃダイナマイトは登場していなくて、そいつがビュンビュンとびかったのは福岡のほうなのだが、とはいえ、しらべてみたらおもしろい。せっかくなんで、ほんのさわりだけでも、ご紹介してみよう。米騒動が宇部炭鉱にまで波及してきたのは、八月一六日。コメの値段が二倍にも、三倍にもなってしまって、鉱夫たちはまる一日はたらいても、コメが買えない、食えやしない。こりゃたまんねえ、ふざけんじゃねえぞってことで、賃上げを要求しはじめた。

　この宇部炭鉱には、三つの主力鉱があり、四つの炭坑があるのだが、そのうち、まず第一坑がうごきはじめる。夜、みんなであつまって、事業主のところにつめよってやろうぜとさわいでいたら、街から警察署長がやってきて、オレを信じろ、オレが事業主とはなしあって、うまくまとめてやるからといって、二、三人の代表者をださせて、賃金一・五割増しではなしをおさめてしまった。暴動いまだならず。失敗だ。

　でも翌日になると、このウワサが第二坑にもながれてしまう。ちなみに、この第二坑ってのが特殊で、宇部炭鉱ってのは海底炭鉱なのだが、ここだけ人工島なんだ。街から舟をだして、この島まではたらきにくる。で、この孤島で、鉱夫たちが暴走していくんだ。なんか、第一坑じゃ、みんなでさわごうとおもっていたら、警察署長にダマくらかされて、まんまとまるめこまれちまったぞ。ほんとは賃金、三割増しにできたのに、たったの一・五割増しになっちまったんだ。ダマしやがった、あのクソポリ公がダマしやがったぞっていって、ちょっとしたデマもふくめて、はなしがどんどんふくらんでいくんだ。

　そんで、そんなんじゃ、たらふく食えやしねえ。しかも、賃上げは第一坑だけだとよ、クソして寝やがれだァ。五割増しだ、オレたちは、断固として五割増しでいくぞ。二、三人で交渉するんじゃ、まるめこまれちまう。全員だ、全員でおしかけてやれと、そういって気炎をあげて、みんなで孤島の事務所につめかける。でも、そこには責任者がいないから、にっちもさっちもいきやしない。そんでもって、また夜になって、街から警察署長がやってくるんだ。で、またおなじことをいってくる。オレを信じろ、オレに交渉をまかせてくれと。でも、ここの鉱夫たちはひとあじちがう。いっせいに、ポリ公にむかって、怒号をとばしはじめるんだ。

たたき殺すぞォ――――！

こりゃヤベエ。おどろいた署長は、あわてて舟にのってひきかえす。どうもこのとき、手にもっていた提灯《ちょうちん》を海におとしてしまったらしい。それを街の高台からみていたポリ公たち。びっくらこいて、「ありゃあ、署長が海に沈められたぞぅ！」とハヤトチリ。もうパニックだ。これでしばらく警察は機能しなくなった。かたや、署長をおっぱらった鉱夫たち。もう大興奮だ。ウオオオ、ウオオオオオ――――ッ!!! すさまじい気勢があがる。ヤレ、ヤレ、ヤッチマエ！ ヤレ、ヤレ、ヤッチマエ！ あたまのなかには、もう賃上げもクソもありゃしない。とにかく、これまでいばりくさっていたやつらをブチのめしてやれ。ヤレ、ヤレ、ヤッチマエ！ ヤレ、ヤレ、ヤッチマエ！

プオオ――、プオオオオオ――!!!

どっかのだれかが、もっていた竹ボラをふきはじめる。ウオオオオ、ウオオオオオ――ッ!!!

竹ボラをきいた鉱夫たちは、もうとまらない。いっせいに舟にのって、街へ、街へとくりだしていった。その数、約六〇〇。しかも、さすが鉱夫たちだ。手にはツルハシをもっている。上陸すると、鉱夫たちはとにかく食いものがおいてあるところにむかった。ふつう、米騒動では、まずまっさきにみんなで米屋をかこんで、廉売所を設置しろってまくしたてるわけだ。こういうときは、ダシおしみしないで、庶民が買える値段で、コメを売るんだようと。でも、鉱夫たちはひとあじちがう。はじめに暴動ありき。ヤッチマイナ！　だいたい、コメじゃなくても、なんでも食えりゃいいんだよ。腹へった、腹へった。むかったさきは、三井雑穀店。店には、ソーメン、メリケン粉、サイダー、水飴《みずあめ》の樽《たる》がならんでる。あっ、メリケン粉ってアメリカ製の小麦粉のことだよ。ウオオッ、それをみるやいなや、でてくることばはただひとつ。

たたき殺すぞォ――――!

問答無用でツルハシをブンまわす。デシッ、デシッ！　お店崩壊だ。で、どうするのかというと、食いものをもちさるんじゃない。ズデ——ンッ、ズデ——ンッと、道ゆく道に、その食いものをぶちまけていくんだ。ソーメン、サイダー、メリケン粉。ウヒョオ、ウヒョオ！　それをみていた街の衆。男も女も、大人も子どもも老人も、みんながいっせいにそこにくりだしてくる。そんでもって、すさまじいスピードで、もてるものをもちさって逃げるのだ。いやあ、たまんないね。

鉱夫たちは、街をねりあるきながら、とにかく雑穀店や雑貨店をおそい、おなじことをくりかえしていった。しかも、おもしろいのは、いちどあじをしめた群衆たちは、もうはなれやしないってことだ。鉱夫たちがなにをするのかわかっているから、鉱夫たちがすすむところ、すさまじい群衆のとりまきができていく。しかも、テメエら最高だぜっていって、酒屋のおっさんが酒樽をもちだしてきて、鉱夫たちにふるまったんだ。ウヒョオ、ウヒョオ！　鉱夫たち、ベロンベロンに酔っぱらって、エンジン全開だ。

もう雑穀店だけじゃない、貴金属店や呉服屋もおそっていく。酔っぱらった鉱夫たちがツルハシをぶんまわしながら、とにかくほしいものをさけんでいる。シャツくれ、タバコくれ、マッチくれ、石けんくれ。日用品だ。でも、そんなもんここにはおいちゃいない。高級時計とか、どこにきていくんだよっていうような高級着物しかおいちゃいないんだ。だから店をたたきこわし、物品をうばいとっても、こんなもんつかえねえんだよといって、また道ゆく道に、ズデーーンッ、ズデーーンッとほうりなげていった。ウオオオ、ウオオオオ!!! どんどん人数がふえていく。あっというまにその数、一万人をこえていた。宇部村の人口が三万五〇〇〇人くらいだったっていわれているから、そうとうなもんだ。こりゃたまらん!

そして、そしてだ。さらにテンションがあがった鉱夫たち。だれかがとつぜん、ソーメンやメリケン粉の袋をかかえて、川のほうにはしっていった。んで、ウギャア、ウギャアアアァァァッ!!! とさけんだとおもったら、ズデーーンッ、ズデーーンッと、真っ暗闇の川にむかってその袋をブチまきはじめたんだ。ウオオオ、ウオオオオオ!!! 大歓声があがる。みんながみんな、みようみまねでおなじことをやりはじめた。川がいっしゅんで真っ白に染まる。ちなみに、翌日、周囲には腐臭がただよい、とんでもないことになっちまったんだそうだ。夏いね、へへッ。その後、鉱夫たちのテンションはさらにあがり、成金のたまり場だった遊郭を焼き討ちにしたり、炭鉱事業主の豪邸をハカイしたりするのだが、ながくなるので、こんなところでやめておこう。

そうそう、結論だけいっておくと、さいごはもう収拾がつかなくなって、軍隊が派遣されてくる。で、ふつう軍隊ってのは、やってきても、こっちからドンパチをしかけないかぎり、そうそう発砲しないものだが、そこはさすが保守王国の山口だ。鉱夫たちが兵隊をからかって、むけられた銃口をのどにあてて、「うてるものなら、うってみやがれ」と挑発すると、これがマジでうってくるんだ。ギャアア!!! 一七人が負傷、一三人が死亡。そのあと、一七〇〇人がとっつかまり、三〇〇人が起訴された。大弾圧だ。しかしまあ、やることはやったさ。コメ、コメ、コメ、ハァッ! コメ、コメ、コメッ! コメ、コメ、コメッ! だ、い、そ、お、ど、う、ハァッ!

*

富山ではなしてきたのは、そんなところだ。じゃあ、なんでこんなはなしをしたのかというと、この米騒動に、アナキズムってなんなのかってのがあらわれているとおもったからだ。もともと、アナキズムのアナーキー(anarchy)ってのは、ギリシア語からきていて、接頭語のアン(an)と、アルケー(arkhē)がくっついてできたことばなのだが、アンというのは、「〜がない」という意味で、アルケーというのは、「支配」や「権威」っていう意味と、「起源」や「根拠」っていう意味がある。だから、アナーキーってのは、無支配とか反権威ってことでもあるのだが、もうひとつ、起源がないってことでもあるんだ。でね、この両方がだいじなんだ。

さっきの米騒動のはなしでいうと、まず、鉱夫たちは経済に支配されていたわけさ。カネがないと食っていけない。だから、カネをくださるご主人さまには絶対服従。炭鉱主のいうことはききましょう。てゆうか、テメエらだまってはたらけよ、死んでもはたらけよと。でも、コメの値段があがりまくって、はたらいても、はたらいても食っていけない。だったら、自分たちの力で食っていけるようにするしかない。ご主人さまはクソしてねやがれ。みんなで力をあわせて、賃上げを要求しよう。それもかなわないならば、コメをうばってでも食っていく。自分のことは自分でやれ、自分たちでやれ。自己統治だ。カネによる支配も、資本家の権威もまっぴらごめん。アナキズムだ。

でも、これだけでいくと、ダメになっちまうことがある。なんでかっていうと、その自分たちのために、カネをぶんどるために、コメをぶんどるために、これがいちばん有効な手段なんだっていって、ひとをしたがわせることがあるからだ。それだとまた支配がうまれてしまう。たくさんカネをぶんどるためには、全員一丸となって圧力をかけなくちゃいけない、だから、ひとりだけハネあがって、いきなり相手をぶんなぐるとか、そういうことをやっちゃダメなんだ、そういうことをやったらみんなのメイワクなんだ、みんなの敵なんだと。たとえ、いまの支配にしばられないためであっても、たとえ、みんなのためであっても、たとえ、自己統治のためであっても、その目的のためにひとを動員しはじめたら、そこには自由もクソもなくなっちまう。ただの支配だ。

　だけど米騒動というか、暴動になると、ちょっとちがう。もちろん、こんなに食えねえんだったら、やってやるぞっていう自発性はあるんだが、その自発性が暴走しはじめるんだ。だって、食いものがないからソーメンやメリケン粉をうばいとったのに、それをウギャア、ウギャアアァァァッ!!!　ってさけびながら、川のなかにほうりなげちまうんだから。ガーン!!!　なにやってんすかそれってとこだろう。マジで意味がわからない。もはや、なにが目的で、なんのためにやっているのか、その起源をたどることすらできやしない。でも、そのわけのわからない行動をやりはじめたら、おもしろくて、おもしろくてしかたがない。捨てろ、捨てろ、捨てろ。オレはなんにもしばられないぞ。カネにもコメにも、他人にも自分にも、損得にだってしばられやしない。みんな鬼に喰《く》われちまえだァ。オレはすっかりえらくなったんだぞ。ウギャア、ウギャアアァァァッ!!!　貧者のさけび、労働者の狂い、団結の力、民衆の声、ああ愉快なり。こわせ、こわれろ、こわされろ。

　いうことをきかないやつがいる。だれにも、なんにも、いや、自分にですら制御できない力がある。そんな力に身をまかせ、ただ快感に酔いしれる。たかだかこんなものだとおもっていたオレが、あんなことをやっちまうのか。あのショボいとおもっていたあいつが、こんなこともやっちまうのか。オレ、すごい。おまえ、すごい。オレ、すごい。おまえ、すごい。オレ、オレ、オレ、されどオレ、オーレイ！　壊してさわいで、燃やしてあばれろ。ウギャア、ウギャアアアァァァッ!!!　もはや主人でも奴隷でもない。てゆうか、ここまでくると人間なのかどうかもわからない。そういう得体のしれない生が、突如として、この世にあらわれる。それがほんとうの意味で、ひとが自由になるってことなんだとおもう。えっ、自由のために？　みんなのために？　目的、動員、クソくらえ。あらゆる支配にファックユー。自由なんかぶっとばせ。アナキズムにもしばられるな。自発性だけで暴走しようぜ。がまんができない。さけべ、アナーキー！　狂い咲け、フリーダム！

＊

さて、本書に登場したアナキストたちがとりくんでいたのは、そういうことだ。権力者がいばりくさっているから、こいつらぶっつぶしてやるぜっておもっていたら、仲間だとおもっていたやつらのなかに、あたらしい権力をつくりだすやつらがでてきてしまう。オレたちが真に民主的な権力をたちあげるんだっていってね。たとえば、ソビエトだって、もともとは「評議会」という意味で、みんなのことはみんなできめよう、よっしゃ自己統治だっていっていたわけだが、それで、みんなのために、みんなのためにっていっていたら、みんなのためにいうことをきけよ、わがままいうな、さからったら人民の敵だ、ハイ、処刑ねってなって、とんでもない権力がたちあがっていたわけだ。

アナキストたちは、あの手この手をつかって、そのあたらしい権力にもたちむかっていった。なにが民主主義だ、このやろう。なにがみんなのためだ、このやろう。テメエらのいうことなんてきかねえぞっていってね。もちろん、たいていは権力者によってたたきのめされて、やられてしまう。でも、やりあっているうちに、みえてくるものもあるわけさ。いまの権力をぶちこわすためにっていって、その目的のために、ひとを動員しはじめたら、かならずあたらしい権力が構成されてしまう、あたらしい支配がうまれてしまう。だったら、あらゆる動員を拒否するしかない、権力の脱構成だってね。じゃあ、どうしたらいいか？　本書では、三つのやりかたを紹介してきた。

（一）　国家の廃絶　　　：破壊とは創造の情熱である
（二）　パルチザン　　　：国家とは非対称なたたかいをしよう
（三）　戦闘的退却主義：パルチザンシップを生きろ

国家ってのは、いつだって人間の生活基盤をうばいとり、その生を奴隷化してしまう。ほんとうは、権力をにぎったわるいやつらが、とにかく年貢やら税金やらを収奪したいってだけなのに、いちどインフラがきずかれて、それがあたりまえになってしまうと、おまえらはオレたちが灌漑事業をやってやったから農業ができるんだぞとか、軍隊でまもってやっているから安心してくらせてるんだぞとか、おまえらはオレたちが電気、ガス、水道、道路をとのえてやっているから生きていられるんだぞとか、そのおかげで工場ではたらくことができるんだぞとかっていってくるんだ。つきましては、税をおさめましょうってね。クソったれだ。ようするに、国家ってのは、みんなそれなしじゃ生きていけないような環境をつくっておいて、そんでもって、おまえらオレたちにしたがえよっていってくるんだ。ヤクザだね。

だったら、そんな国家はぶっつぶしてやるしかない。いまの国家だけじゃない。あらゆる国家はいらないんだ。国家があるかぎり、かならずインフラに依存させせられて、コキつかわれて、ふみにじられて、ひとりで泣かされて、税をむしりとられる。ああ、もううんざりだ。国家をかんぜんに破壊して、自分たちのことは自分たちでやっていこう。必要な物をつくるにしても、それを交換するにしても、みんなが教育をうけられるようにするにしても、みんなが芸術にアクセスできるようにするにしても、チョイチョイはなしあえば、自分たちでまかなえる。それこそ、パリコミューンのときみたいにね。破壊せよ、破壊せよ、破壊せよ。

破壊は創造の情熱である。よっ、バクーニン！

でも、これだけでいくと、たいていの場合、国家の復讐にあってぶっつぶされる。その領土だけ革命状態になっていたら、まわりにも伝染しかねないからといって、いろんな国から攻めこまれるんだ。パリコミューンじゃ、メッタくそにひとが虐殺されまくったし、逆に、ロシア革命のときみたいに、それをふせぎきったとしてもヤバイわけだ。敵国とやりあうために、敵国よりもつよくならなくちゃならない。で、気づいたら、敵国よりももっと強大な国家をつくっていて、強大な軍隊をもつようになっている。相手の国家とおなじやりかたでたたかったら、たいていは勝てないし、勝ったとしても、そのときは相手の国家よりももっとひでえ国家がたちあがっちまっているんだ。

じゃあ、そうさせないためには、どうしたらいいのか。パルチザンだ。国家とは非対称なたたかいをしていけばいい。ネストル・マフノだったら、兵士たちがふだん農民であることを最大の武器にして、敵をうちのめしていった。深夜、闇にまぎれて敵軍の野営地や、大地主の邸宅を襲撃し、血祭りにあげていく。それで朝までには散っていくんだ。敵軍の大部隊がやってきても、みんなもう農民にもどっているから、だれがやったのかなんてわからない。おいら、ただの農民だい。不可視が最高！

そうはいっても少人数でたたかっていて、大軍にかこまれたら、やられるときはやられちまう。じゃあじゃあってことで、グスタフ・ランダウアーは、国家が強いる生きかたとは、べつの生きかたをしていけばいいんだといっている。生のパルチザンっていってわかるだろうか。国家と非対称な生きかたをしていく。もじどおり戦闘をするだけじゃない。生きかたのレベルで、パルチザンを実践するってことだ。国家というものは、いつだってひとをインフラ漬けにしておいて、おまえらこの国で生きていきたいなら、税金はらえといってくる。カネがないのなら、なにをいわれても、なにをされても、ご主人さまに、資本家さまにあたまをさげて、死ぬ気ではたらけよってね。奴隷の生だ。

だったらねと、ランダウアーはいうわけだ。逃げろ、ごまかせ、バックレろ。国家なんてふっとばしてやりたい。でも、あらゆる制度を廃絶しなければ自由になれないっていっていたら、死ぬまで、いや死んでもなにもできないかもしれない。国家とやりあう力がととのうまではまっていろ？　そのためには、おっきな団体をつくらなくちゃいけない？　おまえひとりだけハネちゃダメなんだよ？　あれ……？　ちょっとおかしなことになっちまう。ファックミーだ。てゆうか、将来、やりたいことをやるために、いまはガマンだなんていっていたら、たいていなんにもやらないでおわってしまうんだ。いま、いま、いま。やるならいましかねえ、いつだっていましかねえ。いまここが新天地じゃなかったら、どこにも新天地なんてないんだよ。

いまこの場から、国家の生とはまったくべつの生きかたをはじめよう。この世界を生きることが、奴隷の生をいきるということならば、そんな人生、ぜんぶまるごと捨ててしまえ。いまこの世にいながらにして、あの世にむけて離脱するんだ。ランダウアーは、そうやって新天地にむけて出発したとき、はじめて「民衆」がうまれるんだといっている。逆にいえば、国家に「民衆」なんていやしない、主人か奴隷かしかいないんだ。そのどっちでもない「民衆」の生をいきていきたい。この世界からのトンズラだ。トンズラこそが最大の武器。パルチザンシップを生きてゆきたい。いくぜ、戦闘的退却主義。チョレイ！

自分のことは自分でやる、自分たちでやる、やれるんだ。インフラなしでも死にやしない。3・11後の計画停電のときも、ふだんなんにもできないわたしがいけるぜっておもったくらいなんだから、もっといけるぜっておもったひとは、けっこうおおかったんじゃないかとおもう。もちろん、インフラにしばられないとはいっても、あるものはなんでもつかいまくったらいい。電気でもガスでも水道でもインターネットでもね。カネをはらわなくてすむのなら、いくらでもチョロまかしてバックレちまえ。どこまでいけるのか。さすがに、ひとりじゃ限度がある。でも、そういうちょっとした技を、友だち同士でくっちゃべって共有すれば、あるいは、まだみぬ友人たちと共有することができたなら、もういくらでもなんでもありだ。

そういや、第一章で狩猟採集民の生活をとりあげたが、インフラなしでもやっていけるってのは、ああいうもんなんだとおもう。一日、平均三時間労働。はたらかないで、たらふく食べたい。いいよ！　でもね、おいらがいちばんひかれたのは、アトラトル（投槍器《とうそうき》）なんだ。シカの角をきりとって、そのさきっちょに穴をあける。で、そこに槍をのっけて、ビュンッととばせば、すさまじい飛距離がでるってやつだ。これでホモサピエンスは劇的にケモノを狩れるようになっていくんだが、おもしろいのは、ひとりふたりがつかうようになったってわけじゃなくて、これすごいぜ、すごいぜっていって、その知恵がみんなに共有されたってことだ。しかも、ここをこう改良したら、もっととぶぜとか、矢じりの石をギザギザにしたら、もっとケモノを狩れるぜって、悪知恵をはたらかせるやつがいたら、それもガンガン、共有されていったんだ。じっさい、ホモサピエンスがいままで生きのこってきた理由は、そこにあるんだっていわれている。

それにね、おもしろいのは、アトラトルがひろまっていったのは、生きのこるためにそうしていたわけじゃないってことだ。なんかシカの角を手にもって、これはオレの身体の一部なんだ、オレはケモノになったぜっておもったら、それで槍をトリみたいにとばすことができるようになった。オレ、すげえ。シカにもなれる、トリにもなれる。なんだこの力はと、得体のしれない力に酔いしれていたら、もっともっといって、一〇〇メートルとか一五〇メートルとか、槍をとばせるようになっていた。それこそ夢中になって、ウヒョオ！　とかいいながら、みんなで競いあって、ビュンビュンとばしていたことだろう。でさ、これがおもしろいのは、マジでムダなことなんだってことだ。だって、狩猟でこんなに槍をとばせたって、意味はないんだから。でも、それでも、自分をこえた力があることに、制御できない力があることに、そこに身をまかせられることに、酔いしれてしまう。きっと、その結果として、みんなアトラトルをつかうようになっていて、それで気づけば、ホモサピエンスが生きのびていたってとこなんだろう。

たぶん、こういうときってのは、自分のことは自分でやるってのをこえちまっているんだとおもう。自分ひとりじゃおもってもみなかったことが、いくらでもできるようになっているんだから。シカの角とであうことで、あるいは、友だちの悪知恵とであうことでね。あれもできる、これもできる、なんでもできる。オレ、すごい。オレ、すごい。オレ、オレ、オレ、されどオレ、オーレイ！　そういや、震災のときなんか、おいら、真っ暗闇の道路に、菩薩《ぼさつ》をよびおこせるようになっちまったよ、チャッハハ！

だれにも、なんにもしばられない、自分にでさえ制御できない力がある。その力に酔いしれて、得体のしれないなにかに化けろ。もはや主人でも奴隷でもない、てゆうか人間なのか、ケモノなのか、仏なのかもわからない、エイリアンの生をいきるんだ。インフラ権力がそれをゆるしてくれないならば、もうあばれるしかない。いつだって、米騒動の「民衆」があらわれる。ズデ――ンッ、ズデ――ンッ！　真っ暗闇の川にむかって、ソーメンもメリケン粉も、コメでもなんでもなんもかんもほうりなげてしまえ。ついでに、自分の損得すらぶちまけてしまえ。暴動の生をいきるということは、いまここに菩薩をよびおこすのとおなじことだ、エイリアンの生をいきるのとおなじことだ。コメ、コメ、コメ、ハッ！　コメ、コメ、コメッ！　コメ、コメ、コメッ！　だ、い、そ、お、ど、う、ハッ！

そいじゃ、結論とまいりましょうか。構成的権力はいらない。たとえ民主主義をつくりだすためであっても、たとえ民主的な憲法を制定するためであっても、あらゆる権力はいらないんだ。みんなのために？　自由のために？　それがなんのためであれ、ひとに動員されてコキつかわれるのは、まっぴらごめんだ。民主主義に「民衆」なんていやしない、奴隷しかいやしない。あらゆる権力から離脱せよ。この世界からトンズラしてゆけ。いくぜ、戦闘的退却主義。どこからともなく、おたけびがきこえてくる。ウギャア、ウギャアアァァァァッ!!!　いうこときかないやつがいる。制御できない力がある。権力の脱構成。主人でも奴隷でもない、「民衆」の生をいきはじめる。なんどでもふりだしにもどって生きていきたい。革命がおきるということは、ゼロ憲法を宣言するのとおなじことだ。真の自由を手にするということは、制御不能な力を生きるということとおなじことだ。がまんができない。さけべ、アナーキー！　狂い咲け、フリーダム！

＊

さて、謝辞です。本書をかくにあたって、いろんな友人たちにお世話になりました。とくに、五井健太郎《ごいけんたろう》さんには、夜中、電話でくっちゃべりながら、なんどもなんどもアドバイスをいただきました。ありがとうございます。それから、担当編集者の岸山征寛《きしやまゆきひろ》さんにも。本書は執筆に一年くらいかかってしまったのですが、それでもしぶとく、そしてあたたかくみまもっていただきました。いつもながら感謝です。そして読者のみなさまにも。さいごまでおつきあいいただき、ありがとうございました。またどこかでおあいしましょう。ごきげんよう、さようなら、チャオ！

栗原　康

二〇一八年五月末日

新書版おわりに

「『危機』は支配の究極原理となった」[1]。これは本書でもとりあげた不可視委員会のことばだ。この数年、やたらとリアルにかんじる。コロナ禍にはパンデミックの恐怖が煽《あお》られて、非常事態宣言。

日本のとりしまりはゆるかったけれど、ヨーロッパのように厳格なロックダウンをとるべきだという声がおおかった。人間にとって、めっちゃだいじなはずの移動の自由がいともかんたんにうばいとられる。

きっとこれから気候変動といえば、いくらでもおなじことができるようになるだろう。さらにはガザ侵攻にウクライナ情勢。軍事危機が煽られれば、武器輸出でも防衛費増強でも、政府は憲法なんてなかったかのようにやりたい放題。そのつど危機がさわがれるたびに、なんでもありの絶対権力がたちあがる。

1　不可視委員会『われわれの友へ』（HAPAX訳、夜光社、二〇一六年）一二三頁。

どうしたらいいか。ひとによっては、あいもかわらず権力奪取をよびかけるだろう。このままいくと人類死滅ですよと、いまの権力者よりもさらにどぎついカタストロフをつきつけて、既存の支配体制をまっさらな状態にひきもどそうとする。そうして、そこに理想社会を建設するのだと。

いまだったら、AIによる統治が流行《はや》りだろうか。いわく、これまでは政治家の恣意的な判断がいけなかった。岸田《きしだ》、トランプ、プーチン、ネタニヤフ、ほらねと。AIだったら、データにもとづいて最適な判断をくだしてくれる。CO2を削減してくれる、格差を是正してくれる、戦争を回避してくれる、と。

しかしそれってあたらしいリヴァイアサンをたちあげているだけじゃないのか。「最適化」の名のもとに、怪物的な権力が行使される。人類にとってベストな選択。そういわれたら、なんでも命令に従わされる。

さて、本書でとりあげてきた思想はその真逆だ。たとえ人類の利益に反するといわれても、いうことなんてきけやしない。誤解しないでほしい。超富裕層みたいに、自分の利益のためならなにをやってもいいといっているんじゃないよ。

やりたいことしかやりたくない。自分がほんとうに納得できないことであれば、従わなくていい。その自由をうばわせてはいけない。ディッセント!

もちろん、いまの支配体制は問題なんだ。だけど、それをまっさらな状態にしなければなにもできないとおもうと、どうしても逆張りであたらしい権力をたちあげてしまう。あらためて問いたい。どうしたらいいか。わたしはランダウアーのいう「トポスとユートピア」がヒントになるとおもっている。

ユートピアは、そもそも、世界外の現実になろうとするものではないし、革命というものにしても、あるトポスから別のトポスへと移行する期間、言い換えれば、二つのトポスの間の境界にすぎないのである。[2]

ユートピアはこの世界の外にうちたてられる理想郷ではない。それだと理想が現実化された瞬間に、ただのトポス、つまり現にある秩序になってしまう。しかもあたらしい権力をたちあげておきながら、それが理想だとおもっている分だけたちがわるい。だからこの世界の内側にいながらにして、この世界ではありえないものになっていく。あ

2　グスタフ・ランダウアー『レボルツィオーン　――再生の歴史哲学』（大窪一志訳、同時代社、二〇〇四年）一七頁。

たらしいトポスをうちたてるのではない。トポスからトポスへ移行するあいだ、その境界こそがユートピアなのだ、革命なのだ。

それはサパティスタやロジャヴァ革命のように、権力奪取を目的としない運動のことなのかもしれない。日々、革命的自治を実践しながら、支配のない共同の生を実践していく。権力をとらずに世界を変えるのだ。

あるいは、キリスト教神秘主義者であったランダウアーであれば、イエスそのひとを想定していただろうか。一見すると、イエスの語りは現にある秩序のことばそのままだ。当時の支配体制を支えていたユダヤ教の用語をつかっている。だけど、よくみるとその意味がひっくり返っているのだ。

たとえば、「隣人愛」。すでにユダヤの司祭たちによって、つかい古されてきたことばだ。だけどイエスはいう。隣人愛は、隣人を愛することではないよ。むしろ隣人とよそ者を区別して「友／敵」をつくるから、戦争がおこるのだ。その垣根をとっぱらおう。アーメン、汝《なんじ》の敵を愛せよ。イエスをイスラエルに放りこみたい。

イエスが、現にある秩序のことばを語ればかたるほど、その秩序が無効化されていく。いまここにある世界に関わればかかわるほど、その世界が失効していく。それは同時に、いまここにはない、どこにもない世界を生きはじめるということなのだとおもう。革命はユートピアでしょ。

よし、終わりにしよう。危機が煽られるたびにうちたてられる巨大な権力。もう従えない、がまんできない、逃げだしたい。宣言しよう。ここに積みあがった石は、ひとつのこらず崩れ落ちる。離脱とは、もうひとつの生をいきることにほかならない。ここが新天地じゃなかったら、どこにも新天地なんてないんだよ。フリーダム！

二〇二四年六月

栗原　康

主要参考文献

・アントニオ・ネグリ『構成的権力——近代のオルタナティブ』杉村昌昭、斉藤悦則訳、松籟社、一九九九年
・H・ルフェーヴル『パリ・コミューン（上・下）』河野健二、柴田朝子、西川長夫訳、岩波文庫、二〇一一年
・Edith Thomas, *Louise Michel*, translated by Penelope Williams, Montréal, Black Rose Books, 1980
・一遍『一遍上人語録』大橋俊雄校注、岩波文庫、一九八五年
・井上清、渡部徹編『米騒動の研究（全五巻）』有斐閣、一九五九〜一九六二年
・ヴォーリン『1917年・裏切られた革命——ロシア・アナキスト』野田茂徳、野田千香子訳、現代評論社、一九七一年
・エックハルト『エックハルト説教集』田島照久編訳、岩波文庫、一九九〇年
・エティエンヌ・ド・ラ・ボエシ『自発的隷従論』西谷修監修、山上浩嗣訳、ちくま学芸文庫、二〇一三年
・E・トラー「ドイツの青春」船戸満之訳『全集・現代世界文学の発見1　革命の烽火』學藝書林、一九六九年

・オーギュスト・ブランキ『天体による永遠』浜本正文訳、岩波文庫、二〇一二年
・大沢正道『個人主義――シュティルナーの思想と生涯』青土社、一九八八年
・大杉栄全集編集委員会編『新編　大杉栄全集（全一二巻・別巻）』ぱる出版、二〇一四〜二〇一六年
・ギー・ドゥボール『スペクタクルの社会』木下誠訳、ちくま学芸文庫、二〇〇三年
・グスタフ・ランダウアー『レボルツィオーン――再生の歴史哲学』大窪一志訳、同時代社、二〇〇四年
・グスタフ・ランダウアー『自治・協同社会宣言――社会主義への呼びかけ』寺尾佐樹子訳、同時代社、二〇一五年
・栗原康『死してなお踊れ――一遍上人伝』河出書房新社、二〇一七年
・クレア・ビショップ『人工地獄――現代アートと観客の政治学』大森俊克訳、フィルムアート社、二〇一六年
・シュティルナー『唯一者とその所有（上・下）』片岡啓治訳、現代思潮社、一九六七〜一九六八年
・白石嘉治、大野英士編『増補　ネオリベ現代生活批判序説』新評論、二〇〇八年
・白石嘉治『不純なる教養』青土社、二〇一〇年
・白石嘉治「革命は始まっている」『図書新聞』二〇一七年三月一一日、三二九四号
・高野義祐『米騒動記：その四十周年を回顧して』米騒動四十周年記念刊行会、一九五九年
・高橋新吉『ダダイストの睡眠』松田正貴編、共和国、二〇一七年
・デヴィッド・グレーバー『負債論――貨幣と暴力の5000年』酒井隆史監訳、高祖岩三郎、佐々

木夏子訳、以文社、二〇一六年
・外川継男、左近毅編『バクーニン著作集（全六巻）』白水社、一九七三～一九七四年
・中村葉子「なぜアートはカラフルでなければいけないのか――西成特区構想とアートプロジェクト批判」『インパクション』一九五号、インパクト出版会、二〇一四年
・バクーニン『バクーニン（Ⅰ・Ⅱ）アナキズム叢書』三一書房、一九七〇年
・HAPAX編『HAPAX　VOL. 1～8』夜光社、二〇一三～二〇一七年
・HAPAX「初メテノ音、未ダ来ラズ――絶対的な孤独への道標」『別冊 ele-king 初音ミク10周年』Pヴァイン、二〇一七年
・原口剛『叫びの都市――寄せ場、釜ヶ崎、流動的下層労働者』洛北出版、二〇一六年
・肥谷圭介漫画、鈴木大介ストーリー共同制作『ギャングース（全一六巻）』講談社、二〇一三～二〇一七年
・平岡正明『犯罪あるいは革命に関する諸章』大和書房、一九七三年
・平岡正明『地獄系24』芳賀書店、一九七〇年
・ピエール・クラストル『国家に抗する社会』渡辺公三訳、水声社、一九八七年
・ピョートル・アルシノフ『マフノ運動史 1918-1921――ウクライナの反乱・革命の死と希望』郡山堂前訳、社会評論社、二〇〇三年
・不可視委員会『来たるべき蜂起』『来たるべき蜂起』翻訳委員会訳、彩流社、二〇一〇年
・不可視委員会『われわれの友へ』HAPAX訳、夜光社、二〇一六年

・藤田直哉編著『地域アート――美学／制度／日本』堀之内出版、二〇一六年
・ブランキ『革命論集（上・下）』加藤晴康訳、現代思潮社、一九六七～一九六八年
・P・アヴリッチ『クロンシュタット1921』菅原崇光訳、現代思潮新社、二〇〇八年
・ホッブズ『リヴァイアサン（全二巻）』永井道雄、上田邦義訳、中央公論新社、二〇〇九年
・マーシャル・サーリンズ『石器時代の経済学〈新装版〉』山内昶訳、法政大学出版局、二〇一二年
・マルクス『フランスの内乱』木下半治訳、岩波文庫、一九五二年
・矢部史郎『放射能を食えというならそんな社会はいらない、ゼロベクレル派宣言』新評論、二〇一二年
・李珍景『不穏なるものたちの存在論』影本剛訳、インパクト出版会、二〇一五年
・ルイーズ・ミッシェル『パリ・コミューン――一女性革命家の手記（上・下）』天羽均、西川長夫訳、人文書院、一九七一～一九七二年

二〇一八年七月に小社より刊行された単行本『何ものにも縛られないための政治学　権力の脱構成』を、正題を改題の上、加筆修正したものです。

栗原　康（くりはら・やすし）
1979年、埼玉県生まれ。早稲田大学大学院政治学研究科博士後期課程満期退学。東北芸術工科大学非常勤講師。専門はアナキズム研究。2014年『大杉栄伝　永遠のアナキズム』（夜光社、のち角川ソフィア文庫）で第５回「いける本大賞」受賞、紀伊國屋じんぶん大賞2015第６位。17年第10回「（池田晶子記念）わたくし、つまりNobody賞」を受賞。個性溢れる文体から紡ぎ出される文章は、講談を聞いているかのようにリズミカルで必読。著書に『現代暴力論　「あばれる力」を取り戻す』（角川新書）、『アナキズム　一丸となってバラバラに生きろ』（岩波新書）、『はたらかないで、たらふく食べたい　「生の負債」からの解放宣言』（タバブックス、のちちくま文庫。紀伊國屋じんぶん大賞2016第６位）、『村に火をつけ、白痴になれ　伊藤野枝伝』（岩波書店、のち岩波現代文庫。紀伊國屋じんぶん大賞2017第４位）、『超人ナイチンゲール』（医学書院。紀伊國屋じんぶん大賞2024第10位）など多数。

無支配《むしはい》の哲学《てつがく》

権力《けんりょく》の脱構成《だつこうせい》

栗原《くりはら》　康《やすし》

2024年 8月 10日　初版発行

◇◇◇

発行者　山下直久
発　行　株式会社KADOKAWA
〒102-8177　東京都千代田区富士見 2-13-3
電話　0570-002-301（ナビダイヤル）
装 丁 者　緒方修一（ラーフイン・ワークショップ）
ロゴデザイン　good design company
オビデザイン　Zapp!　白金正之
印 刷 所　株式会社暁印刷
製 本 所　本間製本株式会社

角川新書

ISBN978-4-04-082513-7 C0295